APPARTEMENT IN

Glenway Wescott (1901-1987) gr...
kaanse staat Wisconsin. In de jaren
Parijs, waar hij omging met auteurs van de 'Lost Gene-
ration', onder wie Gertrude Stein, Ernest Hemingway en
Scott Fitzgerald. In de jaren vijftig en zestig maakte hij
deel uit van een groep kunstenaars in New York als Chris-
topher Isherwood, W.H. Auden en E.M. Forster. Hij de-
buteerde in 1924 met *The Apple of the Eye*. Voor *The
Grandmothers: A Family Portrait* (1927) kreeg hij de pres-
tigieuze Harper Prize. In 2002 verscheen bij uitgeverij
Wereldbibliotheek *De slechtvalk*.

Glenway Wescott

Appartement in Athene

WERELDBIBLIOTHEEK · AMSTERDAM

Uit het Engels vertaald door Léon Stapper

Omslagontwerp Nico Richter
Oorspronkelijke titel *Apartment in Athens*

© 1944 Glenway Wescott
© 2005 Nederlandse vertaling Léon Stapper en
Uitgeverij Wereldbibliotheek bv
Spuistraat 283 · 1012 VR Amsterdam

www.wereldbibliotheek.nl

ISBN 90 284 2139 4

Voor de vrouw van mijn broer

I

Dit is het verhaal van het Griekse gezin Helianos.

Nikolas Helianos was redacteur en voor een deel ook eigenaar van een gerenommeerde uitgeverij in Athene. Hij was van middelbare leeftijd, had een vrouw die iets ouder was dan hijzelf, en een dochter van tien en een zoon van twaalf. Hun andere zoon van negentien of twintig, Cimon, was omgekomen tijdens de slag om de berg Olympos in april 1941. Een broer van mevrouw Helianos was ook bij hen ingetrokken, maar toen de vijandelijke troepen Athene bereikten, was hij verdwenen of gevlucht zonder dat ze wisten waarheen.

De invasie had vanzelfsprekend rampzalige gevolgen voor uitgeverijen: Helianos' kleine en behoudende bedrijfje, gespecialiseerd in schoolboeken en wetenschappelijke verhandelingen, was ten dode opgeschreven, en ondanks een bescheiden inkomen dat mevrouw Helianos uit een erfenis had, moesten ze hun levensstandaard tot het allernoodzakelijkste minimum reduceren. Nu de twee jongemannen weg waren, was hun huis in de buitenwijk Psyhiko te groot voor hen geworden en verhuisden ze naar een appartement waar aanvankelijk Helianos' eerste drukker had gewoond, een viertal aangename maar kleine kamers in het centrum van de stad.

Ze waren uiteraard niet gelukkig met de situatie, maar ze

hielden goede moed en deden hun best om elkaar te troosten in hun verdriet en verarmde omstandigheden. Helianos was niet helemaal wat je je voorstelt bij een Athener; hij leek meer een Fransman uit de betere burgerkringen, een universitair docent of een ambtenaar. Hij sprak met zachte stem en had een wat precieuze, logisch redenerende en scherpzinnige geest, waarmee hij altijd de twee kanten van een zaak zag. Hij was klein van stuk, had afhangende schouders en weliswaar geen buikje, maar ook geen taille. Hij zag er opgewekt uit, ook al had zijn gezicht iets zwaars en mismoedigs. Hij had mooie, vriendelijke ogen. Zelfs in de magere jaren 1941, 1942 en 1943 bleef hij het gezette postuur behouden dat door jaren van goed eten en goed leven was ontstaan.

Mevrouw Helianos, die in haar jeugd een schoonheid was geweest, had de grote ogen, volle lippen en krachtige, ronde hals van vrouwen uit vroeger tijden. Ze had het aan haar hart en leed bovendien aan een zekere zwaarmoedigheid; ze was lusteloos en corpulent geworden. Haar ivoorwitte huid was overdekt geraakt met een waas van sproeten. Haar mondhoeken waren neergetrokken en onder haar uitpuilende ogen had ze wallen gekregen. Ze was wees en twee ooms – rijke kooplui – hadden haar in huis genomen en in alle vrijheid opgevoed. Helianos had die lijn voortgezet en was haar blijven verwennen. Daardoor viel het haar des te zwaarder en moeilijker toen er slechte tijden aanbraken. Het eerste jaar van de rampspoed die over Griekenland kwam, bracht naar het leek alleen de zwakke kanten van haar persoonlijkheid naar voren.

Hun zoon van twaalf, Alex, was een slim maar vreemd jongetje. Hij had grote ogen en een enigszins verwilderde blik, en een neus die in een rechte lijn vanaf zijn voorhoofd liep; zijn lippen krulden zich en zijn gezicht droeg een vroegrijpe, strakke en onbewogen uitdrukking, maar als je hem aankeek of iets tegen hem zei, begonnen zijn ogen te dansen.

Hij had zijn grote broer aanbeden, en toen de oorlog begon, was zijn enige hoop dat die lang zou duren, zodat hij oud genoeg zou zijn om zich bij het leger aan te melden. Hij was heel rustig gebleven toen hij het nieuws van de dood van zijn broer op de Olympos hoorde, maar later, toen Griekenland niet langer meer over een regulier leger beschikte, kon hij het er alleen nog maar over hebben dat hij zo sterk wilde worden dat hij ten minste één Duitser zelf kon doden, zonder te hoeven wachten tot hij groot genoeg was. Om de paar dagen vroeg hij zijn ouders of ze dachten dat hij al groter of zwaarder was geworden, en veel van de spelletjes die hij deed waren bedoeld om zijn kracht te testen, experimenten met wraak als doel.

Hij was in feite helemaal niet sterk. Zijn vader vreesde dat hij de matige gezondheid van de kant van mevrouw Helianos had geërfd. Ook al hadden ze dan wat meer te eten dan het gemiddelde Atheense gezin, hij leek alleen maar kleiner te worden in plaats van te groeien, en tussen de duidelijk zichtbare heupbeenderen begon zich een hongerbuikje af te tekenen.

Zijn zusje Leda van tien had weliswaar het fysieke uithoudingsvermogen dat haar broer miste, maar ook om haar maakten haar ouders zich zorgen, omdat ze geestelijk achterbleef. Ze was nooit erg slim geweest, maar dat had tot aan de val van Griekenland geen enkele rol gespeeld. In dat verschrikkelijke jaar verkreeg haar kinderlijke karakter een vreemde trek, alsof ze alle verwarring en intimidatie in zich had opgezogen en door haar poriën had opgenomen als een ongezonde nevel of een vlaag ijzige kou.

Alhoewel ze dezelfde doorschijnend bleke huid had die haar moeder in haar jonge jaren zo aantrekkelijk had gemaakt, was Leda niet mooi. Haar tanden stonden te ver naar voren en haar jukbeenderen waren te hoog in haar gezicht geplaatst. Maar wat echt jammer was, was de uitdrukking – of het gebrek aan uitdrukking – in haar gezicht. Soms, als er iets misging of als ze niet begreep wat er aan de hand was, kreeg je de rillingen van haar gevoelige, maar passieve gezicht. Het verschrompelde en ging hangen als de slappe bloembladen van een grote plant.

Ze wilde nooit met iemand anders spelen dan met haar broer, zei vrijwel niets en zat uren achtereen zwijgend om zich heen te kijken. Wat er ook tegen haar gezegd werd of voor haar gedaan werd, ze accepteerde het onaangedaan en gaf geen enkel blijk van genegenheid voor haar ouders. Alleen Alex wist de weg te vinden naar haar kleine hart.

Als een van hun familieleden op bezoek kwam, zei Helianos meer dan eens: 'Leda lijkt eerder een schoondochter dan een dochter.'

Dat was een subtiele, moeilijk te doorgronden grap, zoals hij die graag maakte, op gedempte toon en met een ironische glimlach. En er zat een kern van waarheid in: de fijnbesnaarde jongen en het passieve meisje waren als een miniatuurbruid en -bruidegom uit een sprookje, geheimzinnig en allebei als betoverd.

Uren achtereen zat Alex tegen Leda te praten en vertrouwde haar – vaak met buitengewone felheid – tot in de kinderlijk wrede details zijn plannen toe om zich op de een of andere Duitser te wreken. Het joeg haar angst aan, maar omdat hij het was en zij het geluid van zijn stem zo graag hoorde, lichtte haar uitdrukkingsloze, ronde gezicht op van gelukzalige aandacht.

Mevrouw Helianos vond eigenlijk dat Alex bestraft moest worden voor die wilde praatjes, niet alleen vanwege het kwalijke effect op Leda, maar ook ter bescherming van zichzelf en zijn ouders, die al genoeg te verduren hadden. Oorlog was niets voor kinderen. Ze wilde dat haar kinderen de oorlog zouden beschouwen als een ziektegeval in de familie of als een faillissement, een aardbeving of een overstroming – dingen waar niemand iets aan kon doen. Het was haar een raadsel waar Alex dat idee van wraak vandaan had. Als hij doorging met die zwaar aangezette dagdromerij over de oorlog, kon hij vroeg of laat wel eens het gevoel krijgen dat hij er werkelijk iets mee moest en dat hij zijn dromen in daden moest omzetten. En aangezien hij tot niets in staat was, zou dat alleen maar tot mislukken gedoemd zijn: hij zou door de Duitsers worden opgepakt en op Duitse wijze gestraft worden. Alsof ze nog niet genoeg hadden geleden.

Helianos schudde slechts vol twijfel het hoofd en weigerde zijn dwaze zoon tot de orde te roepen. In feite leed Leda veel minder onder de wrede en patriottistische fantasieën van Alex dan onder de drukdoenerij en sombere voorspellingen van haar moeder. Kinderen zijn tamelijk ongevoelig voor de wreedheid van leeftijdgenoten... Ze hoorde hoe haar ouders over de kwestie ruzieden en begon te huilen, geluidloos en passief, zoals bij haar paste. Tussen mevrouw Helianos en Leda was op een bepaalde manier eerder sprake van een verbondenheid dan van genegenheid: de zorgelijke verbeeldingskracht van de moeder werd weerspiegeld in haar dochter als een donkere wolk in een kleine brakke poel.

Op een zomermiddag in 1941 beleefde Leda een avontuur. Alex was weg om een bericht over te brengen aan een van de vrienden van zijn vader. Leda ging naar buiten, naar een leegstaand pand verderop in de straat, waar hij had beloofd haar te zullen treffen om samen te spelen. Na korte tijd kwam Alex alleen terug en vroeg: 'Moeder, waar is Leda? Waar is Leda?'

Na een uur keerde Leda terug als een kleine slaapwandelaarster en wilde of kon zich tweeënhalve dag lang niet verroeren, en niet praten, eten of slapen. De hele dag bleef ze zomaar ergens zitten, en als haar moeder haar had opgetild en in bed had gelegd, lag ze de hele nacht met open mond te ademen en strak voor zich uit te staren met ogen van marmer. Dokter Vlakos, de huisarts, die er op de tweede dag door mevrouw Helianos bij geroepen was, had geen verklaring voor haar toestand. Op de derde dag bracht een terloopse opmerking van Alex haar bij zinnen: ze hernam haar gebruikelijke armzalige, lusteloze leventje, maar weigerde te zeggen wat haar zo bang had gemaakt.

Ze woonden nog maar pas in dit deel van de stad en mevrouw Helianos had maar weinig buurtgenoten leren kennen of willen leren kennen, maar nu ging ze bij hen langs om achter het mysterie van Leda te komen. Op het laatst trof ze iemand wiens dochtertje, jonger dan Leda maar minder gevoelig en gesloten, die bewuste middag mee was gegaan op zoek naar Alex. Het volgende bleek gebeurd te zijn: een ander kind uit de buurt had hun verkeerd gewezen waar Alex met zijn boodschap heen was. Ze waren een zijstraat ingeslagen in de buurt van de plaatselijke markt, waar eerder die dag een menigte hongerige Atheners had geprotesteerd tegen een nieuwe verordening of een nieuwe beperkende maatregel. De Duitse militaire politie was ter plekke gekomen, had besloten dat het hier om oproer ging en had op de menigte geschoten om die uiteen te jagen. Er lagen acht of tien doden op de grond, neergemaaid, een enkeling met vertrokken gezicht, maar allen met vervormd lichaam, stukken vlees in voddige kleding. Een muur bood een misselijkmakende aanblik: sommigen waren ertegenaan gesmeten en hadden de muur in hun val besmeurd, bespat en rood gekleurd. Er was slechts één levend wezen ter plekke toen de twee verdwaalde meisjes aan kwamen lopen: een jonge Duitse soldaat op wacht. Aanvankelijk zag hij hen niet, maar riep toen dat ze in godsnaam moesten maken dat ze wegkwamen.

Het buurmeisje had dit memorabele verhaal vlak nadat het zich had afgespeeld aan haar ouders verteld en herhaalde nu alles voor mevrouw Helianos. Leda daarentegen wilde nog altijd geen vragen beantwoorden, ook niet van Alex, maar het leek Helianos en zijn vrouw onwaarschijnlijk dat ze het was vergeten of ooit zou kunnen vergeten. Ze had iets onbewogens over zich en vertoonde geen spoor van hysterische angst of paniek, maar er was iets wat haar voortdurend bedrukte en bezwaarde, alsof dat dikke schedeltje te klein was voor een zwaarmoedige geest.

Helianos en zijn vrouw hadden nooit het verlies kunnen vergeten van hun oudste zoon, hun Cimon, die vanaf de dag dat hij geboren werd tot op de dag dat hij stierf zo volmaakt gezond, schrander en vol beloftes was geweest. Maar omdat ze als Grieken een natuurlijke realiteitszin hadden en een besef dat de dood absoluut is, sloten ze zich daar enigszins voor af of spraken er in ieder geval niet over, om elkaar te ontzien. Het was al zwaar genoeg om de twee nog levende en minder goed bedeelde kinderen in deze slechte tijden op te voeden. Ze spraken daar met grote regelmaat over.

Dan was er ook nog de broer van mevrouw Helianos, een andere bron van zorg. 'Hij is vast ook dood,' zei ze telkens, maar geen van beiden geloofde dat ook echt.

'Ach, op een morgen staat hij weer voor de deur, net als je hem het minst verwacht,' antwoordde Helianos iedere keer, 'en dan verkeert hij waarschijnlijk in gevaar of is hij uit de gunst geraakt.'

Hij had nooit een hoge dunk gehad van zijn zwager: hij vond hem maar cynisch en een profiteur. Voor de oorlog had hij een goede overheidsbetrekking gehad onder Metaxas en was hij lid geweest van een reactionaire sociëteit, waar hij zich in de gemeenplaatsen van die tijd uitsprak tegen de parlementaire regeringsvorm. Als Helianos daaraan terugdacht, was het volgens hem goed mogelijk dat hij in een of andere hoedanigheid naar de vijand was overgelopen. Hij had gehoord dat ze erop gebrand waren om Grieken met kennis van zaken aan hun zijde te hebben.

Mevrouw Helianos verdedigde haar broer fel tegen de lage dunk die haar man van hem had; in hun liefdevolle, maar ongemakkelijke verbintenis van de afgelopen tijd was dat bizarre onderwerp de grootste bron van onenigheid geweest. Helianos voelde dat ze het diep vanbinnen niet eens erg zou hebben gevonden als zijn ergste vermoedens bewaarheid

werden. Inwendig was ze bereid te geloven wat ze hem ver-
bood te geloven of te noemen: dat haar broer het op de een
of andere manier op een akkoordje had gegooid met de Duitsers. Ze had in haar oorlogsverdriet het punt bereikt waarop
niets haar nog kon deren, als haar dierbaren er maar doorheen kwamen.

De familieleden van Helianos waren van oudsher liberalen, en twee of drie van hen waren inmiddels in de ogen van
de anderen tot aanzienlijke helden uitgegroeid, met name een
neef, Petros Helianos, die de aanvoerder was van een groep
saboteurs en sluipschutters die een voortdurende plaag voor
de Duitsers vormden. Geen van hen had ooit waardering
kunnen opbrengen voor de ooms van mevrouw Helianos, die
rijke kooplui. Jegens haar jongste broer waren ze meer dan
achterdochtig: ze waren ervan overtuigd dat hij nog in leven
was en op de een of andere manier met de vijand heulde, en
ze namen het Helianos eigenlijk kwalijk dat hij zich met zo'n
familie had ingelaten.

In zekere zin wás het hem ook kwalijk te nemen: hij was
te passief en te filosofisch ingesteld voor tijden van oorlog.
Hij moest weliswaar niets hebben van de Duitsers of Italianen, maar had verder part noch deel aan het georganiseerde
verzet – ondergronds of in welke vorm dan ook – tegen de
bezetters van Griekenland. Hij kon niet bedenken hoe hij
daar iets aan zou kunnen bijdragen. Zijn familieleden lieten
duidelijk merken wat ze daarvan vonden: ze lieten zich op typisch Atheense wijze scherpe uitspraken ontvallen, gedroe-
gen zich opeens afstandelijk op familiebijeenkomsten, of
kwamen niet opdagen als ze vermoedden dat Helianos en zijn
vrouw ook zouden komen.

Helianos was dan ook ten einde raad toen ze gedwongen
werden een Duitse officier onderdak te verschaffen. Zoals de
zaken nu lagen tussen hem en zijn familie, was het duidelijk
dat hij hierdoor alleen maar verder uit de gunst zou raken en
meer problemen en zorgen zou krijgen. Hij kende zijn zwak-

heden: hij was schuchter en geneigd tot verzoening, en nu hij daadwerkelijk in de fysieke aanwezigheid van de vijand kwam te verkeren, zou hij daar nog minder verweer tegen hebben dan anders. Hij wist hoe diep zijn vrouw de bezetters van Griekenland haatte – die hadden immers door hun komst hun eerste en beste kind van het leven beroofd –, maar hij vond het buitengewoon moeilijk om het verschil te zien tussen een dergelijke haat en gewone angst. Het lag in haar aard om te blijven denken dat het altijd nog slechter kon, steeds slechter, zonder dat je er iets aan kon doen. De Duitsers zouden daar ongetwijfeld van profiteren, en zijn verwanten zouden het niet begrijpen en hen nog meer verachten dan nu.

Hij kon nauwelijks vermoeden hoe het in werkelijkheid zou aflopen en hoe zijn heldhaftige familie hem vandaag de dag beschouwt: misschien dan niet als held, maar in ieder geval wel als martelaar.

2

Eerst kwamen een korporaal en een soldaat, die uitlegden dat ze bevel hadden gekregen om voor een zekere officier alle woningen in dat deel van de stad te bekijken. Een dag of twee later volgde de officier zelf. Onbewogen vroeg hij hun systematisch alle deuren te openen, waarbij de keukenkasten en kleerkasten niet vergeten werden. Hij keek uit alle ramen naar de straat beneden, inspecteerde Helianos en zijn gezin met dezelfde zorgvuldigheid als hun woning en meubilair, en gaf hun daarbij te verstaan dat ze hem persoonlijk zouden moeten bedienen. Hij zei dat hij telefoon wenste te hebben en eiste dat een van hen in het appartement zou blijven totdat er een installateur zou arriveren. Hij bestemde de woonkamer en de beste slaapkamer voor zijn privé-gebruik, ging op alle bedden zitten om de vering uit te proberen en gaf zijn voorkeur te kennen voor een van de eenpersoonsbedden in de andere slaapkamer. Hij gaf opdracht om de bedden om te wisselen en hun persoonlijke bezittingen voor vijf uur die middag uit zijn kamers te verwijderen. Om vijf uur kwam hij terug met zijn bagage en een hele doos vol boeken, en nam zijn intrek – waarschijnlijk, zo zei hij, voor de duur van de oorlog.

Die dag en de dag erop huilde mevrouw Helianos terwijl

zij het werk deed en haar man en kinderen haar zonder veel effect hielpen. Helianos wist haar nauwelijks te troosten of te bemoedigen. Hij had zelf de hoop dat ze het wel zouden kunnen vinden met de officier, die hem een redelijk mens leek. Maar zijn hoop was zozeer vermengd met de vrees dat zijn familie het zou afkeuren als ze het goed met hem konden vinden, dat hij er niets over durfde te zeggen. Wat betreft het huishouden, de opvoeding van de kinderen en alle dagelijkse beslommeringen die zijn ongelukkige vrouw te doen had, zou het in ieder geval meer zorgen, meer werk, meer ontbering gaan betekenen dan alles wat ze tot dan toe had meegemaakt.

Maar, bleef hij tegen haar zeggen, hoe moeilijk het voor hen zou zijn, hing af van het persoonlijk karakter van de betreffende vreemdeling – dienaangaande moesten ze hun oordeel voorlopig maar even opschorten – en van hun eigen gedienstig en tactvol optreden jegens hem. Zijn korte preek over dat laatste richtte hij ook tot de kleine Alex en Leda, en iedereen beloofde zich van zijn beste kant te laten zien.

'En verder, lieve schat,' zei hij, 'is dit geen zaak die je de Duitsers kwalijk moet nemen, zoals je in je bitterheid gewoon bent. Ieder bezettingsleger is gedwongen een aantal van zijn officieren bij gewone burgers in te kwartieren. Dat is normaal. Mochten de Engelsen of Amerikanen ooit komen om Griekenland te bevrijden, dan zouden ze ook in half Athene de beste kamers vorderen.'

Maar de week was nog niet om of Helianos begon langzaam in te zien wat de Duitse bezetting nu eigenlijk betekende. Zijn gedwongen pogingen om iedere dag om praktische redenen de manier van denken en doen van de Duitser in hun woning te doorgronden, brachten hem dichter bij de algemene waarheid en de aard van de gebeurtenissen. Hij hield zichzelf voor dat hij niet te veel moest generaliseren aan de hand van een enkel voorbeeld, maar door wat hij in de straten van Athene waarnam van andere Duitsers en door wat de andere Atheners die hen in huis hadden moeten nemen hem toevertrouwden, werden geleidelijk aan zijn vermoedens bevestigd omtrent wat zij allen, zonder uitzondering, van plan waren. Het was klaarblijkelijk een zaak van vooropgezette bedoeling: iedere afzonderlijke inwoner van bezet gebied moest op alle mogelijke manieren onderworpen worden door ieder afzonderlijke bezetter, ongeacht zijn rang, en waar mogelijk tot in de kleinste details.

Hun bezetter was een kapitein en zijn naam was Kalter, Ernst Robert Kalter. Ze zagen zijn naam in keurig handschrift op de labels aan zijn bagage. Hij was de middelbare leeftijd net gepasseerd, was groot en krachtig en op een bepaalde manier knap. Hij was duidelijk zo gezond als een vis, maar was nu en dan verkouden, zijn enige zwakke punt. Zijn gezicht had iets wat een Griek of anderen uit mediterrane streken wel moest opvallen: een zekere asymmetrie, alsof het uit hout gesneden was en het mes op bepaalde plaatsen was uitgeschoten. Zoals Helianos het tegenover zijn vrouw uitdrukte, in die precieze, maar luchthartige stijl van hem: zijn puntneus leek altijd wat en profil te staan, hoe je er ook tegenaan keek – dat wil zeggen, de punt wees nooit recht jouw kant uit. Hij had een litteken van een duel, maar zonder dat het hem goed stond: het leek eerder het restant van een zweer dan een snijwond die geheeld was. Hij had kleine, maar afstaande oren en zijn haar was zo kortgeknipt dat ze volledig zichtbaar waren. Zijn kin was lang en gaf blijk van karakter, en de blozende huid vertoonde over de hele linie lichte kuiltjes en plooien.

Helianos en zijn vrouw hadden één ding voor op de andere gezinnen met een bezetter: als uitgangspunt voor een goede betrekking tot hun officier kenden ze hun talen. Helianos had in zijn jonge jaren, toen zijn vader nog leefde en werkzaam was als uitgever, als hobby en jeugdige ambitie aan archeologie gedaan en toen uit een soort heldenverering voor Schliemann, de ontdekker van Troje, Duits geleerd. Kapitein

Kalter kende slechts een paar praktische, allernoodzakelijkste woorden Grieks, maar hij had tijdens de inval in Frankrijk in 1940 gediend en sprak wat Frans. Mevrouw Helianos sprak behoorlijk goed Frans en een beetje Duits, zoals de dochter van een aanzienlijke familie van kooplieden betaamde.

Aanvankelijk hadden ze maar niet kunnen begrijpen waarom hij had gekozen voor uitgerekend hun bescheiden woning. Je zou verwachten dat iemand met zijn rang zich het recht zou hebben toegeëigend op een ruimer, luxer onderkomen, zoals hun vroegere huis in Psyhiko. Maar toen ze een tijdlang hadden kunnen zien hoe hij leefde, begrepen ze dat het een volkomen natuurlijke en begrijpelijke keuze was geweest. Hij was stafofficier bij de intendance en ging helemaal op in zijn werk. Het was ongetwijfeld hard werken, want hij vertrok 's morgens vroeg en bleef tot 's avonds laat. Zo nu en dan bleef hij zelfs de hele nacht weg en kwam dan meestal halverwege de dag terug om even kort te rusten. Wat het voor hem zo aantrekkelijk maakte bij hen te wonen was het gemak: zijn hoofdkwartier bevond zich slechts een straat verderop. Afgezien daarvan merkten ze al snel dat hij meer waarde hechtte aan het feit dat zij hem tot personeel waren dan aan comfort of luxe, en meer aan de macht die hij dag in dag uit op bescheiden wijze over hen kon uitoefenen, dan aan status.

De woning was klein voor drie volwassenen en twee kinderen, en hij legde beslag op meer dan de helft ervan. Hun restte de vestibule en de gang, die te smal was om van nut te zijn, en de keuken en een slaapkamer. Ze bedachten dat een dierbare oude tante van Helianos een opklapbed van redelijke afmetingen had, kregen haar zover dat ze het ruilde tegen het op een na beste eenpersoonsbed, en zetten het in de keuken om zelf in te slapen. Dat maakte het mogelijk om Alex en Leda samen in de slaapkamer te leggen. Ze sliepen licht – Alex omdat hij zo alert was, Leda omdat ze snel bang was en last van nachtmerries had – en als ze in hun slaap gestoord werden waren ze de volgende dag druk, geprikkeld en lastig. In de keuken was het nooit rustig: de kapitein bleef laat op en wilde vlak voor het slapengaan een ketel heet water; soms riep hij hen in het holst van de nacht en bovendien moesten ze elke morgen in alle vroegte zijn ontbijt klaarmaken.

Het was de bedoeling om overdag de kinderkamer als gemeenschappelijke woonkamer te gebruiken, maar uiteindelijk bleken ze steeds vaker in de keuken te vertoeven. Dat ze hun tijd doorbrachten op de plaats waar het personeel hoorde, leek het gemakkelijker te maken om alle dingen te onthouden die ze nu moesten doen. Aanvankelijk namen ze zich voor het bed telkens tegen de muur op te klappen, maar algauw werd het als zitbank gebruikt. Dan zaten ze naast elkaar en maakten de maaltijden klaar of deden andere taken waar je bij kon blijven zitten. Ook als ze even wilden uitrusten zaten ze erop, als hun die tijd gegund werd. Het beddengoed werd natuurlijk voortdurend vuil, maar daar trokken ze zich na verloop van tijd niets meer van aan.

De kapitein had uit het oogpunt van hygiëne de badkamer en het toilet geheel voor zichzelf opgeëist. 'Jullie Grieken hebben allemaal geslachtsziekten,' verduidelijkte hij. Omdat ze altijd al spaarzaam met warm water hadden moeten omgaan en zich geen zeep konden veroorloven, betekende het feit dat ze zich bij de gootsteen moesten wassen geen noemenswaardige verslechtering van hun omstandigheden, maar dat ze naar beneden moesten lopen en dan naar buiten, een binnenplaats over, naar een latrine die ook door anderen gebruikt werd, dat viel hun zwaar, zeker mevrouw Helianos met haar zwakke hart.

In de wintermaanden vond de kapitein het 's nachts vaak te koud in huis om op te staan en naar het toilet te gaan – hij was voortdurend bang om kou te vatten –, en dan liet hij Helianos of zijn vrouw komen om hem een po te brengen, om hen vervolgens te laten wachten terwijl hij daar gebruik van maakte. Helianos was van mening dat hij onveranderlijk degene was die aan die oproep gehoor gaf, maar hij was een beetje doof en zijn vrouw stond vaak op om het te doen zonder hem wakker te maken en deed dan de volgende ochtend haar beklag. Ze kwamen er nooit achter of de Duitser vanwege zijn hoge afkomst gewend was aan dit soort intieme dienstbaarheid of dat hij er genoegen in schiep om hun tot last te zijn en hen te vernederen. Nooit toonde hij een glimlach of geamuseerdheid, ook al leken zijn blauwe ogen een enkele keer te twinkelen.

Het was moeilijk voor te stellen dat ze van vroeg tot laat tot het uiterste gespannen bezig waren met het huishouden voor zichzelf en deze ene man extra, maar toch was dat het geval. Het was Helianos' taak om op de markt boodschappen te doen, iets wat de hele morgen in beslag nam, en soms, als de markten in de buurt niets eetbaar hadden of als er lange rijen stonden, ook nog een deel van de middag. Brandstof voor de keukenkachel moest van tamelijk ver gehaald worden, nu eens in kleine hoeveelheden, dan weer als voorraad voor de hele week, wat betekende dat hij er op zo'n dag een paar keer met Alex op uit moest. Hij moest ook het zwaardere schoonmaakwerk doen, vanwege de hartklachten van zijn vrouw. En terwijl ze zich erbij hadden moeten neerleggen dat hun eigen kleren niet meer schoon te krijgen waren, verwachtte de kapitein wel dat ze zijn overhemden en ondergoed wasten en streken. Mevrouw Helianos was eindeloos in de weer met naai- en stopwerk, en dat werd alleen maar meer en lastiger naarmate de kleding van het gezin meer sleet.

Toen ze op een middag naast haar man op het bed zat en haar naald steeds sneller op en neer bewoog en de draad zo strak trok dat hij brak, zei ze zacht op hysterische toon: 'Dat de kinderen niet genoeg te eten hebben en niet zo snel groeien als zou moeten, heeft één voordeel: ze kunnen dezelfde kleren veel langer blijven dragen dan normale kinderen.'

Helianos nam haar naald en draad uit handen, sloeg zijn armen om haar heen en zei dat ze zo niet mocht praten. Het was bedoeld of onbedoeld een parodie van zijn eigen ironische manier van spreken en dat gaf hem een onbestemd gevoel dat het midden hield tussen droefheid en boosheid. Ze waren tot het uiterste gespannen. Ze moesten aan alles opnieuw wennen, alles ging moeizaam en ze gaven elkaar de schuld, om elkaar vervolgens weer spijt te betuigen.

In het verleden hadden ze uiteraard zelf personeel gehad en het was hun zelfs gelukt om in de eerste tijd van nederlaag en armoede tot aan de komst van de kapitein een oude vrouw aan te houden, Evridiki (of, zoals wij zeggen: Euridice), een huishoudster die vanuit Psyhiko bij hen was ingetrokken en die voor hele dagen werkte. In de visie van de kapitein was ze volstrekt overbodig, en bovendien had hij vanaf het eerste moment een hekel aan haar gehad. Dat hij als Duitser, met zijn inborst en gewoonten, moest dulden dat hij Grieken als personeel had, ook al waren het nog zulke hoogstaande individuen, riep minachting in hem op en vond hij nauwelijks te tolereren. 'Jullie hebben geen van allen ook maar enige aanleg als bedienend personeel,' zei hij, 'en zo iemand als die chagrijnige, maar gedweeë, afgeleefde ouwe boerin kan ik al helemaal niet om me heen hebben.'

Hij klaagde ook dat hij haar lichaamsgeur niet kon verdragen; na verloop van nog geen twee weken gaf hij hun opdracht haar weg te sturen en niemand anders in dienst te nemen.

Niet alleen maakte dit hun leven nog zwaarder dan ze hadden gedacht; vooral voor mevrouw Helianos, die alles op haar eigen bijzondere manier beleefde, was dit een van de moeilijkst te verdragen vernederingen die hun door de hooghartige kapitein waren aangedaan, en extra moeilijk omdat zijn beslissing niet helemaal zonder grond was. Helianos was ook van mening dat ze hun eigen kleine bedoening in feite best zelf aankonden. Ze waren zich maar al te bewust van de weinig effectieve diensten van Evridiki en van de tekortkomingen in haar karakter. Ook zij stoorden zich aan de muskusgeur die rond haar oude lichaam en haar afgedragen kleren hing. Maar ze was al zo lang bij hen dat haar gebreken hun eigen lichamelijke en geestelijke zwakheden leken te weerspiegelen.

Veertig jaren waren verstreken vanaf het moment dat Evridiki als een struise, jonge vrouw met een vredige oogopslag uit een dorp bij Eleusis was gehaald om voor mevrouw Helianos te zorgen toen die nog een ziekelijk, moederloos kind was. Dat ze nu, na zoveel tijd, door een veeleisende Duitser werd afgedankt en weggestuurd, onderging de vrouw van nu, ziekelijk en op leeftijd, als een vloek die hen allen trof en als een schandvlek op al die jaren.

En toch onthield ze zich van haar gebruikelijke herhaaldelijke en zelfonthullende geklaag. Wat meespeelde was dat ze wist dat haar kinderen, en misschien ook Helianos zelf, de mening deelden van kapitein Kalter dat het een nutteloos, ongemanierd en slechtgehumeurd oud mens was, en ze had geen behoefte om dat uit hun mond te vernemen. Ze wilde de hele kwestie vergeten en haar man vroeg zich af waarom: ze was er de vrouw niet naar om iets te willen vergeten. De reden was dat als ze terugdacht aan al die jaren die ze met Evridiki had doorgebracht, ze een beklemmend gevoel voelde opkomen, een vaag voorgevoel dat ze, als ze er te lang bij stilstond, haar verstand zou verliezen.

Ze wisselden dikwijls van gedachten over het verleden, de achtergrond en het gezin van kapitein Kalter. Boven op het bureau van Helianos, dat nu het zijne was, waren drie foto's geplaatst: een in een kunstleren lijst van een onbewogen, strenge dame met haar arm om een tenger klein meisje, en twee oningelijst op briefkaartformaat van twee jongens met volmaakt Noord-Europese gezichten, gedisciplineerd en stuurs kijkend, de oudste in uniform en de jongste met een schoolpet.

Op een avond, toen de kapitein zat te schrijven en Helianos hem een glas warme retsina bracht tegen de verkoudheid, zei de laatstgenoemde: 'Als ik zo vrij mag zijn: de vrouw van de kapitein ziet er nobel en mooi uit.'

'Dat is niet mijn vrouw,' beet de kapitein hem toe, 'mijn vrouw is de dochter. Maar neem me niet kwalijk, dat gaat u niets aan. U dient zich niet met mijn zaken te bemoeien, is dat begrepen?'

Helianos, die zich realiseerde dat het prijzen van de schoonmoeder hem niet bepaald bij de man bemind maakte, zuchtte en verontschuldigde zich, en ging naar de slaapkamer om de gordijnen dicht te doen en het bed open te slaan. Van daaruit kon hij in een spiegel het achterhoofd van de kapitein zien. Hij zat met stijf opgeheven hoofd naar de foto's te staren, met zijn handen tot vuisten gebald op de armleuningen van de stoel. Plotseling greep hij de foto's, stopte die in een lade en deed die met een klap dicht. Hij bleef enkele minuten rusteloos bewegen, opende en sloot boeken, verfrommelde papier en verplaatste dingen op het bureau, waarna hij weer verder schreef.

Toen meende Helianos de kapitein beter te begrijpen. Dat staren en ongeduldig wegruimen betekende dat hij zich niet op zijn werk kon concentreren zolang hij die onscherp afgedrukte ogen van het tengere meisje en de vreugdeloze jongens op zich gericht wist en die zijn aandacht afleidden. Hij leek oprecht van slag, als gevolg van een onbedwingbare en ongelukkige genegenheid.

Mannen uit de mediterrane streken, onder wie Grieken, laten weliswaar niet veel van hun gevoelens blijken in hun praten en zelfs niet in hun denken, maar ze kennen vrijwel allemaal een sterk familiegevoel, dat in extreme gevallen een mens werkelijk volledig in zijn greep kan houden. Helianos bedacht dat dat voor hem tegenwoordig nauwelijks nog opging – zijn vrouw was zo veranderd, de kinderen die hun restten waren zulke meelijwekkende schepsels –, maar hij kon het heel goed begrijpen! Als een man dat gevoel zo sterk had en door de onmenselijke oorlog van huis was verdreven, kon zijn hele persoonlijkheid louter en alleen door de eenzaamheid een dramatische of melodramatische wending krijgen. Vandaar, zo nam hij aan, het gereserveerde en hooghartige gedrag van de kapitein, zijn onverdraagzaamheid en onvoorspelbare humeur...

Het maakte dat hij zich meer dan ooit bewust was van de kilte van zijn eigen huwelijk en de teleurstelling die hij voelde over zijn kinderen – de reden dat hij zich zo voortijdig oud voelde (hij was in feite jonger dan de kapitein) –, en hij zuchtte van lichte afgunst toen hij op zijn tenen de kamer van de kapitein verliet, op weg naar het echtelijk bed in de keuken.

Eén avond in de week naar de officiersclub: dat was alles wat kapitein Kalter zichzelf toestond aan sociaal leven. Als hij terugkwam, bleek uit niets dat hij zich eens had uitgeleefd. Hij leek niet eens moe. Nooit bespeurden ze dat hij aangeschoten was of zelfs maar naar drank rook. Hij vroeg zijn medeofficieren niet op bezoek, niemand zag hem ooit met een goede kameraad in een café of waar dan ook, en uit niets bleek dat hij zich met vrouwen ophield. Hij liet zich zijn ontbijt en de warme maaltijd goed smaken, maar verder leek hij door geen enkele vreugde des levens in verleiding te worden gebracht. Helianos en zijn vrouw kenden niemand in de bloei van zijn leven die zo volgens vaste regelmaat leefde, en zo onafhankelijk, ascetisch en zelfverloochenend was. Als gewone burgermensen hadden ze onwillekeurig toch enige bewondering voor die sterke kant van de Duitse mentaliteit.

Zijn kamers moesten iedere dag zorgvuldig worden schoongemaakt, maar afgezien daarvan was het hun uitdrukkelijk verboden er in zijn afwezigheid te komen, en al helemaal niet in de buurt van zijn bureau. Op een dag had mevrouw Helianos bij het afstoffen enkele papieren verschoven en hij had haar daarvoor met boosaardig genoegen een stevige berisping gegeven. Sindsdien had hij een stofdoek in zijn la liggen en deed hij deze huishoudelijke klus zelf. Met uitzondering van de clubavonden schreef hij iedere avond een of meer lange brieven en wijdde zich vervolgens twee of drie uur lang aan de studie, waarbij hij de ene keer iets uit een rechtop gezet boek overschreef op een blocnote of in een notitieboekje en een andere keer hardop voor zichzelf voorlas in een taal die Helianos niet kende.

Op het laatst werd zijn Griekse nieuwsgierigheid hem te machtig. Hij wachtte tot zijn vrouw op een middag met de kinderen op bezoek ging bij een oude tante – hij wilde ze niet het verkeerde voorbeeld geven –, sloop de woonkamer binnen en onderwierp de boeken en aantekeningen op het bureau, waaraan hij in het verleden zelf zo vaak had zitten werken, aan een nauwkeurig onderzoek. Wat hij aantrof waren verschillende belangrijke werken over militaire geschiedenis en krijgskunde, een topografische atlas, een meteorologisch handboek en een verhandeling over legervoeding. De notitieboeken stonden pagina na pagina vol met berekeningen en met oefeningen in de onbekende taal. Hij hield het op Perzisch of wellicht Hindoestaans. Het was geen Arabisch, want hij wist hoe Arabisch eruitzag. Die middag verbaasde hij zich wel een uur lang over de reikwijdte van de ambitie van de Duitsers en hij moest daarbij aan Alexander de Grote denken.

3

Er heerste inmiddels hongersnood in Athene. Overal stonden mensen te bedelen. Sommigen waren bijna gek van de honger, maar te zeer verzwakt om een gevaar te vormen; anderen gingen op de grond liggen en stierven ter plekke. Soms waren het mensen die je gekend had, een bediende van iemand, een eigenaar van een klein winkeltje of een arm familielid, maar de hongersnood had hun gezichten zo vertekend dat je ze in eerste instantie niet herkende. Mevrouw Helianos was bang om de straat op te gaan. Gelukkig nam Alex de kleine Leda onder zijn hoede. Hij begreep de kwetsbaarheid die onder haar wezenloze uiterlijk schuilging en hij toonde zich betrouwbaarder dan welke oppas ook. Bovendien was hij niet gauw bang. Hij ging in zijn eentje de straat op en probeerde erachter te komen of er geen doden in de buurt lagen. Dan ging hij haar halen om met haar te spelen waar het veilig was.

Uiteraard hadden de gezinnen die voor Duitse officieren te zorgen hadden recht op speciale voorraden, die de bezettende macht voor hen apart hield uit wat er lokaal geproduceerd werd of uit het buitenland werd aangevoerd. Aanvankelijk meenden Helianos en zijn vrouw nog dat ze redelijk zouden kunnen leven van wat de kapitein overhield, maar helaas dacht die daar anders over. Eens per dag ging hij de keuken in, liet alle kasten openen en bekeek wat er nog aan voorraad was en wat Helianos aan nieuwe had weten te bemachtigen. Hij toonde zich hierin uiterst bedreven.

'Weet je,' zei Helianos, 'zijn werk bij de intendance is een soort huishouding, maar dan op grote schaal. Je kunt hem niets wijsmaken. We kunnen maar beter eerlijk spel spelen.'

Zijn vrouw vond dat allerminst grappig.

'Kun je je herinneren, manlief, hoe jij het personeel in de gaten hield, zelfs Evridiki? Maar goed, je deed dat wat minder genadeloos en ook niet zo efficiënt, en ze kwamen natuurlijk ook niet bijna om van de honger...'

De kapitein zag in zijn grondigheid niets over het hoofd. Zo moest de hele maaltijd direct in schalen met deksels worden binnengebracht, zodat hij gemakkelijk kon vergelijken wat ze hadden opgediend en wat hij nog aan voorraad in de keuken had gezien. Hij was een flinke eter. Een enkele keer bleef er wat stoofschotel over, of een restje soep, maar na het eten rookte hij een sigaar en gebruikte dan het bord of de soepterrine als asbak. Als hij opstond om aan het werk van die avond te gaan of om naar de club te wandelen, nam hij de tijd om zorgvuldig alle kruimels in zijn handpalm te vegen en het raam uit te gooien om vogels te lokken. Die combinatie van angstvallige en vrekkige zuinigheid en beperkte uitingen van kwistigheid was typerend voor hem. Weldra kreeg hij een opmerkelijk idee waardoor hij aan beide neigingen tegemoet kon komen, namelijk om de hond van een of andere majoor van voedsel te voorzien.

Die officier was zijn directe meerdere in de intendance, met wie hij ook kaart speelde in de officiersclub. Zijn naam was von Roesch. Hij had zijn intrek genomen in de salon en logeerkamer van een oud Macedonisch echtpaar, vage kennissen van Helianos en zijn vrouw. Ze hadden een stokoude, halfblinde hond, een raszuivere Engelse bulterriër met een angstaanjagende roze-wit gevlekte kop. Toen de hongers-

nood zijn intrede deed, hadden ze het dier willen laten afmaken omdat het zulke onmogelijke hoeveelheden voedsel
nodig had. Maar de majoor was er inmiddels op gesteld geraakt en dus moest zijn leven gespaard worden, terwijl zijn
baasjes langzaamaan wegkwijnden. En nu zou het dier dus
ook nog profiteren ten koste van Helianos en zijn vrouw. Alles wat de kapitein niet meer op kon – een korst brood, een
bot of een stuk vlees of wat groente – deed hij bij elkaar op
een bord dat ingepakt en wel door de jonge Alex naar de majoor moest worden gebracht, met de complimenten van de
kapitein.

Ongeveer een week nadat Alex met de pakketjes op pad
was gestuurd, deelde de kapitein hun vormelijk, maar sar-
castisch mee: 'Mijn vriend majoor von Roesch stelt het zeer
op prijs dat door uw goede zorgen en vrijgevigheid het beetje wat u aan voedsel overhebt, kan worden besteed aan de
goede verzorging van zijn oude lievelingsdier. Het dier komt
overigens uit een van de beste bloedlijnen van het ras, dat
van Britse origine is, en heeft op hondenshows menige prijs
in de wacht gesleept. Bovendien is het een goede zaak dat die
slappe zoon van jullie een beetje lichaamsbeweging heeft na
het avondmaal.'

Vervolgens hadden beide officieren vermoedelijk vergele-
ken wat ze hadden genoteerd met betrekking tot de precieze hoeveelheid voer voor de hond die aan Alex was toevertrouwd en hadden zich daarbij mogelijk misrekend. Hoe dan
ook, ze beschuldigden hem ervan dat hij er onderweg van
had gegeten en hij kreeg er van allebei van langs: de een sloeg
hem om zijn oren, de ander gaf hem met de zweep. Zijn vader ondervroeg hem ernstig en geduldig over de kwestie. De
jongen antwoordde dat hij door het voedsel natuurlijk wel in
de verleiding was gekomen – immers, waar bestond dat
avondmaal (waar hij volgens de kapitein zo nodig lichaamsbeweging op moest laten volgen) nu helemaal uit? Een kop
dunne soep en één enkele biscuit – maar hij was er niet aan

geweest, daar was hij te bang voor. Hij wist zijn vader volledig van zijn onschuld te overtuigen. Niettemin beschuldigden de beide heren hondenliefhebbers hem een paar dagen later weer van hetzelfde vergrijp en gaven hem er opnieuw van langs.

Helianos overdacht de zaak en besloot zijn nakomeling te beschermen door middel van een kleine list. 'Mijn zoon is nog in de groei,' zei hij tegen de kapitein, 'en heeft daarom altijd trek. Als u hem het voedsel meegeeft, zal hij er wat van nemen; daar kan hij helaas niets aan doen. Daarom vraag ik u om het voortaan door mijzelf naar de hond van de majoor te laten brengen.'

Dat hij deze valse getuigenis moest afleggen maakte hem kwaad, en in gelaten en welmenende mensen als hij is dat een sterk fysieke kwaadheid. De kapitein zag dat zijn gezicht rood aanliep en zijn ogen vochtig werden en beschouwde dat als een teken dat hij zich voor zijn zoon schaamde. Op die manier werkte de list.

'Jullie Grieken zijn allemaal geboren dieven,' merkte de kapitein op. 'Alleen een oud en wijs man zoals u weet dat er geen ontkomen aan is.'

Helianos begreep niet veel van het klasseonderscheid in Duitsland, maar betwijfelde geen moment dat de kapitein een echte heer was. Zijn manier van doen was buitengewoon gedistingeerd, en toch – wat lastig te begrijpen was – verhinderde dat hem niet zo nu en dan bijzonder onheus te zijn of kwaad uit te vallen, zonder dat hem dat ook maar enigszins beschaamde of in verlegenheid bracht. Er was nooit sprake van echte razernij; het bleef bij hem slechts aan de oppervlakte. De kille waardigheid die zijn optreden gewoonlijk kenmerkte, werd dan plotseling doorbroken door een vlaag van woede. Hij liet zichzelf een paar minuten lang gaan en kreeg dan weer zijn normale kalmte terug alsof het allemaal de gewoonste zaak van de wereld was. Om in woede uit te barsten zonder werkelijk kwaad te worden, te vloeken en te schreeuwen zonder buiten adem te raken, zonder dat je ogen vonken schoten of je gezicht rood aanliep: wat was dat voor innerlijke tegenstrijdigheid en huichelarij? Het kwam Helianos voor als onmenselijk of mogelijk zelfs ziekelijk.

Nog altijd probeerde hij door middel van deze ene officier de Duitsers in het algemeen te begrijpen. En omgekeerd probeerde hij zijn problemen thuis op te lossen door de andere officieren die hij in de stad tegenkwam te bestuderen en door andere Grieken die contact met hen hadden op discrete wijze uit te horen. Telkens opnieuw bleek er in hun manier van doen iets gereserveerds en methodisch te zijn, alsof dat hun geleerd was volgens een nieuw historisch of psychologisch inzicht. Zelfs de jongeren onder hen waren zelfingenomen, alsof er geen enkele reden was om niet te geloven dat het zou werken. Helianos concludeerde dat het in landen waar ze het hadden uitgeprobeerd, in Frankrijk, België en Nederland, ook moest hebben gewerkt. Soms bracht die conclusie een wonderlijk soort patriottisme in hem naar boven. Hij wist immers dat de aard van de Grieken anders was dan die van andere volkeren: zij zouden er beter weerstand aan kunnen bieden. Maar soms verloor hij de moed; hij vroeg zich af wat voor weerstand hij en zijn gezin dan boden, en hij besefte dat hij geen antwoord op die vraag had. Het hing er helemaal van af hoe lang het zou gaan duren.

Er was hem verteld dat Duitse heren hun personeel thuis sloegen, ook in vredestijd, maar in dat opzicht had hij weinig te klagen. Als zijn heer en meester zich liet gaan, hield hij zijn vuisten voortdurend gebald, en alsof hij zijn aanval van boosheid wilde accentueren, haalde hij ermee uit of zwaaide ermee in het rond, zonder dat hij zich erom leek te bekommeren of hij je zou raken of niet. Of hij beende heen en weer, en liep dan vaak zo rond te schoppen dat je hem niet in de weg moest lopen of je kreeg een trap van hem. Als je zijn jas ophield of hem op een andere manier van dichtbij een handje hielp, kreeg je vaak zo'n por van zijn elleboog of schouder dat je met moeite op de been kon blijven en als je hem assisteerde bij het uittrekken van zijn laarzen, moest je uitkijken voor zijn voeten. Maar als je je op tijd terugtrok en hem behendig bleef ontwijken, leek hij dat over het algemeen best te vinden. Het was beneden zijn waardigheid om je achterna te komen en te slaan. Hij leek er genoegen mee te nemen de wens tot zelfbehoud en de intense vernedering op je gezicht te zien.

In ieder geval, bedacht Helianos, kon je als hij met zijn vuist zwaaide of naar je trapte, het gevoel hebben dat hij ook maar een mens was. Wat zo beangstigend was, was die voorname Pruisische manier van doen: sereen en als in gedachten verzonken, bijna gekunsteld, alsof het niet echt gemeend was, maar wel gepaard ging met een diepe overtuiging. Het was enigszins te vergelijken met het optreden van priesters, die in het uitvoeren van hun gewijde taak het menselijke overstijgen: fouten en geestelijke beperkingen die ze als individu hebben doen er dan niet zoveel meer toe. Hetzelfde zie je bij acteurs, als ze weten dat het stuk waarin ze spelen van groot kaliber is, en bij een bepaald soort geesteszieken, als de droom waarin ze leven alles overstijgt...

Kapitein Kalter twijfelde er niet aan of hij was de belichaming en uitvoerder van een gezag dat het bevattingsvermogen van iedere buitenlander ver te boven ging en dat grootser was dan verleden, heden en toekomst van Griekenland, en grootser dan hijzelf. Wat hij in het diepst van zijn gedachten was, wat hij voor zichzelf vertegenwoordigde, joeg een eenvoudig, weldenkend mens als Helianos veel meer schrik aan dan wat hij daadwerkelijk deed of zou kunnen doen. In feite merkte hij dat zijn fysieke angst voor hem een deel van een veel dieper liggend onbehagen wegnam.

Wat hemzelf betrof, kwam Helianos tot de slotsom dat hij een lafaard was, en hij zei dat ook tegen zijn vrouw. Het was echter niet zozeer fysieke lafheid, en die gold ook niet in de eerste plaats zichzelf. Als je hem van streek wilde maken, moest je Alex slecht behandelen of zijn vrouw bang maken, en het duurde niet lang of kapitein Kalter kreeg dat door.

Daarbij kwam dat hij als Duitser van mening was dat lijfstraf een goede zaak was voor jongens van Alex' leeftijd, zeker als ze zo zenuwachtig en lafhartig waren. Hij zei dat het een schande was zoals zijn ouders hem hadden verwend, en hij verwachtte een duidelijke verbetering nu hij bij hen was komen inwonen, waarvoor ze hem nog wel dankbaar zouden zijn. Hij had een diepe afkeer van nervositeit, lafheid, brutaliteit en luiheid, om maar te zwijgen van vraatzucht en dieverij. Over het algemeen liet hij het bij uitvloeken en het gemeen omdraaien van de magere arm van de kleine jongen, of hij gaf hem met de vlakke hand een plotse draai om zijn oren, maar soms ging hij zover dat hij hem met de zweep afranselde.

Alex leek het zich minder aan te trekken dan zijn ouders hadden gedacht. Hij leerde de uithalen en trappen blijmoedig te ontwijken, en als dat niet op tijd lukte of als de afranseling serieuze vormen had aangenomen, liet hij die gelaten over zich heen komen en vergat het zodra de pijn niet langer voelbaar was. Maar Helianos en zijn vrouw konden er maar niet aan wennen. Urenlang bespraken ze zijn onvolwassen gedrag en probeerden erachter te komen wat het toch was dat zozeer de toorn van de Duitser opriep. Vaak gaven zij Alex zelf een flinke afstraffing, in de hoop daarmee een bestraffing door de kapitein te voorkomen.

Zo nu en dan, als ze zich in het krappe bed naast de keukenkachel te rusten legden, liet mevrouw Helianos haar man een aantal blauwe plekken zien op haar ziekelijk bleke, gezette lichaam, wat hem aanvankelijk zo kwaad en gedeprimeerd maakte dat hij er misselijk van werd. Maar nadat hij haar iedere keer had uitgehoord en ook gewend was geraakt aan het optreden van de kapitein, moest hij bij zichzelf toegeven dat het voor een deel haar eigen schuld was. Van 's morgens vroeg tot 's avonds laat liep ze paniekerig rond, met als natuurlijk gevolg dat niets van wat ze voor de kapitein moest doen ook goed gebeurde. Ze kon het onmogelijk opbrengen om geduldig zijn gehoon en beklag aan te horen. Niet dat hij haar ooit sloeg. In feite kwam het alleen door dezelfde wilde gebaren als waar Helianos zo voor moest oppassen: het theatraal ophalen van de brede schouders, een por van een ongeduldige elleboog, een nerveuze uithaal van een gelaarsde voet. Door angst en haast gedreven sprong ze voortdurend opzij, dook naar alle kanten weg en stootte zich aan de meubels, struikelde en viel – vandaar de blauwe plekken.

'Arme schat,' zei hij tegen haar. 'Je moet bedenken dat de kapitein vreemd aankijkt tegen de manier waarop wij dingen voelen. Dat is nu eenmaal zo. Luister goed: ik verbied je hem te laten merken wat je voelt. Dat is de enige veilige manier: je moet hem nooit laten merken dat je bang voor hem bent.'

Nachten achtereen probeerde hij haar met engelengeduld deze eerste beginselen van zelfbehoud tegenover een man als kapitein Kalter bij te brengen, maar het drong niet tot haar door. Ze kon alleen maar huilen en viel vervolgens met haar verdwaasde hoofd tegen zijn schouder in slaap, om de volgende ochtend even dwaas en paniekerig op te staan. Het ernstige van de zaak was dat haar hartklachten toenamen.

Ondertussen verslechterde de situatie in de hen omringende stad en in Griekenland als geheel. Ze gingen zo op in hun eigen huiselijke situatie, in hun angst en boosheid, hun vermoeidheid en honger, dat het leven van anderen, de algehele malaise en het langdurige proces van de oorlog nauwelijks voor hen bestonden. Sommige dingen die ze hoorden – dingen die andere mensen en andermans kinderen overkwamen, dingen die hun en de kinderen bespaard bleven – brachten zelfs een mild gevoel van opluchting en bijna van geluk teweeg. Ze waren dankbaar voor dergelijke kleine meevallers.

Zo had het kind van een buurvrouw zichzelf aangeleerd om zijn honger te stillen door bloed uit zijn handpalm te zuigen, waardoor een zweer ontstond die voortdurend werd opengehouden. Mevrouw Helianos dacht eraan terug hoe Leda, toen ze nog heel klein was, op haar duim had gezogen; wat ze ook hadden geprobeerd, ze konden het haar niet afleren. De tandarts van het gezin had later verklaard dat dit er de oorzaak van was dat haar tanden zo lelijk vooruitstaken. Mevrouw Helianos was er in haar aangeboren ijdelheid gewoon van uitgegaan dat haar dochter net zo'n schoonheid zou worden als zij, en lang voordat duidelijk was dat ze in geestelijk opzicht achterbleef, had Leda al voor een bittere teleurstelling gezorgd doordat haar babygezichtje met de dag lelijker en ronder werd.

Als ze nu het kind van de buurvrouw zag, met een bleek mondje begraven in een mager handje, als een rat die zijn tanden in de nek van een kip had gezet, voelde ze zich beschaamd en zei ze bij zichzelf: 'Al die teleurstellingen die we voor de oorlog voelden – we wisten niet beter.'

Helianos sprak met een vriend wiens broer van Kreta was ontsnapt en een ongelooflijk verhaal vertelde over wat daar gebeurd was. Helianos had zich altijd al voor Kreta geïnteresseerd. In zijn jonge jaren had hij zowel antropologie als archeologie gestudeerd, en hij had vergeefs geprobeerd zijn vrouw te interesseren voor de pre-hellenistische godsdienst en gebruiken. 'De wreedst verhalen uit de Griekse mythologie zijn afkomstig van Kreta,' bracht hij haar in herinnering. 'Maar moet je deze nieuwe verhalen eens horen. Die zijn nog veel erger en ongelooflijker dan de oude.'

Even buiten een dorp hadden de Duitsers een stuk grond aangewezen als begraafplaats voor hun eigen parachutisten die tijdens de invasie waren omgekomen. Kinderen uit het dorp hadden tijdens het tikkertje spelen twee van de kruizen die de graven markeerden omvergestoten. Dat was reden voor de Duitsers om represailles te nemen tegen de hele dorpsgemeenschap. Die bestond uit tweeëntwintig mannen en hun gezinnen. Ze groeven een lange smalle geul en zetten de tweeëntwintig op een rij ervoor, met twee officieren en een vuurpeloton van een soldaat per man tegenover hen.

Achter het vuurpeloton verzamelden ze de gezinnen, moeders, vrouwen en kinderen, met andere soldaten om hen in bedwang te houden. Dat betekende dat ze over de schouders van het vuurpeloton heen naar de terechtstelling moesten kijken, geduldig, gedwee en zonder een kik te geven. Als een vrouw iets zei of haar gezicht in haar handen verborg of als een kind begon te dreinen, stapten er een paar soldaten naar voren en sloegen hen. Het vuurpeloton wachtte totdat alle ooggetuigen rustig waren en gehoorzaam stilstonden met de handen langs het lichaam, kin omhoog, ogen open.

Ondertussen hadden vier van de tweeëntwintig mannen geprobeerd te ontsnappen. Men had ze in hun benen geschoten en stuiptrekkend op de grond laten liggen, terwijl de andere achttien werden afgemaakt en in de geul werden geduwd.

Daarna hield de jongste van de twee officieren een toespraak. Moed was het hoogste goed, zei hij, en de vier die op de grond lagen – twee bewusteloos, een kreunend en een stuiptrekkend als een vertrapte worm – waren duidelijk lafaards. Absolute gehoorzaamheid aan de bevelen van het bezettingsleger en aan de wil van het Duitse staatshoofd was wat van iedere Kretenzer werd geëist. Daarom trof de vier die nog in leven waren meer blaam dan de achttien doden, die tenminste gehoorzaam hun dood tegemoet waren getreden. Daarom gaf hij het bevel om de vier boven op de achttien anderen in de geul te leggen en hen levend te begraven. En zo gebeurde het ook, terwijl de vrouwen en kinderen lijdzaam moesten wachten totdat alles gebeurd was.

Mevrouw Helianos wilde het verhaal niet geloven. 'Is een jonge Duitse officier in staat om een toespraak in het Grieks te houden?' vroeg ze. 'En zou een dorpeling uit Kreta hem dan verstaan met die onmogelijke uitspraak?'

'Misschien is het voor een deel verzonnen,' antwoordde

Helianos, 'maar ik geloof dat het meeste waar is. Ik ben tot de conclusie gekomen dat de Duitsers wreed zijn.'

Ze smeekte hem om nooit meer zulke wrede verhalen, waar of niet waar, te vertellen en er ook zelf niet meer naar te luisteren. 'Wat heb je eraan om te weten wat andere mensen is overkomen? We worden er maar opstandig van, wat de zaak alleen maar erger maakt. We voelen ons er zo beroerd onder dat we niet in staat zijn om te doen wat van ons verwacht wordt.'

Het deed hen ook beseffen dat ze relatief gezien geluk hadden dat ze in Athene woonden en niet op Kreta en dat er slechtere Duitsers waren dan hun kapitein. Kapitein Kalter was een moeilijk en ondoorgrondelijk, maar uiteindelijk ook een nuchter mens. De anderen die slechter waren, leken daarentegen te denken dat ze de godganse dag, jaar in jaar uit, figureerden in een of ander wreed poëtisch drama of een gruwelopera. Of misschien zagen ze in de oorlog het begin van een nieuwe religie en bedachten ze, als alle aanhangers van een nieuw geloof, dingen als wat er op Kreta was gebeurd ter plekke als een soort ritueel. Of misschien waren ze simpelweg mensen die van nature van dat soort dingen droomden en stelde de oorlog hen in de gelegenheid om een deel van die dromen te verwezenlijken...

Helianos had van wreedheden gehoord die nog veel erger waren dan die tijdens de onderwerping van Kreta: over bepaalde ondervragingstechnieken die werden toegepast op leden van het verzet die inlichtingen zouden kunnen geven of hun medestrijders zouden kunnen verraden, diverse methoden in de vorm van geperverteerde medische ingrepen met behulp van de allernieuwste mechanische apparaten... Dat soort dingen vertelde Helianos zijn arme vrouw uiteraard niet in alle details, maar toen de kapitein een keer iets verkeerds had gegeten en hem voortdurend uit zijn slaap had gehouden om van alles en nog wat te doen, bracht Helianos midden in de nacht op fluistertoon langdurig het onderwerp van ijzingwekkende wreedheden in het algemeen ter sprake.

'Ik geloof dat het zinloos is om wie dan ook over zulke dingen te verhalen,' zei hij, 'maar ik zal iets over mezelf vertellen, iets waarvoor ik me schaam en wat ik alleen aan mijn vrouw kan zeggen: als ik dergelijke dingen hoor, ben ik altijd bang dat ik mijn lachen niet kan houden. Het is volgens mij een dierlijk instinct: op het moment dat ik erover hoor, ben ik simpelweg blij dat het mij niet overkomt. Het is in ieder geval zeker niet een kwestie dat je niet kunt geloven dat het waar is. Gaandeweg worden we zo dat we alles geloven...

Maar,' zo ging hij voort, 'de geest deinst terug voor de heftige gevoelens die opkomen, en dat is denk ik maar goed ook. Heftige gevoelens veroorzaken een traagheid van begrip die alleen maar welkom is. Zelfs die dappere neven van mij zouden niet meer zo dapper zijn als ze alles tot in het diepst van hun hart en ziel zouden voorvoelen wat hun wacht als ze door de Duitsers gepakt worden, alles waar hun nobele inborst hen tegen wapent...'

Mevrouw Helianos was te moe om zich ertegen te verzetten dat hij zo tegen haar sprak. Ze huilde in stilte en trok de dekens over haar hoofd om het allemaal niet te hoeven horen, totdat ze uiteindelijk allebei in slaap vielen.

Zo vormde de nachtmerrie die Griekenland als geheel overkwam een historische – en in zekere zin ook een antropologische en psychologische – achtergrond bij hun individuele levens. Het was wel een achtergrond die ver weg leek, onscherp en met vertekend perspectief.

Iedere dag en ieder uur kregen hun eigen onbeduidende omstandigheden ook iets van een nachtmerrie, een nachtmerrie die ze helaas veel intenser ervoeren: gekrenkte gevoelens, uitputting en buikpijn, lichaam en ziel gemangeld, en dan de immer terugkerende huiselijke moeilijkheden. De vermoeide geest bewoog zich als de minutenwijzer van een klok met kleine schokken van de ene klus naar de andere.

Soms dachten ze aan hun vrienden die in 1941 naar Egypte, Engeland of Amerika hadden weten te ontkomen. Dat vergrootte natuurlijk hun leed door het besef van eenzaamheid: een gevoel van geestelijke verwijdering in de komende tijd, maar ook de fysieke werkelijkheid nu. Na afloop van de oorlog zouden ze natuurlijk proberen te vertellen wat ze hadden doorgemaakt, maar ze bedachten ook dat daar misschien geen gelegenheid voor zou zijn.

Het is niet gemakkelijk om over huiselijke beproevingen te vertellen op een manier die er recht aan doet zonder te overdrijven of ze belachelijk te laten lijken. Als het niet wat afgezwakt wordt weergegeven, raakt door de beschrijving uit zicht wat er het ergst aan is, namelijk hoe triviaal en smadelijk het allemaal is. Ze beseften dat de dagelijkse praktijk slechts bestond uit kwellingen en niets tragisch had. Het moest ingehouden en met ironie verteld worden, maar het effect was nu juist dat ironie nagenoeg onmogelijk werd gemaakt, zelfs voor Helianos, en dat overdrijven tot een tweede natuur werd, in het bijzonder voor mevrouw Helianos.

Ze besloten er maar niet te veel over te zeggen als het allemaal voorbij was, mochten ze dat nog meemaken. Het leek in de verste verte niet op moedig gedrag zoals dat door andere mensen werd herkend. Dat ze het allemaal hadden weten te verdragen zou de gewoonste zaak ter wereld lijken. Ze zagen het als iets wat tot hun wezen was gaan behoren, als een ziekte die hen helemaal in de greep had of als ongedierte waar ze niet meer vanaf kwamen. Meer was er niet te vertellen en ze waren beschaamd er verslag van te doen.

4

Dat er een Duitse officier bij hen inwoonde had echter niet alleen smaad en bitterheid tot gevolg. Het had ook een licht positief effect. Het bracht in het gezinsleven een innerlijke, spirituele verandering ten goede teweeg. Mevrouw Helianos maakte zich bijvoorbeeld niet meer zulke zorgen om Alex als toen Griekenland net onder de voet was gelopen. De aanwezigheid van de vijand in huis had alle kinderlijke wreedheid en romantische gedachten grotendeels uit hem verdreven. Met geen woord sprak hij nog over verzet of wraak, zelfs niet tegenover Leda. Zijn moeder hield zichzelf maar al te graag voor dat hij geleerd had om realistisch, redelijk en op zijn hoede te zijn. In haar optiek was dat een uiterst belangrijke levensles, en ze hoopte dat hij die nooit meer zou vergeten. Ze hoefde niet te verwachten dat Alex' vader er hetzelfde over dacht. Die kon zich niet losmaken van wat hij tot ideaal had verheven: de heroïek en verzetsdrang van zijn eigen neven.

Aanvankelijk wist Alex' vader nauwelijks wat hij van zijn zoon moest denken. Was de jongen, nerveus als hij was, soms een lafaard geworden? Met een zucht dacht hij aan zijn eigen beperkte moed, maar ook, zoals zijn vrouw al had vermoed, aan de mening van zijn onverschrokken familie, en hij hoopte dat het iets anders was. Hoe meer hij erover nadacht, des te onwaarschijnlijker het hem leek. Alex hield zich immers kranig onder de manifestaties van geweld door de kapitein, zoals de onverwachte oorvijgen en de geregelde afranselingen. Alleen als de gevreesde vreemdeling in een beter humeur was en een strakke blik richtte op Alex wanneer die in een hoek van de kamer wachtte tot hij werd opgemerkt en naar buiten werd gestuurd, of op zijn tenen door de gang sloop om een blik in de woonkamer te werpen, verbleekte de jongen, trillend en alert.

Terwijl hij naar de kapitein keek, keek zijn vader naar hem en vroeg zich aanvankelijk vergeefs af wat het was dat hij in die kinderlijke donkere ogen zag glinsteren, rond die dunne lippen zag hangen, waarna hij het vervolgens, moeizaam als vaders die hun zoons proberen te doorgronden, beetje bij beetje begon te begrijpen.

Het was iets opwindends, bedacht hij, een voorvoelen van kwaad in plaats van vrees om onrecht te worden aangedaan, fascinatie in plaats van angst. Het was de blik waarmee zelfs de allerjongste dieren hun soortgenoten aanstaren. Helianos begon ervan te trillen. Hij kende de tekortkomingen van zijn zoon immers net zo goed als die van zichzelf, en de gedachte bekroop hem dat zij in een tijd als deze niet anders dan het inferieure ras konden zijn. Maar dat was slechts wat hij dacht, niet wat hij in zijn hart voelde.

Op zulke momenten van opwinding schiep hij zelfs behagen in de aanblik van zijn arme kind. Zijn spillebenen, hongerbuikje, knokige knokkels en duidelijk zichtbare gewrichten – wat deed dat ertoe? Ze waren vrucht van de Duitse overheersing. Alles wat aan vrucht van zijn mannelijkheid en zijn liefde was overgebleven, dacht hij, was dat beetje bezieling dat in de tegenwoordigheid van de kapitein op het gezicht van zijn kind te zien was. Ook al was de blik in zijn ogen alleen maar een blik van haat, het was prachtig, als een fiere bloem op een gebogen, dunne, wankele steel.

Wat Helianos ook dacht, voor zijn gevoel was het simpelweg onmogelijk dat een zoon van hem, een halve Helianos, zijn eigen vlees en bloed, inferieur zou zijn. Het was instinct en een vorm van optimisme: zelfs een dier in het nauw of een kronkelende worm is optimistisch, door zijn tot durf en drang tot zelfbehoud beperkte geest.

En dus verschilde hij met zijn vrouw van mening over het waarom van de verandering en matiging in Alex' wezen, en dat zei hij ook tegen haar. Het was geen redelijkheid en realiteitszin, zei hij; het was de sombere werkelijkheid die zich voor hem ontvouwde. Het betrof hier niet een wijs besluit om van wraak af te zien, maar een natuurlijk verwerkingsproces, dat hem ervoor klaarmaakte. Hij stond op het punt om haar erop te wijzen dat de jongen zelfs qua uiterlijk meer gelijkenis vertoonde met zijn onverschrokken neven dan met die sluwe broer van haar die verdwenen was, maar hij zag ervan af. Ook al besprak hij alles zo kalm mogelijk en liet hij haar broer erbuiten, toch maakte het onderwerp Alex haar altijd aan het huilen.

Ach, niet dat hij als vader illusies had: zijn Alex was een ongelukkig, onhandelbaar, zenuwachtig en onvolgroeid kereltje. Maar toch was hij van oordeel dat er leven in hem zat, leven en vuur, en hij was nog in de groei! Hij was een dapper klein joch, dat, als de tijd rijp was en als hij de hongersnood overleefde, weleens heel goed een daad zou kunnen stellen tegenover de onderdrukkers van Griekenland.

Die gedachte beangstigde hem bijna net zozeer als zijn vrouw en maakte dat hij zich met bezwaard gemoed des te meer realiseerde dat hij als onderdrukte Griek, als wreker, weinig in te brengen had. Maar tegelijkertijd voelde hij zich door zijn vaderschap een beetje trotser op zichzelf, wat minder beschaamd over zichzelf. Het blies zijn zelfrespect nieuw leven in op het moment dat alles hopeloos leek. Hij sprak er niet langer over met zijn bange vrouw, maar ze begreep wat er door zijn hoofd ging. Ze was het nog altijd totaal niet met hem eens, maar ze liet het zo omdat het hem gelukkiger leek te maken.

Ook Leda was gefascineerd door kapitein Kalter en ze was al snel helemaal niet meer bang voor hem. Tot ontsteltenis van haar ouders begon ze vervolgens geleidelijk aan tekenen van sympathie voor hem te vertonen. Als ze hoorde dat hij de voordeur naderde en zijn sleutel in het slot stak, glipte ze snel de gang in om hem als een kleine courtisane met een verleidelijke glimlach op te wachten. Soms greep ze zijn hand of stak ze haar groezelige handje uit om over zijn onberispelijke uniform te strijken uit een soort afgunstige hang naar mooie dingen. Tegelijkertijd leek de innige band met haar broer wat minder te worden. Misschien was ze teleurgesteld dat hij haar niet langer al die gruwelijke verhalen vertelde. Misschien had hij eerder dan wie ook opgemerkt hoe aardig ze was voor de kapitein en had hij haar uitgescholden. Helianos en zijn vrouw wisten niet wat ze ervan moesten denken. Was haar achterlijke hoofdje tot meer slimheid in staat dan ze voor mogelijk hadden gehouden? Deed ze verleidelijk om zichzelf veilig te stellen, uit zelfverdediging, gedreven door een angstaanjagende, vage kinderlijke angst? Wat het ook was, het werkte, tot op zekere hoogte. De kleine Leda was de enige van hun gezin – en waarschijnlijk ook de enige in Athene en in heel Griekenland – die door de kapitein met welgevallen werd bezien.

Als hij voor het avondeten moe van het werk languit in zijn leunstoel lag en Helianos voor hem geknield zat om zijn laarzen uit te doen, vroeg hij Leda wat ze die dag gedaan had. Nooit was ze bij machte een antwoord te geven, maar ze schonk hem onveranderlijk een brede glimlach. Als ze na het ontbijt allemaal bij de voordeur stonden om zijn laatste instructies aan te horen, gaf hij haar soms een goedkeurend klopje op haar hoofd. Met zijn gehandschoende hand en nooit zonder; eens wees hij mevrouw Helianos op dit detail en legde het vol sarcasme uit: het haar van het kind was één grote klittenbos vol luizen en ook zaten er korstjes op haar hoofd. De dwaze vrouw liet zich hierdoor op stang jagen, barstte in tranen uit en putte zich uit in excuses voor het feit dat ze haar kinderen niet goed verzorgde, waarmee hij haar op zijn eigen, grimmige wijze plaagde. De immer dagdromende Leda had mogelijk helemaal niet door waar ze het over hadden. Ze schonk geen enkele aandacht aan de tranen van haar moeder, maar bleef met die verzaligde blik van haar opkijken naar de sarcastische Duitser.

Helianos dacht ernstig na en kwam tot de conclusie dat Leda's nieuwe passie een goede zaak was. 'Het is natuurlijk een hele schok voor ons,' zei hij tegen zijn vrouw, 'maar we moeten het zien vanuit het perspectief van het arme kind. Vanaf de dag dat ze geboren is, heeft ze haar hele leventje lang toch nauwelijks ergens plezier of zelfs maar interesse in gehad? Ik ben blij met ieder beetje geluk dat haar ten deel valt, gezien haar aard, die vreemde aard van haar. Ik heb vroeger wel gedacht dat in haar liefde voor Alex misschien iets van incest school. En nu zou je van deze kwestie kunnen denken dat het een vorm van verraad is. Maar niets van dat alles, ze is een onschuldig kind.'

Mevrouw Helianos had deze manier van spreken van hem nooit helemaal kunnen bevatten. 'Een mens moet niet te veel van zijn kinderen verwachten,' zei ze deemoedig.

Het is waar dat alle menselijke betrekkingen die alleen op bloedverwantschap berusten duidelijke beperkingen kennen en van nature teleurstelling met zich meebrengen. Voor hun eigen zielenrust moesten Helianos en zijn vrouw terugvallen op een innige verbondenheid die – in ieder geval in het begin – gebaseerd was geweest op een hartstochtelijke liefde. Normaal gesproken zal een Griekse echtgenoot zich door zijn mannelijke trots niet inlaten met het huishouden, zelfs niet in tijden dat de hartstocht regeert. Maar nu dat huishouden de krachten en vermogens van mevrouw Helianos zo ver te boven ging en haar man haar steeds meer moest helpen en ze dag en nacht in elkaars gezelschap doorbrachten, meer zelfs dan in hun jonge jaren, waren ze als een stel goed ingereden paarden in hetzelfde gareel.

Als kapitein Kalter thuis was, moest het volkomen stil zijn. Leda was van nature al stil, maar voor Alex was dit de lastigste van alle regels die zijn ouders hem probeerden op te leggen om te voorkomen dat de kapitein hem zou straffen. Maar ook voor hen was het lastig. Het lukte hun niet zo te werken dat ze hun verantwoordelijkheden op geordende en vertrouwde wijze gescheiden konden houden: ook voor de simpelste taak moesten ze elkaar op enig moment om raad vragen en elkaar te hulp komen. De wanden in de hele woning waren dun en als ze de kapitein zouden storen, zou hij vandaag of morgen weleens kunnen eisen dat mevrouw Helianos het werk helemaal zelf zou doen, zonder haar man. Hoe zou ze dat moeten klaarspelen? En dus leerden ze om zo nodig zonder geluid te spreken en elkaars lippen te lezen, en zelfs om alleen met hun ogen te communiceren, zoals ze dat in gestichten en gevangenissen doen.

Als hun ingeslapen huwelijksleven niet zo door de algehele vloedgolf van ellende zou zijn overspoeld, waardoor hun gewoontes doorbroken waren en normale verwachtingen waren gefrustreerd, dan waren ze er misschien nooit achter gekomen hoeveel genegenheid er nog tussen hen was. Ze waren van middelbare leeftijd en voelden zich ouder dan ze waren. Zelfs de zware klap van het verlies van hun eerste en beste zoon had hun vaste gewoontes en afgestompte gevoelens niet veel leven kunnen inblazen, maar dit harde dagelijkse bestaan samen lukte dat wel. Ze bevonden zich niet langer in de herfst van hun liefde, maar met een ruk in de winter, als verkilde echtgenoten en verbitterde echtgenotes, ziek, verkwijnend en gebrekkig, vaak meer liefde in elkaar ontdekkend dan in de medemens, meer liefde dan in de natuur, meer liefde dan in God.

Er was echter niets erotisch of wellustigs of zelfs maar zinnelijks aan hun intimiteit. Helianos was impotent of dacht dat althans, en mevrouw Helianos' menopauze was al vroeg begonnen, wat niet verwonderlijk was gezien haar slechte algehele gezondheid. Maar in het holst van de nacht, als ze op het opklapbed vermoeid half over elkaar heen lagen, kwam het tot een ongewone intimiteit tussen hen. Ze wisten weer wat het was, het tweeledig egoïsme van geliefden, de verstrengeling van twee in één. Alles en iedereen ter wereld had kunnen verdwijnen onder de vergeten hemel boven Athene, tijdens de nachtelijke draaiing van de aarde naar de volgende dag, met als enige zin hen te wiegen op het vormeloze en doorgezakte matras.

Het kon zijn dat de kapitein hen riep, of dat Helianos was gaan snurken en door zijn vrouw wakker werd gemaakt om te voorkomen dat de kapitein wakker zou worden; dan lagen ze een tijdlang wakker. Praatgraag, ook al was ze maar half wakker, drukte ze haar lippen als in een kus tegen zijn oor en fluisterde hem alles toe wat ze overdag niet durfde aan te snijden: zij stortte haar hart bij hem uit en hij vond in het troosten en vermanen van haar een diep welbehagen.

5

In het voorjaar van 1943 kreeg kapitein Kalter twee weken verlof om naar Duitsland te gaan. Toen hij dat Helianos en zijn vrouw vertelde, konden ze hun vreugde nauwelijks bedwingen, maar ze voelden zijn kleine ogen zo strak en dwingend op hen gericht dat ze niet eens de moed konden opbrengen om hem een goede reis en een goed verlof te wensen. Vervolgens moest hij nog een week wachten op een plaats in het vliegtuig. Dat was niet gemakkelijk voor hen: alle werk en zorg ging gewoon door, maar daar kwam bij dat ze zich ongerust maakten of ze hun uitzonderlijke opwinding wel verborgen konden houden.

Toen het dan eindelijk zover was en ze zijn aktetas en plunjezakken naar beneden en naar buiten droegen – zelfs mevrouw Helianos wilde per se een tas dragen, ook al kreeg ze bijna geen lucht, want was het niet een soort ceremonie? – en stonden te kijken hoe de legerauto langzaam optrok, vaart kreeg en na een bocht uit het zicht verdween, durfden ze nog niet te juichen: mogelijk stonden er onbekenden achter ramen in de buurt naar hen te kijken.

Ook toen ze weer boven waren hielden ze zich nog altijd angstvallig in, alsof het meubilair in de kamer van de kapitein tegen hen zou kunnen getuigen, tot op het moment dat ze de keuken in liepen en de keukendeur achter zich dicht-trokken.

Toen dansten ze allemaal in het rond en omhelsden elkaar; de kinderen bleven maar vragen stellen, Helianos maakte een paar grappen en mevrouw Helianos lachte zwakjes en huil-de tegelijkertijd. Ondanks hun somberheid, hun niet te ver-helpen armoede, hun verslechterde gezondheidstoestand, de voortdurende honger en de korte duur van twee weken, dach-ten ze toch een goede tijd tegemoet te gaan.

'Ik weet nog waar de man van Evridiki een kist met door mij geïmporteerde wijn heeft begraven, onder een vervallen schuurtje in Psyhiko,' zei Helianos. 'Die ga ik nu halen.'

'Nu kunnen we een paar dagen met de kinderen naar het strand. Dat zal ze goeddoen,' zei mevrouw Helianos.

Alex hernam zijn fantasievolle en opschepperige vertoon van moed. 'Als hij uit Duitsland terugkomt,' hoorden ze hem zeggen tegen Leda, die voor het eerst sinds maanden een blije glimlach toonde, 'dan lokken we hem het balkon op en laten hem struikelen, zodat hij over de leuning valt, patsboem op de straat!'

Het bleef bij fantaseren. In die twee welkome weken kwam er niets van al hun plannen terecht. Een van de redenen daar-voor was dat het hen ongeduldig en stuurloos maakte, alsof de weken een voorafschaduwing waren van de bevrijding van Griekenland. Ze hadden de tijd om over hun eigen situatie na te denken en de balans op te maken. En ook al deden ze nog zo hun best om het anders te zien, de conclusie leek on-vermijdelijk dat de twee weken te laat gekomen waren: zo zou de bevrijding zelf, als die al kwam, ook te laat blijken.

Ook werd de eenzaamheid als gevolg van de dood van hun strijdende zoon weer pijnlijk voelbaar, als een wond die op-speelt als er een onverwachte temperatuurwisseling is opge-treden. Mevrouw Helianos wilde of kon dagen achtereen over niets anders praten, totdat haar man haar tot de orde riep. Als ze deze twee weken vakantie louter zou benutten om te rouwen, zou dat alleen maar leiden tot een zware hart-aanval en van vakantie zou geen sprake zijn.

Hij ging op weg naar Psyhiko, maar zijn geheugen had hem in de steek gelaten, of iemand had de kist met wijn ge-stolen. Hij kwam met lege handen terug, en ook al probeer-de hij er luchtig over te doen, wat hij zei klonk zo ironisch en beladen dat er niets grappigs aan was.

Ook het uitstapje naar de kust ging niet door. De kinde-ren hadden de energie niet om iets anders te doen dan wat ze dagelijks deden: eindeloos praten, wat wilde zeggen dat Alex het woord voerde; dezelfde spelletjes die al eeuwenlang in Griekenland gedaan werden, knikkeren en bikkelen, maar dan lustelozer gespeeld dan ooit; ongezonde hazenslaapjes zomaar tussendoor als de slaap hen overviel; dralen bij de keukendeur alsof ze in trance waren, in afwachting van voed-sel, nooit helemaal, maar wel bijna vergeefs.

Helianos had nu weliswaar meer tijd om her en der naar eten te zoeken, en hij vond van zichzelf dat hij kon inkopen als de beste, maar aan de andere kant hadden ze, ondanks het strenge toezicht door de kapitein en ondanks zijn rijke maal-tijden en zijn verzorging van de hond van de majoor, toch een aardige hoeveelheid eten weten te onttrekken aan de maaltijden die ze hem voorzetten. Bovendien hadden ze in zijn afwezigheid natuurlijk geen recht op officiersrantsoenen. Daarnaast scheen het hun toe dat de hongersnood erger was dan ooit. Het stond er zo slecht voor dat ze in de vage, irra-tionele veronderstelling kwamen te verkeren dat de hon-gersnood spoedig afgelopen zou zijn en dat de voedselvoor-raad binnenkort als door een wonder zou worden aangevuld. Soms was Helianos 's morgens als hij boodschappen ging doen in een griezelig opgewekte stemming. Het Griekse ras zou immers binnenkort ten onder gaan of er moest een won-der gebeuren, en dat was ondenkbaar, zelfs voor de immer somber gestemde mevrouw Helianos.

De arme vrouw was nooit in haar leven erg actief geweest,

maar nu kon of wilde ze van geen ophouden weten. 'Het is voorjaar,' zei ze koppig, 'en in het voorjaar geef ik mijn huis een goede beurt.'

Toen ze de bedden aan het verschonen en aan het luchten waren en zagen hoeveel grauwer die van hen en de kinderen waren in vergelijking met het bed van de kapitein – hij kon immers in bad en zij niet –, reageerde ze met een stortvloed aan boze woorden en een zinloze huilpartij. Helianos, die zich voortdurend grote zorgen maakte over haar gezondheid, maar dat nooit liet merken, nam alle zwaardere taken op zich. Maar het werk was uitzichtloos en een farce: niets ging goed. De angst, gekrenktheid en boosheid waar ze niet aan konden toegeven als de kapitein thuis was, kwamen nu naar boven, en meer nog dan hun vermoeidheid, slechte voeding en nerveuze spanning waren die de oorzaak van hun onvermogen en onmacht. Wat ze ook voornemens waren, het resultaat was alleen dat de tijd omvloog – twee weken, tien dagen, een week en toen nog maar een paar dagen, voortdurend met de kapitein in gedachten, voortdurend in afwachting tot hij terug zou zijn. En de tijd verstreek snel.

Als ze er achteraf aan terugdachten, kwam het hun voor alsof deze vakantie het dieptepunt was geweest: ongrijpbaar, onbeteugeld en bezeten. Het was een tijd dat het hun aan iedere verbeeldingskracht ontbrak; ze konden zich niet eens meer een betere toekomst voorstellen, maar koesterden wel de dwaze hoop nog wat extra voedsel te vinden op de markt. En blijkbaar liet ook hun geheugen hen langzaam in de steek, zoals toen Helianos de kist geïmporteerde wijn niet had kunnen vinden...

Tijdens een van de zeldzame keren dat mevrouw Helianos zich om de een of andere reden op straat had begeven – ze liep dan altijd gehaast en keek links noch rechts, bang dat haar oog op iets afschuwelijks als een bedelaar of een lijk zou vallen –, kwam ze een man tegen die ze heel even had aangezien voor haar verdwenen broer. Maar het was hem niet.

Later bekende ze tegenover Helianos dat ze nog maar een vage notie had van hoe haar broer eruitzag. Mocht hij een keer bij hen op de stoep staan, dan wist ze niet of ze hem zou herkennen.

Hun genegenheid voor elkaar bleef onverminderd, ook al vielen er harde woorden, maar geregeld stak een doodsverlangen de kop op en kleurde hun gevoelens. Op een nacht vertrouwde hij haar toe dat hij er weleens over had gedacht om zich op de een of andere manier tegen de kapitein en tegen alle bezetters in het algemeen te verzetten, om koste wat kost een eind te maken aan zijn beschamende onderworpenheid. Met gespeelde minachting fluisterde ze hem toe: 'Je zou de moed niet hebben om zoiets te doen, en dat weet je.'

Zij vertrouwde hem toe dat ze er een enkele keer over had gedacht om zelfmoord te plegen: haar gezondheid ging toch al sterk achteruit. Hij antwoordde weinig zachtzinnig: 'Arme schat van me, je overdrijft altijd over je slechte gezondheid. Bovendien, weet je, ben je te veel vrouw, en dus te passief om zelfmoord te kunnen plegen.'

Dan volgden er verwijten over en weer, vooral over het feit dat ze met deze neigingen te kennen gaven niet aan hun arme, hulpeloze kinderen te denken. Daardoor werden ze zich plotseling bewust van het vreemde feit dat ze geen van beiden een diepe liefde voor Alex of Leda voelden. Ze hadden het geprobeerd, maar konden het niet. Ze hadden het elkaar voor de voeten geworpen, maar hun eigen schuldgevoel was zo hevig dat ze ermee moesten ophouden. Ze waren het allebei eens over het weinige dat ze hadden om hun gebrek aan liefde te verklaren. Die kinderen met hun rare lijven en hun morbide geesten: wat was daar zo beminnelijk aan? Ook al zouden ze de volwassenheid halen, dan nog zouden ze abnormaal blijven. Hun tekortkomingen waren ongeneeslijk en hun toekomst was zonder enig belang. En een onherstelbaar beschadigd kinderleven – een tegenspraak in zichzelf en iets tegennatuurlijks – lijkt erger dan wat hun ouders overkomt.

Het was deze ouders, Helianos en zijn vrouw, hierdoor wel duidelijker dan ooit dat ze uitsluitend elkaar hadden om voor te leven. Die nacht sliepen ze vrijwel aan één stuk door, zich aan elkaar vastklampend, wat wel moest om te voorkomen dat ze uit het opklapbed op de smerige vloer zouden vallen – zelfs in de afwezigheid van de kapitein durfden ze niet naar zijn kamer te verhuizen, voor het geval hij onverwacht zou terugkeren – en ze lagen huilend zij aan zij, zodat er geen troost was en geen troostende. Zelfs in de begintijd van hun huwelijk, dat aanvankelijk moeizaam was geweest door hevige verliefdheid, jaloezie en teleurstelling, waren ze niet aan zo'n uitputtende emotie ten prooi gevallen.

De volgende dag kwam Helianos terug op de kwestie van zelfmoord en gaf een van zijn gebruikelijke korte formele uiteenzettingen: 'Ondervoede mensen benemen zich zelden het leven,' zei hij. 'Het is al een hele tijd geleden dat zo'n geval zich heeft voorgedaan. In onze kennissenkring is dat alleen in het begin voorgevallen, als iemands fantasie op hol was geslagen en nog voordat de verzwakking feitelijk had toegeslagen. In het algemeen geldt het cliché dat honger een mens aan het leven bindt. Je zou het een levenswet kunnen noemen. Bedenk maar even hoe het er ook met ons voor staat: we staren ons als gebiologeerde dieren blind op iedere nieuwe maaltijd.'

Er was nog een cliché dat op hun situatie van toepassing was, maar waar hij niet aan dacht, namelijk dat je nooit weet uit welke hoek en door welke kleine wijziging de situatie een tijdlang kan verbeteren. Het is nooit te laat om zelfs onder dreiging van de dood een beetje geluk te ervaren. En ook de dood zelf kan komen en gaan, terwijl we ons gebiologeerd blindstaren.

6

Eind april kwam kapitein Kalter op een maandagochtend uit Duitsland terug. De volgende dag, toen het gezin Helianos toevallig in zijn aanwezigheid bijeen was, deed hij met slechts een licht sarcasme in zijn toon een officiële mededeling en een verzoek: 'Mag ik u wijzen op het feit dat ik bevorderd ben, met een eervolle vermelding voor het werk dat ik hier in Athene heb verzet? Wilt u er in het vervolg aan denken om mij aan te spreken als majoor Kalter?'

Mismoedig realiseerden ze zich dat één blik op zijn distinctieven hun dit had kunnen vertellen, maar ze hadden niet gekeken. Ze hadden met zichzelf te doen: te bedenken dat ze door gewoon niet goed te kijken meteen alweer aanstoot hadden gegeven!

Maar de voormalige kapitein met zijn onopgemerkte majoorsrang leek het ze niet echt kwalijk te nemen. Bovendien kregen ze de indruk dat zijn bevordering hem niet bepaald veel voldoening leek te geven. Helianos dacht dat dit waarschijnlijk de Pruisische etiquette was om vreugdeloos en plichtmatig te accepteren wat zich voordeed.

Het kon ook zijn dat hij niet in zijn gebruikelijke goede gezondheid verkeerde. De natuurlijke blos op zijn wangen leek weggetrokken en vervaagd. Het wit van zijn ogen zag gelig, met minuscule, opgezette adertjes, alsof de volle twee weken één slapeloze nacht waren geweest, honderd uur zonder een oog dicht te doen. Zijn dunne rechte lippen waren dunner dan ooit maar ook minder recht, vol kloven. Zijn stem had een onbekende klank gekregen en klonk geknepen en soms plotseling toonloos, alsof hij valse lucht aanzoog. Hij was erg mager geworden. Zijn uniform leek niet meer zo goed te passen en tussen zijn hals en het boord zat wat ruimte.

Aanvankelijk voorzag Helianos dit alles opgewonden en vol hoop van commentaar, in het bijzonder de kwestie van de vermagering. Hij vroeg zich af of hier niet iets uit kon worden afgeleid voor wat betreft het verloop van de oorlog. Een grote Duitser die tien pond of meer lichter was geworden in nog geen twee weken, een Duitser die er net zo hongerig uitzag als anderen, een Duitser in neergaande lijn... Was het mogelijk dat hij in zijn afwezigheid niet genoeg te eten had gehad? Werd het misschien zelfs in dat grote Duitsland ook al moeilijk om aan eten te komen? Helianos slaakte die dag regelmatig een zucht: hij wilde het wel geloven, maar kon het niet.

Mevrouw Helianos kon dit soort toegeven aan zinloze speculaties niet goedkeuren. Ook wees ze erop dat de majoor, mocht het hem tijdens zijn reis slecht zijn vergaan, met zijn gezonde of eerder nog enorme eetlust bij hen zou zijn teruggekomen met honger als een wolf, terwijl hij nu juist alle eetlust had verloren.

Opnieuw liep Helianos heel Athene af op zoek naar etenswaren die goed genoeg waren voor een officier; opnieuw bereidde mevrouw Helianos de eenvoudige soepen en stoofpotten waar majoor Kalter zo van hield. Hij deed alsof hij zich aan de maaltijd zette, probeerde te eten, maar gaf het op en zond het eten vrijwel onaangeroerd terug naar de keuken. Dat bracht haar in verwarring, deels omdat ze trots was op haar kookkunst, deels omdat ze zich schrap zette en verwachtte vroeg of laat bekritiseerd te worden als dat hem zo uitkwam. Maar uren en dagen verstreken zonder een woord van kritiek.

De verklaring die mevrouw Helianos daar in het begin voor had, stond lijnrecht tegenover die van haar man. Die majoor! Met zijn bloeddoorlopen ogen en grauwe teint, zijn neergetrokken mondhoeken, zo vol zelfmedelijden en zonder trek: zij zag het als een teken dat hij last had van zijn gal, van overmatig eten en indigestie.

'Misschien vond hij het eten in zijn eigen land zo rijk en overvloedig dat hij walgt van het vreselijke voedsel hier in Athene,' zei ze. En terwijl ze het zei, deden afgunst en honger haar ogen oplichten.

Bovendien vroeg ze zich af of het niet heel gewoon was dat Duitse officieren zich tijdens hun verlof overgaven aan ergere uitspattingen dan te veel eten. Als de majoor niet genoodzaakt was te werken, dronk hij misschien wel. Waarschijnlijk waren er in elke Duitse stad jonge vrouwen te over die heldhaftige veroveraars als Kalter graag zagen komen, om hen tot bandeloosheid te verleiden en uitgeput achter te laten. En nu was deze heldhaftige veroveraar misschien wel vervuld van walging over zichzelf.

Ze dacht daarbij aan Duitse vrouwen van het soort dat je af en toe ook in Athene zag, flanerend rond het Hôtel de Grande Bretagne, alsof het hun eigendom was; jonge of jong uitziende vrouwen met zwoele lippen en verleidelijke blikken, in lelijke, nieuwe, soms Frans uitziende jurken en vergezeld door toegewijde en in de regel oudere militairen. En terwijl ze majoor Kalter een zijdelingse blik toewierp, vol minachting omdat hij er zo slecht uitzag, liet ze als respectabele vrouw haar verbeelding de vrije loop – dat wil zeggen, ze gaf andere vrouwen de schuld. Ze zei dat hij haar deed denken aan een kater na een ruige nacht.

Helianos was het daar helemaal niet mee eens en wees haar enigszins ontstemd terecht. Majoor Kalter woonde nu meer dan een jaar met hen onder één dak en nog altijd begreep ze niets van hem; ze onderschatte hem, met al dat gepraat over losbandig vertier! Moest hij haar nu werkelijk herinneren aan zijn krachtige Duitse persoonlijkheid, aan zijn methodische Spartaanse leefwijze?

Hij, Helianos, was van mening dat deze Duitser geen enkele zwakke plek of ook maar de geringste ondeugd had en geloofde niet dat hem ook maar iets dwarszat. Ook al zou Duitsland één groot eetfestijn zijn, één grote, losbandige bende, dan nog zou Kalter zich daar niet aan overgeven, zo meende hij. Al zou de hele wereld in Duitse handen komen en een speelbal van Duitsland worden, dan nog zou Kalter niet spelen, niet achteroverleunen of op zijn lauweren rusten. 'Hij zou volgens mij niet eens weten hoe dat moest,' zei Helianos.

In de eerste week na zijn terugkomst zagen ze hem heel weinig en sprak hij nauwelijks met hen. Hij bleef langer dan ooit op het hoofdkwartier werken, wat ongetwijfeld te maken had met een achterstand die was ontstaan en met zijn nieuwe verantwoordelijkheden als majoor. Aan het eind van de dag leek hij doodop, en hij had zich tot twee keer toe nog voor het avondeten op bed laten vallen en had een uur lang liggen slapen, of in ieder geval met zijn ogen dicht doodstil gelegen.

Op een woensdag of donderdag ging hij na het avondeten op weg, waarschijnlijk naar het gebruikelijke kaartavondje met zijn medeofficieren, maar de volgende ochtend bleek dat het hem geen afleiding of ontspanning had gebracht. Die avond deed hij niet eens een poging om iets te eten en ging om zeven uur naar bed, maar de volgende dag klaagde hij dat hij geen oog had dichtgedaan. Hij was somber en lusteloos, liep te geeuwen, te zuchten en te steunen, maar hij wilde of kon zichzelf geen rust gunnen. Zaterdagavond bleef hij op het hoofdkwartier en werkte tot het ochtendgloren.

's Zondags na het avondeten ging Helianos zijn kamer in

om de halflege borden weg te halen, en zijn vrouw kwam achter hem aan om een van zijn overhemden, die ze gewassen en gestreken had, op te bergen. Hij keek op met zo'n abrupte beweging van hoofd en schouders en met zo'n luidruchtig schrapen van zijn keel, dat ze naast elkaar in de houding sprongen en hem recht aankeken. En ze zagen dat zijn ogen hen niet, zoals gewoonlijk, fonkelend en borend aankeken, maar onzeker knipperend en bijna verwachtingsvol; zijn dunne lippen stonden strak, alsof hij een bewuste poging deed om vriendelijk te kijken. En toen vroeg hij hun: 'Hoe is het u vergaan tijdens mijn afwezigheid?'

Het was een vreemde, ongemakkelijke ervaring. Ze wilden wel antwoorden, maar ze waren zo lang gewend om zich tegenover hem klein te maken en zichzelf weg te cijferen dat ze niet wisten hoe, en ze stonden hem aan te gapen als een stel kinderen. Ze probeerden een even vriendelijk gezicht te trekken als hij en hem recht aan te zien, maar hun blikken gleden telkens opzij om elkaar verbaasd aan te kijken.

Hij had hen in het Duits aangesproken en dacht nu klaarblijkelijk dat ze hem niet hadden begrepen. Hij herhaalde zijn vriendelijke vraag in moeizaam Grieks, maar ze slaagden er nog altijd niet in hem te antwoorden.

Hij moet gedacht hebben dat ze bang waren. Een vreemde, onbestemde uitdrukking, deels zelfvoldaan, deels bedroefd, gleed over zijn harde gezicht. Om de ongemakkelijke situatie te doorbreken stond hij op, zei op barse toon dat hij nog een uur ging werken op het hoofdkwartier en liet hen alleen.

Toen drong het langzaam tot hen door dat hij was veranderd, dat hij een ander mens was geworden. Het was niet alleen een kwestie van verslechterde gezondheid, gewichtsverlies en gebrek aan eetlust. Voor een deel was er ook duidelijk iets in hun onderlinge verhouding veranderd, iets puur menselijks, een manier van denken, van voelen. Dit was de eerste keer in een jaar tijd dat hij hoffelijk tegen hen was geweest. Het was iets kleins, maar evengoed een wonder.

Die nacht verweten ze zichzelf dat ze op dit belangrijke moment niet aardiger en toeschietelijker hadden gereageerd. Ze waren bang dat hij zich had gestoord aan hun slechte manieren, hun zwijgen en hun verschrikte blikken. Er was niets aan te doen; hij had hen volkomen verrast. Ze zagen er tegenop om hem de volgende dag weer onder ogen te komen: stel dat de beleefde vraag niet meer dan een verspreking was geweest of dat ze het niet goed hadden verstaan. Ze deden hun best om zich de precieze bewoordingen, zinsbouw en stembuiging van het Duits voor de geest te halen en spraken over en weer totdat ze het erover eens konden zijn.

De volgende dag wilde mevrouw Helianos onder valse voorwendsels per se haar man met het ontbijtblad vergezellen. Ze hoefden niet lang te wachten; de majoor had nog altijd dezelfde verwachtingsvolle en onzekere blik in zijn ogen, en de respectvolle manier waarop hij goedemorgen zei en zijn verdere opmerkingen stelden hen gerust. Ze hadden zich niet vergist, het was echt gebeurd.

Rustig vroeg hij naar wat mevrouw Helianos zo in alle vroegte naar zijn slaapkamer voerde, en opnieuw konden ze niets uitbrengen. Maar alles wees erop dat hij oprecht vriendelijk tegen hen wilde zijn en hij liet zich niet uit het veld slaan.

'Hoe dan ook, wees welkom,' zei hij. 'Per slot van rekening bent u de huisvrouw, nietwaar? En er is altijd wel iets te doen, de hele dag door!'

Mevrouw Helianos bloosde alsof ze een groot compliment had gekregen.

In de tijd daarna was er iedere dag wel iets wat hen verbaasde en alles wat hij had gezegd en gedaan werd voortdurend besproken en gewogen, dag en nacht. Wat het ook te betekenen had, wat hem ook veranderd had, het was begonnen op de dag dat hij uit Duitsland was teruggekeerd, toen hun slechts was opgevallen hoe mager, moe en neerslachtig hij was, zonder dat ze het konden begrijpen. Dus overdachten ze nu ieder bewijsstuk, iedere gebeurtenis, hoe klein ook, maar nog altijd konden ze het niet begrijpen, en bovendien waren ze het onderling niet helemaal eens.

Helianos was voornemens alles te nemen zoals het er op het eerste gezicht uitzag, of in ieder geval om alles zoveel mogelijk te duiden als pure vriendschappelijkheid, een heuse verbetering en een ware zegening. De arme, door het lot geslagen mevrouw Helianos bleef twijfelen. Instinctief was ze op haar hoede tegenover het raadsel van de Duitser. Het was haar aard om wantrouwig te zijn.

Helianos was van nature een vredelievend en vriendelijk mens; hij was geneigd het goede in de mens te zien, zelfs als het een Duitse officier en bezetter was. Hij was zijn leven lang gewend om er iedere dag het beste van te maken. Nu vertrouwde zijn vrouw niet meer op zijn oordeel. Ze was veel te bang dat ze een vergissing begingen en in de val zouden lopen. Op gezette tijden merkte hij, innig verbonden als ze waren, met een schok hoe ze over deze zaak dacht. Ze maakte dat hij in voortdurende onzekerheid verkeerde.

Bijvoorbeeld op maandagavond, op de dag dat majoor Kalter was teruggekeerd: hij had zich op de rand van het bed laten vallen, zuchtend en tandenknarsend van vermoeidheid, ook al had hij niet meer dan een halve dag gewerkt. Helianos was als gewoonlijk voor hem neergeknield om zijn laarzen uit te trekken, maar hij wilde er niet van weten. 'Het is belachelijk dat iemand dat voor een ander moet doen,' zei hij op andere toon dan eerst. 'Een vernedering!'

Nadien hoefde er niet meer geholpen te worden met de laarzen en ook andere vormen van persoonlijke bediening werden nauwelijks meer door hem verlangd. Als Helianos gewoontegetrouw aanstalten maakte om iets in die trant te doen, onderbrak Kalter hem door te zeggen: 'Nee, dat is niet nodig, laat maar, ik wil dat niet.'

Mevrouw Helianos opperde dat het misschien kwam doordat haar man zijn werk niet goed deed. Dat was nu haar gewoonte geworden: om op alles te wijzen wat duister was en twijfel kon opwekken.

Maar nee, het was bedoeld om het hem gemakkelijker te maken of om hem het verschuldigde respect te tonen, zoals uit majoor Kalters woorden bleek. 'U bent per slot van rekening toch een man van de wereld, nietwaar?' had hij gezegd. 'Een man van aanzien, naar de lokale Atheense maatstaven gemeten...'

Hij zweeg even, keek Helianos strak, maar niet zonder hartelijkheid aan en vervolgde: 'Het zal niet meevallen om tot bediende te worden gereduceerd.'

Hij leek helemaal niet te beseffen hoe dit alles in tegenspraak was met zijn houding en opmerkingen van de afgelopen veertien, vijftien maanden. Blijkbaar was hij vergeten hoe tiranniek en krenkend hij was geweest. Hij was op de een of andere manier onverschillig geworden voor kleine dagelijkse gemakken en verleende diensten. Iets had hem bevrijd van de trots en opwinding van een beperkt gevoel van superioriteit, dat belangrijker voor hem was geweest dan comfort.

Op een morgen bracht Helianos hem het ontbijt, iets wat hij niet meer gewend was, en liet de koffiepot omvallen, waardoor een paar druppels koffie terechtkwamen op de mouw van het uitgaanstenue van de majoor, net onder de nieuwe onderscheidingstekens. Nog diezelfde middag had mevrouw Helianos zonder nadenken enkele papieren die op de grond waren gevallen opgeraapt en in de prullenmand gedaan. Maar van het gevreesde theatrale optreden van de majoor was geen sprake (voorheen zou dat ondenkbaar zijn geweest): de gebalde vuisten en het geagiteerd heen en weer lopen bleven achterwege. Er gebeurde niets: de koffievlekken werden met een kort gegrom afgedaan, de verkreukelde papieren met een zucht.

Zijn slechtgehumeurdheid, de kleinschalige tirannie en het verbitterde gevit op alles waren op de een of andere manier vergleden als de seizoenen van het jaar en volledig van het toneel verdwenen. Als hij al iets anders dan gebruikelijk wenste, gaf hij geduldig en duidelijk tekst en uitleg. Als hij niet kreeg wat hij wilde, deed hij weliswaar zijn beklag, maar zonder stemverheffing, alsof hij onder vrienden was, of op een neerbuigende, maar meevoelende manier, alsof ze kinderen waren. Wat er ook voorviel – een geluid als hij even lag te slapen, iets oneetbaars dat per ongeluk in zijn avondeten terecht was gekomen, een vies luchtje dat uit de keuken via de gang zijn kamer binnendrong of een knoop die aan een onvoorzichtig gewassen overhemd ontbrak –, hij bleef correct, rustig en soms bijna meelevend.

Die avond dat hij vroeg naar bed ging, kwam hij beleefd bij de keukendeur vragen om de ketel warm water. Een paar uur later dacht Helianos er niet meer aan en liep met zware tred door de gang, waardoor de majoor wakker werd. De volgende ochtend, toen hij klaagde over slapeloosheid, maakte hij er terloops een opmerking over en verzocht Helianos in het vervolg wat oplettender te zijn. De nachten daarop, toen ze met de grootste omzichtigheid langs zijn deur slopen, hoorden ze hoe rusteloos zijn slaap was, maar nooit riep hij hen om iets voor hem te doen. Het was afgelopen met die gênante en vernederende nachtelijke klusjes...

Hij glimlachte minder dan ooit, maar dat vonden ze niet erg. Zijn glimlach – meer het ontbloten van de tanden dan een echte lach, te plotseling en verkrampt – had toch altijd iets verontrustends. Ze waren nooit bijzonder gecharmeerd geweest van zijn glimlach. Hij zag er nu over het algemeen vriendelijker en zelfs knapper uit met dat uitgestreken gezicht, die licht toegeknepen ogen en een frons die zijn borende blik verzachtte; ook zijn mond had niet meer die ijzig kalme en verstrakte, harde trek.

Zijn stem was nog altijd hard, snel en gebiedend, zelfs als wat hij zei welwillend bedoeld was. Bij gelegenheid werkte een priemende blik van die kleine, blauwe, Pruisische ogen nog altijd ontmoedigend op eenieder die te ver dreigde te gaan en in hem een vriend of kameraad meende te ontwaren. Maar wat gaf dat, nu hij zich iedere dag en uit eigen beweging verwaardigde om iets vriendelijker te zijn?

Hij deed ook niet langer moeite om de provisiekast te controleren en bij te houden wat er die dag gekocht was. Afgelopen was het met de voorraadinspecties in de keuken! Dat maakte het leven wat gemakkelijker en stelde hen in staat wat meer te eten, maar mevrouw Helianos, gewend als ze was aan het strenge regime en de strikte beperkingen van het afgelopen jaar, kon het maar matig waarderen.

's Morgens vroeg, toen het tijd was voor hem om naar het hoofdkwartier te gaan en zij kwamen aangesneld om de deur voor hem te openen en als gewoonlijk te luisteren naar wat hij hun voor die dag opdroeg, kon hij duidelijk niets bedenken om te zeggen. Er was niets op te dragen; niets was als gewoonlijk. Mevrouw Helianos deed haar beklag. Ze zei dat ze zonder zijn gebruikelijke kritiek onmogelijk kon weten of hij tevreden was over wat ze de vorige dag had gedaan en of datgene wat ze die dag op eigen initiatief ging doen wel was wat hij wilde.

Maar, zo vroeg Helianos haar ongeduldig, of er nu wel of geen opdracht gegeven of kritiek geuit was, had ze ooit geweten wat Kalter van haar verwachtte of wat ze van hem kon verwachten?

Ze antwoordde dat ze voorheen, toen hij nog slechtgehumeurd was, in ieder geval nog een beetje wist waar ze aan toe was, dat er nog enige hoop was dat ze er op een goede dag op de een of andere manier in zou slagen zijn goedkeuring weg te dragen. Zelfs zijn afkeuring vond ze beter dan niets. Hij was nu eenmaal hun tiran, laat hem dus maar tiranniseren! Telkens een beetje, zoals een tiran betaamt, zodat ze wisten waar ze aan toe waren. Hoe konden ze anders weten of ze de dingen naar behoren hadden gedaan?

Om duistere redenen had hij voorlopig – maar niet meer

dan voorlopig, zei ze – geen belangstelling in het huishouden. Het lag niet in zijn aard om niet zijn eigen zin door te drijven, het lag ook niet in zijn aard om altijd maar zijn goede humeur te bewaren; dat kon niet anders dan slecht aflopen. Onverschilligheid, ondoelmatigheid, beleefd optreden: dat lag helemaal niet in de Duitse aard, dus dat was geen lang leven beschoren. Volgens haar zou het niet lang duren of hij zou haar weer, met verdubbelde kracht, op de hielen zitten.

Helianos ging er maar van uit dat ze zo vermoeid was van het huishouden dat ze niet meer redelijk kon nadenken. Volgens haar ging alles wat ze deden steeds minder goed. De maaltijden die ze klaarmaakte waren niet lekker genoeg; ze hielden de huishoudelijke uitgaven slecht bij; het was schandalig zoals ze van alles wat er aan voedsel was bijeen moesten scharrelen, alleen maar omdat ze er toevallig zin in hadden; en de kinderen, dat wil zeggen Alex, veroorloofden zich voortdurend allerlei vrijheden nu Kalter deed alsof het hem niet meer kon schelen... Ze voelde zich schuldig over al die dingen en verweet dat de nieuwe Kalter. Het was immers zijn nieuwe onverschilligheid voor wat ze deden, zijn toegeeflijkheid ten aanzien van alles, waardoor ze zich wel schuldig móésten gaan voelen. Ze slaagde er zelf al niet in om aan de eisen te voldoen, om maar te zwijgen van Helianos en de kinderen. Op een dag zou de rekening gepresenteerd worden.

Helianos werd buitengewoon ongeduldig als hij haar zo hoorde praten. Toch bleef hij er geduldig op wijzen dat ze beter af waren dan het hele voorafgaande jaar. Als ze zich nu maar niet zo liet meeslepen door dat zinloze voorgevoel... Ze sprak hem nooit tegen, maar zodra hij een eind aan het gesprek maakte, verviel ze weer in hetzelfde nerveuze gedrag en koppige wantrouwen.

De majoor had ook zijn belangstelling verloren voor bestudering van militaire zaken na het avondeten. In plaats daarvan kocht hij een paar goedkope romannetjes en verscheidene Duitse en Zwitserse tijdschriften, en zat avond aan avond in die luchtige lectuur te lezen of te doen alsof hij las. Als Helianos het niet met eigen ogen gezien had, zou hij het niet hebben geloofd.

Mevrouw Helianos zag dat zich stof verzamelde op de boeken over strategie en over voeding, op het onbekende lexicon en op de uitheemse atlas, maar ze was zijn terechtwijzing van een jaar geleden niet vergeten en liet het zo. Op een avond klaagde hij over de rommel op zijn bureau en vroeg haar of ze voor zijn boeken plaats wilde maken in de afgesloten boekenkast naast de Griekse en Franse boeken van Helianos.

Helianos kon dat maar niet begrijpen. 'Nu hij majoor is geworden,' zei hij met een half lachje, 'hoeft hij niet langer te studeren, begrijp je? Hij heeft geen ambitie meer...'

Helianos wist altijd wel iets te bedenken om te zeggen, maar nu raakte zijn gevoel voor humor aan het zwalken, werd dubbelzinnig en onzinnig. Hij gebruikte het niet langer om anderen te amuseren, maar als het ware voor zichzelf, in de hoop dat zijn eigen gedachten erdoor tot iets zouden leiden. Zijn vrouw vond zijn grappen steeds minder amusant.

7

Helianos maakte halverwege de maand mei een merkwaardig ongelukkige periode door, een soort crisis. Hij probeerde zijn gedachten voor zich te houden, maar zijn vrouw wist alles. Terwijl hij zijn vrouw haar overspannen verbeelding verweet, ging zijn eigen verbeelding al die tijd met hem op de loop, in de vorm van een intense nieuwsgierigheid naar de oorzaak of oorzaken van de verandering in de majoor, maar het resultaat was vaak bedroevend en belachelijk.

Hij kon er nog zo luchtig over doen, maar het was onmogelijk het van zich af te zetten. Hij was zijn hele leven lang trots geweest op zijn scherpzinnigheid, zijn inzicht in de manier van denken van anderen, zelfs als het buitenlanders betrof, maar het was vergeefs gebleken. Een Duitser ondergaat een diepe verandering en als bij toverslag is zijn niet-Duitse geest met stomheid geslagen en hulpeloos gemaakt. Hij had zich zijn hele leven niet zo dom gevoeld. Op de een of andere manier lag de huiveringwekkende geest van de bezetter nu terneer als een grote slang, gewond, moedeloos, verlamd – of was het betoverd? tot inkeer gekomen? van gedaante veranderd? –, en nog altijd kon hij, een stuntelende Griek, zich niet verroeren, niet tot een besluit komen, aan niets anders denken, in de greep van een dagdroom.

Wat kon het zijn? Wat mankeerde Kalter? Waarom was hij zo somber? Waarom was hij zoveel vriendelijker dan eerst? Was het een nieuwe tactiek, een list of een val? Zou hij op een goede dag, nadat hij beetje bij beetje vriendschap met hen had gesloten, plotseling iets afschuwelijks van hen eisen? Voor welk doel zou hij hen in 's hemelsnaam kunnen gebruiken, anders dan de gebruikelijke nederige huishoudelijke taken? Wat was dat voor vreemde combinatie van vriendelijkheid en somberheid – was dat een normale combinatie in de Duitse psyche? Was hij te vertrouwen? Hoe lang zou het duren? En wat dan? Wat kwam er dan?

Dagen gingen voorbij en hij bleef er maar over nadenken, tot hij het beu werd en het van zich af probeerde te zetten – de kwalijke omstandigheden waren immers nog altijd genoeg om hun dagen te vullen, iedere dag opnieuw –, maar dan deed zich weer iets nieuws voor, een taak minder of een vriendelijk gebaar van Kalter, waardoor hij opnieuw vruchteloos aan het denken werd gezet.

Mevrouw Helianos had zijn spottende reactie op haar eerste speculatie over de verandering in de Duitser ter harte genomen. Ze had een andere verklaring bedacht, en nadat ze al haar moed had verzameld vertrouwde ze hem die op een nacht toe.

'Helianos,' fluisterde ze, 'Helianos, luister! Weet je, ik heb nooit geloofd dat mijn broer dood is. Maar nu hebben we het volgens mij aan hem te danken dat we het met de majoor wat makkelijker hebben.

Ach, die arme broer van me! Is hij er uiteindelijk toch in geslaagd om, waar hij ook is, in kringen terecht te komen van Duitsers die in staat zijn te bepalen wat er in Griekenland moet gebeuren. En hij is ons niet vergeten. Hij schaamt zich en wil het weer goedmaken. En daarom is de majoor nu op een of andere manier ingefluisterd dat hij ons beter moet behandelen.'

Helianos hoorde dit met grote weerzin aan. In deze tijd

van onderdrukking, in het bijzonder het afgelopen jaar waarin ze persoonlijk onderdrukt waren geweest, waren zijn aanvankelijke minachting en afkeuring jegens zijn zwager overgegaan in verachting. Hij voelde dezelfde behoefte als vrijwel iedereen in een verslagen land: de behoefte om iemand persoonlijk de schuld te geven en die te zoeken in eigen, vertrouwde kring, als een personificatie van de zwakke en trouweloze kanten van een natie die mede de oorzaak zijn geweest van de nederlaag. In dat opzicht had Helianos maandenlang en zonder het zijn vrouw te zeggen al zijn aandacht geconcentreerd op zijn zwager. Die dubieuze, afwezige en wellicht overleden jongeman was zijn zondebok geworden. En een zondebok hebben betekent een zekere mate van genoegdoening. Het geringste teken dat hun verbeterde betrekkingen met de Duitser aan hem te danken waren, zou alles voor Helianos vergald hebben.

Dus toen zijn vrouw hem dit in het duister op het opklapbed toefluisterde, verloor hij even zijn beheersing: hij viel tegen haar uit, schudde haar dooreen met de arm waar ze de hele nacht met haar hoofd op lag en zei haar dat het idee onverdraaglijk was en dat ze een dwaas was!

In haar verwarring van gevoelens liet ze het passeren zonder er verder op in te gaan. Opnieuw stond de schim van de raadselachtige jongeman tussen hen in en opnieuw was het hun hechte verbondenheid – dag en nacht in elkaars gezelschap of in elkaars armen – die overwon.

Het kon ook zijn dat het jaar van hun vrijheidsberoving haar een nieuw inzicht had gegeven in de menselijke aard en nu ze zich een paar slechte kanten van haar broer wist te herinneren en bedacht hoe die zich ten kwade hadden kunnen keren onder de huidige omstandigheden, leek het haar beter om maar te denken dat hij dood was. Op die manier voorkwam ze dat ze hem in gedachten te schande maakte en ook dat ze zich door hem te schande gemaakt voelde. Ze sprak niet langer over hem als over een levende, rouwde als om zijn dood, hield daar uiteindelijk mee op en vergat hem min of meer. En die situatie, die broedermoord in gedachten, liet ze voortduren, zelfs toen ze later wanhopig behoefte had aan hem, aan iemand, aan wie dan ook...

Helianos had echter veel minder greep op haar waar het haar houding tegenover majoor Kalter betrof. In dat opzicht was ze een en al zenuwen: ze bleef maar over hem praten, verdwaasd, verbitterd en zichzelf tegensprekend, totdat ze allebei volledig uitgeput waren. Ook in dat noodlottige voorjaar, toen ze zo ziek en wispelturig was geworden, had hij nog altijd in de meeste kwesties het laatste woord, maar niet waar het de majoor betrof.

Hoe tegenstrijdig het ook was wat ze zei en deed, de intuïtie en het instinct waren te sterk: het ene moment was ze als een jonge loot in een donkere kelder die scheef naar het licht toe groeit; dan weer als een blootgewoelde regenworm die uit het licht wegkronkelt, terug de veilige aarde in, de veilige duisternis tegemoet. Het was te subtiel voor hem als man en te heftig voor zijn zachtmoedige aard.

Maar hij bleef op haar inpraten en smeekte haar om te proberen toegeeflijker te zijn waar het de majoor betrof. Ze moest hem het voordeel van de twijfel gunnen. Door waardering te tonen voor zijn vriendelijk optreden kon ze hem bewegen tot nog meer vriendelijkheid, wat niet alleen haar, maar ook de anderen ten goede zou komen. Maar nee, dat kon ze niet, of – zo kwam het Helianos voor – dat wilde ze niet.

Het leek hem soms een vorm van patriottisme te zijn. Ze schroomde om wat opgewekter tegen hun eigen kleine leventje aan te kijken, terwijl om hen heen de rampspoed over Griekenland lag, reden genoeg voor iedere Griek om dag en nacht te treuren.

Hijzelf was er klaarblijkelijk de man niet naar om te volharden in een rouwstemming die alleen maar door de historische omstandigheden en het fatsoen werd ingegeven, terwijl de omstandigheden om hem heen hem toelachten en er voor hem persoonlijk betere tijden aanbraken... Door zo halsstarrig ongelukkig te zijn maakte zijn vrouw soms dat hij zich voor zichzelf schaamde.

In de loop van een van hun gesprekken zei ze dat hun gestorven zoon Cimon haar in haar dromen was verschenen en had gewaarschuwd. Hij wist niet of het metaforisch bedoeld was of dat ze op bepaalde nachtmerries doelde, en ook wist hij niet goed wat de waarschuwing kon inhouden. Maar hij vroeg er niet naar, omdat hij vond dat hij haar niet moest aanmoedigen te zwelgen in haar verdriet.

Wat was ze veranderd in die meimaand, dacht Helianos. Het hele voorafgaande jaar had ze zich klein gemaakt, was ze verzoenend geweest, passief en paniekerig, een wat ouwelijke vrouw; nu was ze als een onstuimig, romantisch en naïef meisje! Hoe vaak had ze zich niet uitgesproken tegen zijn neven in het verzet? Maar nu hoorde je haar daar niet meer over en toonde ze zich in feite net zo opstandig als zij. Wat was ze niet bang geweest voor Alex' wraakzuchtige neigingen. Ze had geprobeerd ze in te tomen, maar nu was zij degene die ingetoomd moest worden! Ze liet zich de hele dag lang leiden door een gevoel van onrecht, terwijl zij altijd degene was geweest die zei dat ze blij moesten zijn dat ze nog leefden! Ach, verzuchtte Helianos in al zijn verwarring en getergdheid als man, wie zal ooit weten wat er in een vrouw omgaat?

Toen bedacht hij dat hij al in geen weken meer iets van zijn neven had gehoord. Met hun onverzettelijkheid en tomeloze energie waren ze zo anders dan hij op dit moment, dat hij met geen mogelijkheid kon bedenken wat ze aan het doen waren, zo speelde het door zijn hoofd. Het was uiteindelijk ook niet erg aannemelijk dat Alex later een van hen zou worden, een opstandeling, een vechtersbaas, dacht hij bij zichzelf. Vervolgens realiseerde hij zich dat alle valse romantische ideeën die hij daarover had in de afgelopen lentemaanden verdwenen waren. Het vreemde leven dat hij nu in die kleine woning leidde, met alleen zijn vrouw, zijn kinderen en Kalter, zonder dat hij wist hoe het zou aflopen, had hem helemaal in beslag genomen...

Hij bedacht dat het was als een klein, halfverduisterd theater met geschilderde schaduwen; iedereen in het huishouden wisselde telkens van plaats, als in een vage, ongerijmde dans op nagenoeg onhoorbare muziek, en zelfs het dierbare gezicht van zijn vrouw, die heel dicht bij hem in de buurt danste, kon hij nauwelijks zien.

Maar in ieder geval inspireerde zijn oude, vertrouwde en krachtige liefde hem nog volop tot gedachten over haar. Omdat hij zijn leven en bepaalde illusies en veronderstellingen met haar deelde – geen liefdespaar dat daaraan ontkwam, hoe oud ze ook waren – wist hij alles van haar voor zichzelf te verklaren, niet op één manier, maar op meer manieren tegelijk, als alternatieven...

Eén ding, zo bedacht hij, was het gevolg of het resultaat van de verandering in Kalter. Omdat Kalter niet langer sterk leek, reageerde ze steeds heftiger en roekelozer op hem. Zijn meer inschikkelijke, ongelukkige en ongezonde geest, en zijn matheid en zachtaardigheid hadden haar tot vechtlust en opstandigheid geïnspireerd, uiteraard niet brutaalweg in zijn aanwezigheid, maar wel in haar verbeelding en in wat ze achter zijn rug om zei. Haar hele geest was geforceerd, alsof ze grimassen tegen hem maakte; haar hele denken had zich samengebald en schudde naar hem als een vuist.

Wat ook speelde was dat ze tijdens Kalters verlof even vrijaf had gehad, een periode van relatieve rust en verandering, waarbij ze de onafhankelijkheid had geroken. Het had haar op een gevaarlijke manier aan het denken gezet. Bijna twee weken lang was ze verlost geweest uit de greep van de Duitser, en dus was het heel natuurlijk dat ze – ook al was het lang niet meer de meedogenloze, straffende greep van eerst – zich instinctief en fel tegen een hervatting verzette. Die vreselijke twee weken, toen van al hun plannen niets terecht was gekomen en ze met de gedachte aan zelfmoord hadden gespeeld, toen ze met afschuw aan hun eigen kinderen hadden gedacht – die twee weken hadden haar niettemin goed gedaan! Helianos kon het bijna niet bevatten. Daar lag de oorzaak van die tirades van haar, die in ieder geval een teken van vitaliteit waren, en van haar voortdurende klagen, waaruit in ieder geval hoop sprak.

Soms voelde hij in weerwil van zichzelf dat ze aan beminnelijkheid had ingeboet, en dat helaas net nu er in alle andere opzichten verbetering was opgetreden in zijn omstandigheden. Ze had weliswaar geen gemakkelijk karakter – dat had ze nooit gehad –, maar hij had zich in het verleden nooit gestoord aan haar neiging om bij het minste of geringste tot overdrijven en zelfmedelijden te vervallen. Wat hem dwarszat was haar wrokkige houding tegen de wereld in het algemeen en haar blijvende wantrouwen, ook al gingen de zaken nu beter. Hij vond het verschrikkelijk om te zien hoe ze een soort onverschillige en grillige wanhoop aan den dag legde, alsof het haar niet meer uitmaakte of het nu een beetje beter of slechter ging, alsof alles lood om oud ijzer was. En als ze al toegaf dat het iets beter ging, dan was het zonder enig plezier. Altijd voegde ze er dan aan toe dat het te mooi was om waar te zijn of dat het wel niet lang zou duren.

Zeker, dat het niet lang zou duren, dat dacht Helianos ook. Ongetwijfeld zou het aimabele optreden van de buitenlandse overwinnaar hoe dan ook uiteindelijk tot diens eigen voordeel strekken. Dat was het wezen van overwinnen: overwinning was een duurzaam goed. Voor de overwonnenen was niets van lange duur weggelegd. Maar Helianos bleef daar tamelijk stoïcijns onder. Zijn gevoel van onzekerheid maakte dat hij in al zijn goedheid tenminste een zekere dankbaarheid voelde voor de momenten dat het beter ging.

Wat kon een mens meer wensen dan dat de vreemdelingen voor de duur van de oorlog en van hun opperheerschappij een vriendelijk woord lieten horen, hun een paar kruimels van hun eigen tafel toewierpen, hun wurgende greep wat lieten verslappen, de druk iets verminderen, een huiselijke vrede duldden en het martelaarschap enigszins verlichtten? Zoals het er voor de Grieken voor stond, was de wereld een gevangenis en Griekenland een gevangeniscel. Hier werd hem in ieder geval een opening geboden, een deur op een kier, een dagelijkse streep zonlicht op de vloer. En er zijn tijden in het leven dat dit voldoende is om je gelukkig te voelen, zoals je anders alleen ervaart in tijden van al te vertrouwde vrijheid en zogenaamde geborgenheid.

Tegen het eind van de tweede week was majoor Kalter op een avond van plan geweest om na het avondeten weg te gaan, maar had zich toen bedacht en bleef thuis om een brief te schrijven. Het viel het gezin op hoe stil hij zich hield; ze hoorden hem niet lopen, er klonk geen kuchje, geen zucht.

Tegen elf uur ging Helianos naar binnen met de ketel warm water en trof de majoor languit aan op bed, diep in slaap, en geheel in uniform, met zijn laarzen nog aan. Hij lag daar voor dood, plat op zijn rug met zijn handen losjes op zijn buik, zijn lange benen gestrekt tot aan het voeteneinde met zijn grote voeten naast elkaar omhoogwijzend...

Helianos maakte aanstalten om hem te wekken, bedacht toen dat het beter en verstandiger was om hem zo te laten liggen, sloop zachtjes naderbij en bleef een paar minuten aandachtig staan kijken naar het gezicht van de slapende. Het door slaap weerloze, zich beschut wanende gelaat leek hem beklagenswaardiger dan ooit: het benige masker was als een grote vuist, waar de huid losjes en nonchalant overheen getrokken was; de wangen waren uitgezakt en bloedeloos, het litteken op de ene wang felroze. De lippen, die zo wilskrachtig waren samengeperst als hij wakker was, zagen er nu uit alsof ze aan elkaar gegroeid waren, als een tweede litteken.

Wat was er toch aan de hand met deze man? Helianos

dacht dat het wellicht wroeging was over wat de Duitsers aan wreedheden begingen in Griekenland, of eigenlijk in heel Europa: met pijnbank, laars en brandijzer, zweep, stok, duimschroef en rad, of hoe het ook mocht heten in tegenwoordige termen en wat de equivalenten ook waren die door de Duitsers van nu in praktijk werden gebracht...

Dat was een verklaring waar Helianos nog niet eerder op gekomen was. Aangezien de majoor zelf geen wreed mens was, althans niet in dergelijk opzicht, was hij misschien, toen hem ter ore was gekomen wat zijn landgenoten allemaal uitvoerden, daarover gaan piekeren en had hij langzaamaan iets van de collectieve schuld ervaren, totdat het uiteindelijk ondraaglijk was geworden. Met een schok was het doorgedrongen, met oneindige wroeging en machteloze verontwaardiging als gevolg. Immers, wat hij er ook van dacht, in feite kon hij als eenvoudige stafofficier van de intendance weinig uitrichten...

Hij lag daar nu wel doodstil, zonder te woelen en te draaien, maar een vredige slaap was het allerminst. Er was een nauwelijks waarneembare, constante beweging her en der in zijn gezicht, zoals wanneer we het wateroppervlak van een schijnbaar stilstaande poel door een blaadje, een takje of een luchtbel (al dan niet in de verbeelding) tot leven zien komen, op en neer, dalend en stijgend.

Misschien was het geen wroeging, maar angst. Misschien begon Duitsland de oorlog te verliezen en besefte de majoor dat. Op weg naar huis had hij mogelijk tekenen gezien die daarop wezen.

Niet dat Helianos ook maar iemand had horen zeggen dat Duitsland de oorlog aan het verliezen was. Hád hij het maar iemand horen zeggen; hij hoefde het niet eens te geloven, maar de sensatie alleen al! Niet dat hij het geloofde. Nee, zei hij telkens bij zichzelf, nee – hij zou anders gek worden van ongeduld – er was geen sprake van dat Duitsland aan de verliezende hand was, nog niet.

Niettemin had hij wel een vaag idee van hoe het zou zijn als Duitsland begon te verliezen, als er algehele paniek zou uitbreken onder de Duitse burgerbevolking en hun slaven in den vreemde tegen hen in opstand kwamen en hun legers het front niet meer hielden en moesten vluchten, op de hielen gezeten door andere legers, met name het Russische leger... Was dat het waar de majoor aan dacht? Was dat het vooruitzicht dat Duitsland hem had geboden op zijn tocht naar huis? Als dat zo was, kon het goed zijn dat het hem met afschuw had vervuld en alle levensvreugde uit hem had weggeslagen, en dat het hem had aangezet om zich wat vriendelijker dan gebruikelijk te gedragen, ook tegenover die onbetekenende Grieken.

Helianos deed nog een stap in de richting van het bed, boog zich over de liggende, broodmagere gestalte en keek aandachtig naar het mismoedige gezicht dat lichtjes en onrustig bewoog, als door een akelige droom; het was alsof hij een huivering over de hoge jukbeenderen en langs de neergebogen mondhoeken zag trekken. Niet verwonderlijk voor iemand die van een Duitse nederlaag droomde!

Wat hemzelf, Helianos, betrof: hij wilde het zo graag geloven dat hij een ogenblik in vervoering raakte. Hij ademde in met kleine teugen, alsof hij een medicijn innam, een drankje, een vergif. Het bloed in zijn aderen, in zijn slapen en in zijn hals, klopte hoorbaar – ssj, ssj, ssj – en zijn knieën knikten.

Maar geloven deed hij het niet. Voor iemand met zijn instelling en van zijn leeftijd is het moeilijk zomaar iets te geloven, alleen maar omdat hij het zo graag zou willen. Hij kon zichzelf een kort en dwaas moment voor de gek houden, maar het was niet meer dan natuurlijk dat hij weer spoedig bij zinnen kwam. Bovendien was hij een beetje geschokt door de felheid van deze diepgevoelde wens en zijn fysieke reactie – de wilde, starende blik, de moeizame ademhaling, het knarsetanden –, en dat maakte dat hij om zichzelf moest glimlachen. Een Griekse bediende op leeftijd die naast het bed van een ingekwartierde officier staat, met een ketel warm water schuddend en klotsend in zijn hand, terwijl er allerlei gedachten ongecontroleerd door zijn hoofd schieten...

Daar kwam ook nog bij dat hij een ontwikkelde Griek was en het zijn diepe overtuiging was dat dit soort gedachten aan geweld, aan collectieve wraak, hem als Griek niet pasten. Ook al vocht hij voor zijn leven, zelfs als hij dat gevecht al verloren had (zoals in zijn geval) en hoopte tegen beter weten in, dan nog had een Griek zich te houden aan de gematigdheid en strenge realiteitszin die, zo hield hij zichzelf voor, juist ooit door de Grieken zelf was uitgevonden.

Reëel gezien was er maar één Duitser die hem persoonlijk aanging: de majoor die hier voor zijn ogen weerloos en ellendig lag te slapen, als was hij aan hem overgeleverd. En wat hij aan wraakgevoelens jegens hem koesterde, was niet anders dan gematigd te noemen...

Op dat moment schudde de majoor in zijn slaap zijn hoofd en draaide zich op zijn zij met een licht gekreun dat klonk alsof hij wakker ging worden. Dat deed Helianos met een schok ontwaken uit zijn nachtelijke, dwaze overpeinzingen. De slapende man werd echter niet wakker, maar begon zachtjes te snurken, en nu zijn hoofd opzijgedraaid lag en anders belicht werd en zijn lippen iets vaneen weken door de zwaardere ademhaling in zijligging, veranderde ook zijn aanblik.

Zijn gezicht had niets van wroeging of nederlaag. Helianos slaakte een zucht. Geen wroeging, (nog) geen nederlaag aan Duitse zijde, geen wraak aan Griekse zijde: hij had het zich allemaal verbeeld in een stortvloed aan beelden die nu langzaam wegebde. Het was het gewone gezicht van een ongelukkige Duitser. Op een dag zou hij er vast wel achter komen wat de majoor zo ongelukkig maakte – was het niet ieders plicht om de Duitsers zoveel mogelijk te doorgronden? – maar zijn allerergste nieuwsgierigheid was voorbij. Voorlopig was die behoefte verdwenen en misschien wel voorgoed.

Laat die trotse majoor maar slapen zoals hij daar ligt met zijn laarzen aan, in uniform en ongewassen, zei Helianos bij zichzelf. Het was zonde van de ketel warm water, die bovendien niet erg warm meer was. Nu kon hij er zijn eigen gezicht mee wassen in de gootsteen. Een hoeraatje voor wat de majoor niet hoefde! Hij had geen slaap, maar was zo moe dat het een hele tocht leek: de gang door naar de keuken. En het kostte heel wat moeite om zich te wassen, uit te kleden en in de wankele twijfelaar te stappen zonder zijn vrouw wakker te maken.

Zou ze het erg vinden als hij haar wekte en wat toefluisterde, niet wat hij zo-even had lopen denken, maar iets onbeduidends, om de opstandige gedachten uit zijn hoofd te verdrijven? Op dergelijke momenten besefte hij dat hij onmogelijk zonder haar kon. Dankzij die dierbare vrouwelijke geest van haar, die zich op bekrompen, onverdraagzame, maar ook delicate wijze uitsluitend bezighield met wat voor haar van belang was, was hij bij zinnen gebleven.

Hij liet het lauwe water weglopen: hij was te moe om er nog iets mee te willen en liet zijn vermoeidheid en zijn stoffigheid over zich heen komen alsof er niets anders meer bestond. Voordat hij in bed stapte, liep hij naar het keukenraam en leunde naar buiten. Hij draaide zijn brede schouders en stijve nek om omhoog de donkere nacht in te kunnen kijken en dacht aan het onfortuinlijke lot (oorlog, nederlaag, wraak) van de hele gemeenschap van mensen in Europa waar hij nu een klein deeltje van was – een niet-wezen, niemand in het bijzonder, en zeker niet iemand die ertoe deed.

Die gedeelde rampspoed, dacht hij, is net zo oneindig als de donkere hemel die gevuld is met smartelijke sterren en onzinnige wolken. De hemel is net zo weids als wij, de sterren gloeien van zielenleed net als wij en de wolken verglijden als wij in onze waanzin.

Zijn hart kromp ineen en leek uit louter medelijden te bestaan, zonder dat hij kon zeggen of het medelijden in het algemeen was of zelfmedelijden. Het was een moment van wanhoop, maar dat paste eigenlijk meer bij hem dan die machteloze fysieke woede, als een in tweeën gekliefde slang, en meer dan die zinloze opstandigheid, als een in het nauw gedreven rat.

Ook de majoor beschouwde hij als een onderdeel van die gemeenschap van mensen – omdat hij hem had zien slapen als een gewone soldaat, een heel gewone slaap, en omdat majoor Kalter misschien wel oprecht berouw had en mogelijk het onderspit ging delven en zich iemands wraak moest laten welgevallen, en omdat hij hoe dan ook ongelukkig was (zoals Helianos zelf) –, en dat ontlokte hem een zacht, cynisch lachje, want dat zou die hooghartige man hem niet in dank afnemen. Hij was niet het soort mens dat zichzelf graag als onderdeel van een internationale gemeenschap zag, al gebeurde dat uit mededogen.

Mevrouw Helianos sliep nog niet en reageerde verontrust op dat zachte lachje van hem, met die ondertoon van spot of zelfspot. 'Helianos!' fluisterde ze vanuit het bed achter hem. 'Helianos, wat ben je toch aan het doen, waarom hang je zo uit dat levensgevaarlijke raam? Op een dag struikelt iemand en valt erdoor naar buiten en breekt zijn nek. We moeten er een hekwerk of een stang voor laten maken,' voegde ze er slaperig aan toe.

Spoedig daarna vielen ze beiden in slaap, maar Helianos sliep slecht: hij praatte hardop en wekte daarmee zijn vrouw en joeg haar schrik aan met wat hij zei. Enige tijd voor het aanbreken van de dag werd hij wakker en hoorde dat de majoor op was. Hij hoorde zijn voetstappen door de kamer, het piepen van de deur van de linnenkast, de laarzen die achter elkaar met een bons neerkwamen: de majoor kleedde zich uit en ging weer in bed liggen, ditmaal zoals het hoorde.

Eindelijk brak de dag aan en toen Helianos was opgestaan en aan de slag ging, merkte hij dat hij een stuk opgewekter was dan anders; hij voelde zich enigszins bevrijd van de gevoelens van wraak en melancholie, en de koortsige vechtlust was afgenomen. Hij kon natuurlijk niet verwachten dat volledig geluk zijn deel zou zijn, maar als de majoor voort zou gaan op de nieuw ingeslagen weg, niet meer tegen hem zou schreeuwen, Alex niet meer zou slaan en rustig tegen mevrouw Helianos zou praten zonder haar bang te maken, dan (zo begon hij te geloven) zou hij zich weleens minder ongelukkig kunnen voelen. Daar was wel inspanning en concentratie voor nodig, maar hij was vastbesloten.

De majoor ging inderdaad voort op de ingeslagen weg en boekte daarbij ook nog duidelijke vooruitgang. Toen Helianos een dag of tien later terugdacht aan de nacht dat de officier in uniform en laarzen had liggen slapen en aan de achter het gezicht van de slapende zichtbare droom – wat die ook had ingehouden en ongeacht of zijn eigen interpretatie daarvan ook maar iets van waarheid in zich had gehad – kwam dat hem waarlijk voor als een teken dat het leven van de ongelukkige officier zich enigszins ten goede had gekeerd.

Kalter was nog altijd buitengewoon neerslachtig, maar hij leek toch tot iets besloten te hebben en de zaak niet erger te willen maken door tegen zijn wil in te gaan. Zelfs in zijn vriendelijk optreden had iets krampachtigs gezeten; nu was het overgegaan in een soepeler en eenduidiger manier van doen, waarvan je voelde dat je erop kon vertrouwen. Hij was een nieuw mens, waarvan de nieuwigheid langzaam verdween; hij was een ander mens, dat zich met meer vanzelfsprekendheid en charme aan de verandering had overgegeven.

Zelfs mevrouw Helianos was zich daarvan bewust en leek enige tijd haar zorgen en wantrouwen te vergeten. Helianos dacht een tijdlang dat ze er hetzelfde over was gaan denken als hij, zodat ze de dingen zou gaan nemen zoals ze kwamen, geluk zou ervaren voorzover een mens dat zichzelf toestaat en er het beste van zou gaan hopen.

8

Een meevaller voor hen in die meimaand was dat het beter ging met de kinderen. Ze waren de hele maand niet noemenswaardig ziek en veel beter handelbaar. Binnenkort zou Alex veertien worden, en al was hij lichamelijk nauwelijks gegroeid, in zijn geest waren ongetwijfeld vage ontwikkelingen gaande, als in iedere andere opgroeiende jongen. Zijn vader kwam het voor dat ze er allemaal beter aan toe waren.

Soms hield hij zich nog wel eens op in de buurt van de majoor en liep hij stilletjes de gang in om hem te bespieden en te zien hoezeer hij was veranderd, maar klaarblijkelijk zonder de gedrevenheid van vroeger. Het leek meer een grap of een spelletje als blindemannetje of verstoppertje. Eens in de zoveel tijd leek hij eropuit om zijn oude vijand te provoceren door een brutale streek uit te halen of door herrie te maken, alsof hij zichzelf en de anderen wilde bewijzen dat hij niet bang was. Maar de majoor trok zich niets meer van hem aan.

Omdat hij uit de gesprekken tussen zijn ouders had opgemaakt dat ze nieuwsgierig waren naar alle bijzonderheden van de Duitser, observeerde Alex hem graag op eigen houtje, om daar naderhand zijn geheel eigen, gekleurde verslag van te doen. Ze besteedden er niet te veel aandacht aan: wat hij vertelde was onbetrouwbaar als altijd. Hij had een gevoel voor humor ontwikkeld en probeerde uren achtereen om Leda aan het lachen te maken, wat niet gemakkelijk was.

Hij had blijkbaar gehoord hoe zijn vader een grapje had gemaakt over het feit dat de majoor 's avonds niet langer meer studeerde; Helianos hoorde het hem tegenover Leda herhalen met de nodige variaties op het thema.

'Dat noemen ze nou promotie,' zei hij met een brede glimlach die op zijn gezicht verscheen als hij dingen verzon om haar te plezieren, 'en dat maakt een wereld van verschil. Kapiteins zijn heel erg wild; majoors zijn aardig, maar niet zo gezond of gelukkig, en hebben niet zo'n honger meer. Ze leren hoe ze hun laarzen zelf uit moeten trekken. Maar ze willen nog steeds niets in het huishouden doen. Ik wou dat we een generaal kenden. Ik ben zo benieuwd hoe die zijn...'

Natuurlijk was Helianos vertederd en gevleid toen hij dit hoorde. Maar zijn vrouw verloor vreemd genoeg haar geduld en riep wat een duivels kind het toch was, greep hem bij zijn schouder en schudde hem dooreen.

Hij was erdoor gekwetst en bleef de hele middag zitten mokken: Helianos had met hem te doen. Maar in de loop van de avond of de nacht trok hij weer bij. Het kon zijn dat hij een bevredigende verklaring had gevonden voor zijn moeders woede-uitbarsting of dat hij zelfs daar iets van humor in had ontdekt.

De volgende morgen in de keuken herhaalde hij, met zijn ogen op haar gericht en uitsluitend voor haar gehoor – Leda lag toevallig nog in bed – zijn beperkte militaire classificatie: kapiteins zijn wild, majoors vriendelijk en neerslachtig, generaals een vraagteken. Met fonkelende blikken leek hij haar uit te dagen om andermaal haar geduld te verliezen.

Dat gebeurde niet. Ze lachte zacht en zei toen met een hapering in haar stem dat het haar speet, pakte hem nogmaals bij zijn schouder en gaf hem een kus, wat hem blij stemde.

Helianos dacht bij tijd en wijlen dat Alex behoefte had aan

meer fysieke tederheid dan hij nu kreeg. Zijn moeder gaf hem slechts zelden een kus of een liefkozing, of dat nu kwam door een zekere terughoudendheid, door een merkwaardige afkeer of met de bedoeling om de man in deze kleine jongen te respecteren.

Aan het leven van Leda, die niet persoonlijk te lijden had gehad onder het eerdere optreden van de majoor, veranderde veel minder. Maar ze was buitengewoon gevoelig voor de sfeer tussen de mensen om haar heen en reageerde op de stemming van anderen als een plantje op goed en slecht, zonnig en bewolkt weer. Het deed haar goed dat haar ouders minder nerveus, zorgelijk en geprikkeld waren. Ze dachten dat ze nu misschien eindelijk uit haar staat van voortdurende angst en apathie zou ontwaken. Er waren momenten dat ze bijna net zo zorgeloos en ongeremd was als andere kinderen. Tegen het eind van de maand zei het anders zo zwijgzame meisje nu en dan een paar woorden tegen haar moeder, die er opgetogen over werd alsof er een wonder was gebeurd.

Als de majoor zich liet zien, kreeg ze iets merkwaardig triomfantelijks over zich, alsof ze zich wist te herinneren dat zij het wat hem betrof bij het goede eind had gehad en alle anderen niet. Hij daarentegen stelde om de een of andere reden niet meer zo'n prijs op haar kinderlijke affectie als eerst. Nu hij iedereen op gelaten, maar correcte wijze redelijk goed behandelde, trok hij niemand meer voor. Hij maakte niet langer onderscheid tussen Alex en haar in haar voordeel, iets wat ze mogelijk onderging als ongenade of als ontrouw. Vroeger hadden haar onwillekeurige liefkozingen en argeloze blikken hem nog doen glimlachen; nu vond hij niets amusant meer. Natuurlijk had Leda met haar geestesgesteldheid geen besef van spot of kleinering. Voor haar was een glimlach een glimlach, en ze miste het dat er iemand naar haar lachte. Soms overviel haar het plotselinge gevoel dat ze door hem werd genegeerd of afgewezen als een wilde, gedempte storm.

Toen hij een keer 's middags laat in de gang langs haar liep en zij hem bij zijn hand probeerde te pakken, zag hij het niet of wilde hij het niet toelaten, waarop ze hem bij zijn mouw vastgreep en die niet meer losliet totdat hij zich met een ongeduldige ruk uit haar groezelige vingers bevrijdde. Ze zonk totaal verslagen op de vloer ineen en verborg haar gezicht in haar handen, van top tot teen bevend, totdat haar moeder haar zo aantrof en haar naar bed droeg. Helianos had heel wat moeite om haar vieze, plakkerige vingerafdrukken van de mouw te verwijderen voordat de majoor die avond naar de officiersclub ging.

Toen hij terug was, riep hij Helianos uit de keuken bij zich: hij wilde iets over Leda zeggen wat mevrouw Helianos misschien liever niet hoorde. 'U moet weten, Helianos, dat ik uw dochtertje niet zonder reden zo heb behandeld. Ik ben niet nodeloos bruusk en kortaf tegen haar geweest. Ik heb geheel in uw belang gehandeld!

Het zal u misschien zijn opgevallen dat ze mij liever ziet dan wie ook. Maar een kind van die leeftijd moet het meest van haar vader houden. Ik heb daarom besloten om wat strenger tegen haar te zijn, begrijpt u?

Het is mogelijk dat mij in dit opzicht iets te verwijten valt. Het probleem zou zijn voorkomen als ik haar vanaf het begin had ontmoedigd, maar dat heb ik me niet gerealiseerd. Dat spijt me.'

Helianos' gezicht vertrok; hij werd rood en haalde snel en diep adem. Wat? Kon die machtige vreemdeling met zijn achteloos gezag en overwinnaarsuniform werkelijk de liefde van zijn arme, kleine meid stelen en die dan in een aanval van grootmoedigheid weer als op een schaaltje aan hem teruggeven...? Diep in zijn keel klonk een licht gegrom.

'Neem me niet kwalijk, Helianos, wat zei u?'

'Niets, majoor, ik zei niets.'

'Dan is er nog iets,' vervolgde de majoor. 'Niet dat ik verwacht dat u er veel van zult begrijpen. U weet immers vast niet veel van moderne kinderpsychologie. Het is een van de takken van wetenschap van ons Duitsers, en ik heb toevallig een paar gezaghebbende boeken op dat terrein gelezen.

Kinderen van Leda's leeftijd ontwikkelen dikwijls een onverwachte band zoals in dit geval, en die is van buitengewoon groot belang en zeer hartstochtelijk en fysiologisch van aard. Ik wil niet dat ze er een gewoonte van maakt zich aan mij vast te klampen en te beven als ik bij haar in de buurt kom en me aan te staren. Ik ben daar niet van gediend, zeg ik u. Naar me grijpen en me aan mijn mouw trekken en mijn hand aanraken! Nu ik het erover heb, realiseer ik me dat ik het niet langer kan verdragen.'

Andermaal wilde Helianos protesteren, maar hij zag ervan af, omdat hij niet wist wat hij moest zeggen of het niet durfde; in plaats daarvan liet hij een onverstaanbaar kuchen of grommen horen. Hij schaamde zich over Leda en voor Leda en hij dacht terug aan dingen die hij zelf over haar had gezegd, in een opwelling van medelijden en droge humor, en hij schaamde zich voor ieder woord.

Nee, het was geen schaamte; hij had immers alleen stilletjes tot zichzelf en zijn alter ego, zijn vrouw, gesproken om voor zichzelf iets te begrijpen van hun jongste en meest beklagenswaardige kind, dit overblijfsel van hun lange huwelijk. Leda behoorde hun toe en ze konden haar gedrag interpreteren zoals ze wilden; Leda behoorde hun toe op een manier die alleen ouders van een beschamend kind konden begrijpen...

'U bent een man van de wereld; daarom weet ik dat u wat ik zojuist zei naar waarde weet te schatten,' zei Kalter, zonder te letten op Helianos' roodaangelopen gezicht, zijn sprakeloosheid en verwijtende blik.

'Weet u, Helianos, ik voel een zekere vriendschappelijkheid tegenover u. Ik kijk in menig opzicht met plezier terug op het jaar dat we samen hebben doorgebracht.'

Helianos keek ook terug op het jaar, maar dan met een

nietsontziende scherpte; hij dacht terug aan al die andere beledigingen en kwetsende opmerkingen die hij vrijwel zonder
een krimp te geven had verdragen en vergeleek ze met deze,
waarna hij Kalter een doffe blik toewierp en tot de conclusie kwam dat niets in het verleden beledigender was geweest
dan deze onzin over Leda. En opnieuw vertrok zijn gezicht
en ontsnapte hem een onbeheerste zucht.

'Hoort u wat ik zeg, Helianos? Luister, misschien kan er
iets aan Leda's situatie gedaan worden. Er is hier een jonge
Duitse arts, die naar men zegt een waar genie is. Hij heeft
een indrukwekkende verhandeling geschreven over de raak-
vlakken tussen endocrinologie en psychotherapie. Mijn
vriend luitenant-kolonel Sertz heeft me afgelopen voorjaar
op een avond aan hem voorgesteld.

Hij is verbonden aan een speciale eenheid van het leger,
aan het onderdeel van mijn vriend om precies te zijn; men
ondervraagt daar politiek gevangenen en dergelijke – geen
erg prettig werk, neem ik aan. Maar zo is dat nu eenmaal met
de wetenschap: alles zijn voor iedereen! Belangrijke ontdek-
kingen kunnen ten goede en ten kwade worden aangewend
en kunnen dienen om misdadigers te straffen en zieke kinderen te genezen... Ik denk dat ik eens met die jonge weten-
schapper ga praten over Leda. Misschien kunnen we wonderen verrichten voor het arme kind.'

Van de genoemde takken van wetenschap wist Helianos
maar weinig af, om maar te zwijgen over de gruwelijke geheimen rond het verhoren van politiek gevangenen. Maar
ondanks zijn verwarring en opwinding voelde hij dat het bedoeld was als een overweldigend goede daad. Waarschijnlijk
moest hij nu op zijn knieën vallen en de hand van zijn wel-
doener kussen. Hij had immers het recht niet om trots te zijn,
om de kwestie van goed of kwaad op de spits te drijven of
om terug te deinzen omdat het om zo'n speciale legereen-
heid ging, dat onderdeel van Kalters vriend Sertz – niet als
er sprake was van het genezen van de zieke Leda, die er al-

leen maar bij kon winnen en niets te verliezen had...

Ondertussen was Kalter aan het bureau gaan zitten en aan een brief begonnen, zonder verder nog aan de kwestie van het kind te denken.

Helianos stond achter hem en keek naar hem; zijn vuisten waren gebald en hij was zo rood aangelopen dat zijn wangen prikten. Tranen stroomden over zijn wangen. Hij wilde hem vermoorden. Hij wilde op de een of andere manier zijn gemoed luchten, maar het was hem onmogelijk.

Niet dat hij uit een breed scala aan reacties kon kiezen: de alternatieven waren geweld of mildheid. Hij besloot daarom dat hij de opmerkingen van de Duitser moest accepteren in de geest waarin ze bedoeld waren. Hij stak zijn kin vooruit, sloot zijn mond tot een strakke streep, trok zijn afhangende en licht gebogen schouders zo ver en breed naar achteren als hij kon en plaatste zijn voeten stevig naast elkaar, alsof hij voor het aangezicht van God of van de Dood stond, zich uitermate van zichzelf bewust. Terwijl Kalter daar zat te schrijven met zijn rug naar hem toe, stond Helianos een moment lang aldus, zijn ogen op de rug van Kalter gericht. Met alle wilskracht die hij bezat vergaf hij hem.

Want hij voelde dat het een cruciale beslissing was, deze vergiffenis, die niet geforceerd of tegen zijn wil was, maar simpelweg tegen al zijn gevoel inging. Het is een ernstige beslissing als je de goede wil voor de daad neemt, als je je neerlegt bij een fout aan een onmenselijk brein ontsproten of bij kwaadsprekerij omdat je er een goed hart achter weet – als je dingen accepteert die je haat, terwijl die acceptatie door niets wordt gesteund, of het moet het raadsel van de geest zijn waaraan ze ontsproten zijn, en als je genoegen neemt met goede bedoelingen, of ze nu wel of niet met je eigen morele code overeenstemmen, of ze nu in je voordeel zijn of niet.

Helianos maakte aanstalten om de kamer te verlaten en liep langs Kalter, die opkeek van zijn brief. En Helianos zag daadwerkelijk de goede bedoelingen in zijn vermoeide, vochtige blik weerspiegeld. Hij leek niet te zien dat Helianos had staan huilen. De blik die hij Helianos toewierp was er een van volmaakte onbevangenheid, ietwat onzeker van zichzelf, een beetje treurig, alsof hij hoopte dat zijn vriendelijkheid zou worden beantwoord. Hij glimlachte naar Helianos, kort en hartelijk, de glimlach van een schooljongen. Uit alles bleek overduidelijk dat hij niet de bedoeling had gehad om Helianos met zijn opmerkingen over Leda te kwetsen. Hij was zonder enige twijfel oprecht geweest, en dat was waar het bovenal om ging bij het beoordelen van mensen, zo was de levenslange overtuiging van Helianos.

Dus ontspande hij zich en liet het voor wat het was, glimlachte naar hem zo goed als het ging, wenste hem welterusten en ging naar bed. Het was een keerpunt in zijn relatie met de majoor, en er leek bovendien vanaf dat moment iets te zijn veranderd in de balans tussen hoofd en hart, zonder dat hij zich dat helemaal bewust was. Nog nooit had een aanval van woede hem zo van streek gemaakt als nu, maar aan de andere kant was deze daad van vergeving oprechter, dieper en hartelijker dan alles wat hij ooit aan vergelijkbaars had gedaan in zijn leven. Hij voelde de geest van vergeving als een ware hartstocht door hem heen stromen, met meer inzet dan ooit van dat deel van zijn wezen dat in raadselen en duisternis gehuld onbewust voortging.

Hij ontspande zich, glimlachte nogmaals, vergaf en bedwong zijn moorddadige aanvechting (als je het zo kon noemen) en liet zijn verontwaardiging in het niets verdwijnen. Het raakte hem tot diep in zijn ziel. De ziel kan zich gewoonlijk niet slechts half ontspannen: als je ergens aan toegeeft, leidt dat geleidelijk aan tot meer. Zo kan iets wat goed bedoeld is in zwakheid uitmonden. Als je meer vergeeft dan je je kunt veroorloven, kan dat vervolgens tot emotionele verarming leiden en tot een verminderde weerstand tegen alles wat daarna gebeurt.

Helianos nam zich uiteraard voor om niets tegen zijn vrouw te zeggen over de smadelijke kwestie rond Leda. Haar vergevensgezindheid was niet zo groot als de zijne en hij wilde niets liever dan dat zij en Kalter rustig en zonder problemen naast elkaar konden leven; ze mocht zich niet opwinden en haar zwakke hart moest rust hebben.

Maar een dag of twee later – net toen Leda een inzinking had, waarvoor zelfs Alex geen enkele verklaring had – zei zijn vrouw tot zijn verrassing tegen hem: 'Zou de majoor echt doen wat hij beloofd heeft, dat hij dat arme kind van ons mee zal nemen naar die beroemde specialist?'

'Hoe ben je dat te weten gekomen? Wie heeft je dat verteld? Ach, lieve vrouw, heeft hij daar met jou over gesproken?'

Maar nee, wat er gebeurd was, was het volgende: de avond dat Helianos met Kalter was meegelopen naar de woonkamer om over Leda te praten, was mevrouw Helianos, die dacht dat ze de stemmen van de kinderen zachtjes hoorde – het kon Alex zijn die fluisterde of lachte, of het meisje dat weer aan het huilen was – op haar tenen hun kamer binnengegaan om te zeggen dat ze stil moesten zijn en moesten gaan slapen. De deur van de kleerkast bleek niet dicht te zijn. De stem van de majoor die de naam Leda liet vallen was door de dunne scheidingswand te horen en ze ontdekte dat ze, als ze de kleerkast binnenging, het gesprek in de woonkamer helemaal kon volgen.

Helianos was erg verbaasd dat ze helemaal geen aanstoot leek te nemen aan wat Kalter over hun ongelukkige kind dacht. Op de een of andere manier was er verschil tussen haar moederlijke en zijn vaderlijke gevoelens: minder trots en niet zo gemakkelijk gekwetst.

Toen Helianos probeerde uit te leggen hoe het gesprek hem had aangegrepen – hij zei iets over zijn schaamte, zijn wrevel, Kalters evidente oprechtheid, en zijn beslissing om hem te vergeven – glimlachte zij om zijn tegenstrijdige gevoelens en sprak afkeurend over zijn ongerechtvaardigde trots.

'Arme Helianos, wat ben je toch een merkwaardige man. Je hebt nog wel zoveel respect voor de majoor, maar als hij dan uiteindelijk een beetje medeleven toont en hulp aanbiedt, vind je het maar niets en word je kwaad!

Helianos, wees nou eens redelijk wat Leda betreft. Wat kunnen we nu zelf aan haar toestand verbeteren? Niets. We geven haar te eten voorzover er iets is; we halen haar 's morgens uit bed en leggen haar er 's avonds weer in; we wassen haar als we de tijd kunnen vinden. En met Alex komt ze een beetje in de buitenlucht. Dat is haar hele leven. We weten niet wat er in haar omgaat, we weten niets van haar gezondheid of hoe het werkelijk met haar gaat.

Het is alsof we een huisdier hebben. Of een vogel in een kooitje. Dan is ze zowel de vogel als het kooitje: voor altijd opgesloten en op slot!' Terwijl ze dit zei, gleed er een eigenaardig lachje over haar gezicht, alsof ze op alle vragen ter wereld een antwoord had.

'Als die geweldige Duitsers een bepaalde behandeling willen uitproberen om haar te helpen,' ging ze voort, 'laat ze dan in godsnaam hun gang gaan! Het is wel het minste wat ze kunnen doen: zij zijn immers de schuld van haar toestand. Hun angstaanjagende oorlog heeft haar gemaakt tot wat ze is!

Maar Helianos, je moet het allemaal niet zo zwaar opvatten. Die mooie majoor van jou praat maar raak: natuurlijk wil hij indruk op je maken door zijn goede hart te tonen en nu weer door te laten zien hoe goed hij op de hoogte is van wetenschappelijke zaken. En misschien meent hij het ook nog. Maar daar blijft het bij: hij heeft nu veel te veel aan zijn hoofd, wat dat ook moge zijn.

Ik moet wel zeggen: dit plan om iets voor Leda te doen is het meest sympathieke wat hij ooit bedacht heeft. Maar ik ben bang dat hij het daarbij zal laten. Het is fijn te merken dat hij in ieder geval zijn best doet om zich als een redelijk mens te gedragen, maar we zullen de wil voor de daad moeten nemen.'

Dit was precies wat Helianos tegen zichzelf had gezegd toen hij Kalter vergaf, en daarom bezorgde het hem rillingen toen hij het uit haar mond hoorde.

Zo verstreken de weken: Kalter bleef uiterst vriendelijk en correct, in het bijzonder tegen mevrouw Helianos, en negeerde alles wat niet paste in zijn vooropgezette vriendelijkheid; misschien hield hij rekening met haar omdat haar gezondheid te wensen overliet. Dat was het slimste wat hij deed om Helianos te overtuigen en gunstig te stemmen.

Zij hield zich nog altijd op een afstand, uit angst voor hem, uit verontwaardiging of trots – wie zou het zeggen? Wat hij ook tegen haar zei, haar stem klonk in reactie op de zijne altijd iets hoger dan anders. Ze kneep haar ogen tot spleetjes als hij naar haar keek. Ze week nog altijd zichtbaar voor hem terug en als hij een beweging maakte, rechtte ze met een ruk de rug van haar kleine, gezette en slechtgeklede gestalte. Het was duidelijk een gewoonte die ze niet meer zou afleren.

Dat alles had natuurlijk wel een bekoelend en ontmoedigend effect op hem, maar hij leek het haar niet kwalijk te nemen. Sinds hij uit Duitsland was teruggekomen, had hij haar niet één keer de les gelezen. Hij vroeg haar nog maar zelden voor iets zwaars of vervelends. Als ze iets vrij behoorlijk geklaard had, toonde hij zijn waardering en maakte haar een compliment. Soms ging er een hele dag voorbij zonder dat hij een woord met haar wisselde, maar ook dat was misschien alleen maar vriendelijk bedoeld, want ze kon op een bepaalde manier laten merken dat ze liever niet door iemand wilde worden aangesproken.

'Ze is niet orde, is het wel?' vroeg hij op een avond aan Helianos. 'Ik heb het wel gezien, maar u misschien niet, omdat u gewend bent aan haar toestand. U moet er volgens mij op aandringen dat ze naar de dokter gaat. Weet u, het is een serieuze zaak...'

Hij zei dit in een van zijn royale buien en had dan weinig aandacht voor wat Helianos te zeggen had. 'Nee, Helianos, geen gemaar. Doe wat ik zeg!

En dan nog iets, Helianos. U zult wel gehoord hebben dat er in Athene aan alle mogelijke medicijnen een tekort is. Als u met uw vrouw bij de dokter bent, moet u daar maar naar vragen. Als hij niet kan krijgen wat hij haar zou moeten voorschrijven, zeg dan maar dat er in haar geval wel voor gezorgd kan worden. Geef mij het recept, dan zal ik zien wat ik eraan kan doen.'

Hij was de hele kwestie van Leda en de psychiater vergeten, schoot het door Helianos heen. Zijn vrouw had het feilloos aangevoeld, zowel toen als nu. Misschien praatte hij ook nu alleen maar voor het vriendschappelijk effect. Maar er moest hoe dan ook naar hem worden geluisterd.

Dokter Vlakos bleek die week niet in Athene te zijn. Zijn dochter fluisterde Helianos toe waar hij was: ergens in de bergen, waar een aanvoerder van het geheime Griekse leger door koorts geveld lag. Helianos informeerde gespannen of het wellicht zijn dappere neef Petros was, maar dat was niet het geval.

Mevrouw Helianos wilde niet naar een andere dokter gaan. Bovendien zei ze dat ze zich sinds maanden niet zo goed had gevoeld. 'Zeg die majoor van je maar dat hij zelf eens in de spiegel moet kijken,' zei ze bits. 'Dan zal hij wel zien wie van ons tweeën het hardst een dokter nodig heeft. En vraag hem, als je wilt, of hij eens wil vergelijken wat hij en ik het afgelopen jaar te eten hebben gehad en wat we aan werk hebben verzet, en wie hier de overwinnaar is en wie niet!'

Helianos probeerde haar tevergeefs op andere gedachten te brengen. Hij had voortdurend zorgen om haar gezondheid en ook zijzelf maakte zich in de regel zorgen. Wat was ze toch koppig! Het was niet erg waarschijnlijk dat zich voor de duur van de oorlog een andere gelegenheid zou voordoen om de juiste behandeling te ondergaan. Bovendien was Helianos bang dat de trotse Duitser zich gekrenkt zou voelen als ze zijn advies in de wind sloegen. Maar dat was niet het geval: hij vergat zijn belofte.

Zijn bezorgdheid kwam op een andere manier tot uiting. 'Helianos, ik geloof dat het werk hier te zwaar is geworden voor uw vrouw. Kunt u haar niet wat meer helpen? Kunt u die oude hulp niet vragen om haar wat bij te staan, die oude Euridice, die Evridiki die jullie hadden toen ik hier voor het eerst kwam?'

'O, maar majoor Kalter,' stamelde Helianos, 'wij hadden begrepen dat u een hekel had aan die oude hulp.'

'Dat is waar, maar het is niet meer van belang. Het is gemakkelijker om haar weer in dienst te nemen dan een nieuwe hulp in te werken. Weet u waar ze woont? Laat het haar maar weten en wel onmiddellijk; dan kan mevrouw Helianos wat tot rust komen.'

Met lichte tegenzin probeerde Helianos daarop in contact te komen met Evridiki, maar uit het dorp bij Eleusis bereikte hem het bericht dat ze overleden was.

Kalter had nog altijd niet zijn oude, gezonde eetlust terug en op een avond vroeg Helianos hem of hij niets wist om de maaltijd wat smakelijker te maken, of hij niet eens iets anders wilde. 'Ik weet wel iets wat u goed zou smaken, majoor, en wat ik misschien op de markt weet te vinden. En mijn vrouw is best bereid iets nieuws voor u te koken.'

'Nee, dank u,' antwoordde Kalter, 'doet u geen moeite. Mijn eetlust is niet van belang. Waarom maakt u er zo'n probleem van, Helianos, als ik zo vrij mag zijn? Zoals de zaken nu liggen, schiet er al weinig voor u over, en jullie arme donders hebben het zo hard nodig!'

Helianos werd rood en vroeg zich een ogenblik af of dit het begin betekende van een reprimande oude stijl, van een tweede verandering, terug naar oude gewoonten.

In het begin, toen ze net begonnen te profiteren van zijn geringe eetlust, deden ze zich met graagte te goed aan de restjes, maar tegelijk dachten ze aan zijn woedende reactie als hij erachter zou komen, en aten ze met smaak, zij het met ingehouden adem. Vervolgens dachten ze er niet meer aan en werd alles vanzelfsprekend. Aangezien ze met z'n vieren waren, raakte het kleine beetje extra spoedig op.

Helianos werd rood, maar Kalters opmerking klonk zo goeiig dat hij zich bijna aan een glimlach of een grap had gewaagd... Toen stokte zijn adem, want hij dacht plotseling aan iets wat hij vergeten was: die oude, hongerige en afgeleefde hond van de andere majoor, de hond van het Macedonische echtpaar. Sinds zijn terugkeer had Kalter niet één keer opdracht gegeven iets in te pakken en naar hun huis te brengen! Wat vreemd! Maar wat nog vreemder was, was dat hij er zelf geen moment aan gedacht had, hij die het inpakken en wegbrengen telkens voor zijn rekening had genomen, iedere avond weer.

Hij diende de rest van de maaltijd op en ruimde de tafel af zonder dat het tot hem doordrong wat hij aan het doen was. Hij stond versteld van zichzelf, van die dunne streep vergeten die de afgelopen maand doorkliefde, alsof het een aanval van geheugenverlies was, een klein donker gat in dat waardeloze brein van hem. Het verontrustte hem: hij vroeg zich af wat hij nog meer was vergeten terwijl hij zichzelf had gevleid met de gedachte dat alles goed ging, en wat hun onverwachts aan slecht nieuws kon worden meegedeeld.

Hij kon nauwelijks wachten om de majoor alleen te laten en zich bij zijn vrouw in de keuken te voegen om haar te vragen waarom ze er nooit iets over had gezegd. Ze zei dat het haar ook helemaal door het hoofd geschoten was. Het leek wel of die Duitser hen betoverd had! Het was alsof ze niet langer konden overzien wat er gebeurde, zelfs niet waar het hun eigen alledaags en wisselvallig bestaan betrof, tenzij ze daar toevallig door de majoor op gewezen werden. Ze hadden hun honger kunnen stillen met een paar happen meer dan gebruikelijk en verder nergens over nagedacht. Avond aan avond hadden ze de porties voor de hond verorberd zonder stil te staan bij de kleine verandering die dit mogelijk had gemaakt.

Dit was een van de weinige gelegenheden dat Leda iets zei. Ze vroeg over welke hond ze het hadden. Ze had haar leven lang een huisdier willen hebben, helemaal voor zichzelf, een klein hondje of een jong poesje, en ze begreep niet waarom haar ouders dat niet goedvonden.

Alex zei dat hij het oude beest een week geleden over straat had zien sjokken: zijn witte flanken waren ingevallen en bemodderd, zijn ogen glommen rood en hij had lopen snuiven en kwijlen. Hij had bedacht dat de hond misschien wel dol was en was een andere kant op gerend. Daarna had hij hem niet meer gezien. Maar terwijl hij dit vertelde, verscheen er een dromerige uitdrukking op zijn gezicht en Helianos vermoedde dat hij maar iets verzon, dat zijn fantasie weer hopeloos op hol was geslagen.

Kort daarop kwam Helianos op de hoek van de straat bij toeval de oude Macedoniër tegen en begon een gesprek, waarin hij voorzichtig naar het onderwerp toe werkte en hem uithoorde. 'Hebt u niet de indruk, meneer,' vroeg hij, 'dat onze majoor en de uwe niet meer zo vriendschappelijk met elkaar omgaan als eerst?

U weet natuurlijk nog wel dat ik uw oude bulterriër altijd onze kliekjes kwam brengen. Onze majoor, die toen nog kapitein was, wilde dat per se. Het was een klein gebaar om uw majoor te plezieren. Hij is vervolgens met verlof naar Duitsland gegaan en sinds hij terug is, heeft hij het er nooit meer over gehad.'

De Macedoniër was een hoogbejaarde heer, hardhorend en traag van begrip, maar gaf op het laatst toch de informatie die Helianos wilde horen. Beide officieren waren nog wel degelijk bevriend en hadden laatst nog een avond samen doorgebracht, een paar avonden zelfs, toen Helianos had gedacht dat Kalter op het hoofdkwartier aan het werk was of op de officiersclub was gaan kaarten.

Het raadsel van het hondenvoer was helemaal geen raadsel. Het uitgehongerde oude dier was dood. Erg jammer, vond de Macedoniër, gezien het feit dat het beest zulke uitmuntende Britse registratiepapieren had en in zijn jonge jaren een stuk of wat onderscheidingen had gewonnen; als Helianos interesse had, kon hij ze weleens laten zien.

De toevallige samenloop van de dood van de bulterriër en de dood van Evridiki was iets waar Helianos op een vreemde manier door geraakt werd: het maakte hem, zo leek het, uiterst bijgelovig. Alledaagse en onbetekenende sterfgevallen, die stonden voor de dood in algemene zin en als abstractie. Hij had nu eenmaal al een hele tijd niet meer gehoord van iemand die zomaar was overleden, alleen maar van mensen die gedood waren, wat toch wezenlijk anders was. Gedood worden wekte woede en leidde afwisselend tot hoop en wanhoop. Deze dood was bijna aantrekkelijk: niet meer dan een verandering, een permanente levensfactor waarvoor men het hoofd boog.

Door middel van deze en andere, niet minder vergezochte en romantische generalisaties verzoende Helianos zich (naar hij dacht) met zijn leven, hoe dat ook verder zou verlopen en waar zijn gunstiger vooruitzichten ook toe zouden leiden. Hij maakte zich niet langer zorgen en brak zich niet langer het hoofd over de betere gezindheid van de majoor. Hij herhaalde bij zichzelf dat hij gelukkig was, relatief gelukkig: hij verloor daarbij iets van zijn relativeringsvermogen en onderwierp zijn geluk niet langer voortdurend aan een onderzoek. Hij wist niet meer wat hij moest denken en gaf zich over aan de ongecompliceerde verrassingen en twijfels van alledag, een enkele keer zelfs aan hoop.

Op een nacht had hij een angstdroom gehad over de dode terriër: een rode kop, overdekt met eczeem, bedolven onder de onderscheidingen, voor eeuwig stervend, voor eeuwig jankend om voedsel; het dier wekte sterk de indruk een van die door de hemel gezonden mythologische vogels en beesten te zijn die in vroeger tijden de mens naar zijn ondergang voerden. Hij volgde het roodaangelopen en zieke beest, op duistere wijze daartoe gedwongen, voorbestemd, onderwijl voortdurend schreeuwend. Door zijn schreeuw wekte hij zijn vrouw, die hem wakker schudde. Ook Evridiki kwam op de een of andere manier in de droom voor, maar toen hij wakker was kon hij zich niet herinneren in welke rol.

Hij had in diezelfde week nog andere dromen, die telkens weer andere emoties in hem losmaakten. Hij probeerde voor zichzelf hun raadsel te doorgronden en bedacht de meest uiteenlopende verklaringen, zoals de Grieken vanaf het begin der tijden hadden gedaan. Hij sprak erover met zijn vrouw, maar vertelde niets over hun inhoud, behalve in het geval van de droom over de hond en hun oude hulp. Later zou mevrouw Helianos het betreuren dat hij haar niet alles had verteld wat hij aan raadsels, vervloekingen en toekomstvisioenen in zijn slaap had ervaren.

9

De verandering die Helianos het meest plezier deed, was dat hem werd toegestaan de avonden in de woonkamer door te brengen. Dat was in de derde week van mei.

'Waarom komt u niet hier zitten?' vroeg Kalter hem, met die rustige inconsistentie die hij nog steeds niet kon doorgronden. 'Hier zat u toch altijd na het avondeten, nietwaar? Dat is toch uw leunstoel, daar in de hoek, neem ik aan? U zult die keuken, die, moet ik zeggen, door uw arme vrouw niet erg goed wordt schoongehouden, toch wel moe zijn, of niet?

Nee, u bent me niet in het minst tot last. Ik verkeer graag in gezelschap; dat geldt trouwens voor de meeste Duitsers. U houdt toch van lezen? Als ik wat wil praten, kunnen we praten en als ik bezig ben, weet u wel te zwijgen, nietwaar? Hoe dan ook, in tegenstelling tot eerst werk ik tegenwoordig niet meer 's avonds.'

De eerste avond van dit nieuwe beleid was Helianos zo opgewonden dat hij er nauwelijks van kon genieten. Hij liep naar zijn eigen boekenkast en nam er een paar van zijn oude lievelingsboeken uit; hij was helemaal verrukt en kreeg er een brok van in zijn keel. Van daadwerkelijk lezen kwam niets: hij kon zijn ogen niet af houden van Kalter, die daar aan zijn bureau almaar zat te lezen in een van die nieuwe goedkope pockets. Helianos had een serieuze houding aangenomen met zijn eigen boek; hij voelde dat hij moest doen alsof hij las, om te voorkomen dat zijn metgezel, die in zekere zin zijn gastheer was, zich zou omdraaien en zou merken dat hij niet echt zat te lezen en zich ongemakkelijk zou voelen onder zijn blikken.

Maar de avond daarop begon Kalter een gesprek met hem en vanaf dat moment verliep alles zonder problemen. Het was een onvergetelijke ervaring beetje bij beetje in de geest van Duitser door te dringen.

De derde avond ging Kalter weer aan de slag, maar het was duidelijk dat het ander werk was dan eerst. Geen enkel van de boeken over strategie, logistiek of voedingsleer, die waren weggezet in de boekenkast naast Helianos' dierbare boeken, kwam eraan te pas, ook het versleten notitieboek niet. In plaats daarvan haalde hij een stapel officieel uitziende papieren te voorschijn en nam die een uur lang aandachtig door. Daarna begon hij met optellen en aftrekken, en zo te zien met het opstellen van een brief of document, waarvan hij de ene versie na de andere verscheurde, ontevreden fronsend en met zijn lange, witte tanden op zijn dunne onderlip bijtend. En opnieuw begon hij met optellen en aftrekken, terwijl Helianos hem vanuit zijn leunstoel in de hoek gadesloeg.

Kort daarop, toen het werk (wat het ook was) de militair zichtbaar leek te frustreren, raapte Helianos zijn moed bij elkaar en zei: 'Majoor, als het werk dat u om handen hebt niet vertrouwelijk of militair van karakter is, kan ik u misschien helpen. Toen ik jong was en mijn vader nog leefde was ik boekhouder voor de uitgeverij. Ik kan goed boekhouden en heb een keurig handschrift.'

De majoor keek op met iets van zijn vroegere bruuskheid, wellicht geneigd om het te beschouwen als een impertinentie of bemoeizucht. Maar het vredige gelaat van Helianos stelde hem gerust. Hij reageerde stijfjes: 'Nee, dank u. Ik maak mijn testament, dat wil zeggen, ik wijzig mijn testament. Dat is iets wat ik zelf moet doen. Ik heb vermogen en in tijden van oorlog is het beheer daarvan een lastige zaak. Er zijn allerlei nieuwe wetten, maar ik heb me goed georiënteerd. Meer is het niet. U hoeft zich er niet om te bekommeren.'

Maar een uur later vroeg hij Helianos om een glas glühwein voor hem klaar te maken en terwijl hij aan het glas nipte, gaf hij uit eigen beweging wat meer informatie: 'Weet u, ik heb geen familie,' zo begon hij.

Helianos wierp een blik in de richting van het bureaublad, waar de drie foto's tot dan toe bij elkaar hadden gestaan: ze stonden er niet meer.

'Ik heb geen familie,' herhaalde de majoor, 'en misschien interesseert het u om te weten hoe ik mijn bescheiden vermogen een bestemming wil geven. Jullie buitenlanders zien ons uitsluitend als mannen van de daad, als staatslieden, politiek leiders, ook op wereldpolitiek niveau, en als militairen. Dat zijn we ook, maar dat is slechts de halve waarheid. Jullie vergeten wat wij hebben betekend voor de beschaving, voor de filosofie, de wetenschap, voor de muziek.'

Helianos verzekerde hem dat dat niet voor hem persoonlijk gold.

Het was een terloopse opmerking en niet erg duidelijk gearticuleerd, en de majoor nam er geen notitie van. 'Ik houd het meest van muziek,' ging hij verder. 'Welnu, aangezien ik een goede vaderlander en nationaal-socialist ben, heb ik uiteraard overwogen om mijn vermogen aan de partij na te laten of aan een welzijnsorganisatie voor oorlogsweduwen of iets dergelijks.

Maar nee, schoot het door mijn hoofd, nee! Als het de komende jaren zwaar wordt, zodat onze Duitse musici zich nauwelijks kunnen redden, dan zou dat een ramp zijn. Een aantal van onze nieuwe, jonge mensen in de regering leidt een druk en enerverend leven en heeft misschien niet altijd oog voor zulke zaken.

Het zou het einde betekenen van alle muziek ter wereld: overal heerst dan doodse stilte – heb ik gelijk of niet? Hier op de Balkan hebben jullie geen muziek, of wel soms? In Engeland ook niet en Franse muziek is een en al stompzinnigheid! Daarom gaat het grootste deel van de opbrengsten van mijn nalatenschap naar een conservatorium in Leipzig, ten behoeve van beurzen en een pensioenfonds.'

Als het Kalters bedoeling was geweest om indruk te maken op Helianos, was hij daarin geslaagd, alhoewel Helianos als Griek uit Athene niet graag snerend een Balkanees werd genoemd. Hoe je je toch bleef vergissen in de Duitsers, verzuchtte Helianos. Het zou nooit in hem zijn opgekomen dat deze Duitser zo hartstochtelijk geïnteresseerd was in cultuur – en dan nog wel in de toekomst van de muziek! –, en ook niet dat hij een vermogend man was.

Toen hij er met zijn vrouw over sprak, was ze niet onder de indruk. 'Maar beste, goedgelovige man van me, we weten toch dat hij wel degelijk familie heeft? Ben je die foto's vergeten van die elegante schoonmoeder en die twee zuur kijkende jongetjes in uniform?

Als wat hij je over zijn nieuwe testament heeft gezegd waar is, wat ik zeer betwijfel, dan is het met typerende Duitse harteloosheid en boosaardigheid bedoeld om iemand te onterven,' besloot ze.

Ze stond natuurlijk fel afkeurend tegenover de recente vriendschappelijke omgang van haar echtgenoot met de majoor en liet dat ieder uur van de dag blijken, of in ieder geval doorschemeren, de ene keer verwijtend, een andere keer met ongewone pathos. Helianos had haar een paar keer verontwaardigd van repliek gediend. 'Het is toch niet meer dan normaal dat twee mensen die onder hetzelfde dak leven bepaalde zaken bespreken,' liet hij haar weten, 'of ze elkaar nu mogen of niet en of ze het nu met elkaar eens zijn of niet?

Je denkt toch zeker niet dat ik het altijd met hem eens ben?'

Nee, dat was niet wat ze dacht. Langzaamaan wist hij haar aan het praten te krijgen over haar verdeelde houding. Enerzijds was haar dierbare echtgenoot naar haar mening de meest innemende man ter wereld. Zelfs een buitenlander, zelfs een vijand als die vreselijke Kalter, moest voor zijn charmes bezwijken en ze hoopte dat daar enig voordeel voor hen allen te behalen viel.

Anderzijds was ze van oordeel dat hij onvoorzichtig en indiscreet was. Het kon niet lang meer duren of hij zou zich in een onoplettende bui verspreken en iets verkeerds zeggen, iets wat ze meer dan wat ook vreesde. Als waarschuwing gaf ze vervolgens een paar voorbeelden uit het verleden van zijn indiscretie, wat hem maar verveelde, en ging daar regelmatig over door totdat hij gepikeerd raakte. Toen ze dat in de gaten kreeg, verviel ze weer in somber gepieker.

Aan de ene kant vleide het hem, maar aan de andere kant maakte het hem kwaad. Hij kon nu echter moeilijk met haar over dat soort dingen strijden, omdat hij zich zorgen maakte over haar. Ze had er altijd al haar eigen ideeën op na gehouden, maar de laatste tijd vond hij dat ze te ver was gegaan. Ze kon de hele dag opgewonden doorgaan over bepaalde onderwerpen en dan plotseling omslaan naar intense dagdromerij en urenlang geen woord zeggen. Soms verviel ze zo snel en naar het leek abrupt van het ene uiterste in het andere, dat hij ervan schrok: vol vuur ging ze op in een al te stellige mening, kreeg een loze driftaanval of zelfs een onverwachte vrolijke bui, om dan in een oogwenk en bij wijze van spreken zichtbaar in de put te raken en in een matte moedeloosheid weg te zakken. Vaak als ze zo de moed verloor, zag Helianos waar Leda het vandaan had, die stuurse in zichzelf gekeerde stemmingen, die lusteloosheid en dat opgaan in haar eigen emoties.

Er waren dagen dat ze meer in zichzelf sprak dan tot hem. Hij hoorde haar soms tamelijk luid in de keuken of in de slaapkamer van de kinderen en dacht dan aanvankelijk dat de kinderen bij haar waren, maar hij trof haar alleen aan. Dat had ze nooit eerder gehad en wat hij hoorde, verontrustte hem: korte uitroepen, als citaten uit onbekende gedichten of toneelstukken, korte replieken die uit een innerlijke dialoog leken voort te komen.

In zijn bijzijn was het uiteraard niet meer dan een nauwelijks hoorbaar fluisteren of een geluidloos bewegen van haar deerniswekkend bleke lippen. Maar lang geleden, toen de majoor nog kapitein was, hadden ze geleerd hoe ze elkaars lippen moesten lezen en nu las hij de hare, als ze iets zeiden wat niet voor hem bestemd was. Meestal waren het de bekende onderwerpen – haar verdriet om Cimon, haar angst om wat Alex nu weer zou uithalen, haar wantrouwen ten opzichte van Kalter, haar zorgen om Helianos zelf –, maar er was een toenemend aantal zinnen waar hij niets van kon maken en soms veranderde het geluidloze spreken in louter grimassen. Vanzelfsprekend hield ze onmiddellijk op als ze zag dat hij aandachtig naar haar lippen keek. Ook in haar slaap sprak ze ongeremd en ook dat had ze nooit eerder gedaan.

Arme vrouw, zo verzwakt en uitgeput! Helianos had, naarmate ze ouder werd, steeds minder vertrouwen in haar toekomst. Soms beving hem een wanhopig medelijden en zei hij bij zichzelf dat de oorlog niet veel langer moest duren of ze zou langzaamaan gek worden. Of dat het heel plotseling zou kunnen gebeuren, als ze opnieuw door hevig verdriet zou worden overvallen – door zijn dood bijvoorbeeld, of de dood van nog een van hun kinderen –, of door aanzienlijke ontberingen, zoals in de tijd voordat de majoor zo veranderd was, of alleen maar door een flinke driftbui.

Natuurlijk was zijn vriendschappelijkheid met de majoor een van de onderwerpen waar ze maar over doorging, ook bij zichzelf en zelfs in haar slaap. Maar Helianos was van mening dat het niet serieus hoefde te worden genomen. Zoiets dwaas kon haar toch onmogelijk echt diep beroeren. Het was niet meer dan haar overmatige fantasie en gebrekkige inschattingsvermogen.

Het lag niet in zijn Griekse aard om een vrouw al te streng te veroordelen vanwege een simpele vergissing of een gebrek aan inzicht, en omdat hij een goed mens was, wilde hij haar als het even kon niet kwetsen in haar gevoel van eigenwaarde. Hij reageerde op haar geklaag over de avonden die hij in de woonkamer doorbracht met minder venijn dan hij had gekund. In plaats daarvan gebruikte hij de afwezigheid van de majoor of hun middernachtelijke uren samen om haar te paaien en gerust te stellen en vertelde hij haar steeds vaker waarover zij als mannen onder elkaar hadden gesproken; zo moedigde hij haar aan om openlijk haar bezwaren te uiten en om naar hartenlust over alles met hem te discussiëren.

Maar dat was haar nog altijd niet genoeg; ze vertrouwde hem niet. Als ze in haar eentje in het opklapbed in de keuken lag, hield ze haar oren gespitst, als een oude waakhond die voor de haard ligt te soezen. Door de dunne wanden heen kon ze precies horen wanneer Helianos en de gevreesde Duitser aan hun zware gesprekken begonnen. Dan stond ze op, liep op kousenvoeten door de slaapkamer van de kinderen, opende de kleerkast en sloot zich in; daar zat ze dan gehurkt of op haar knieën te midden van hun afgetrapte schoenen en haveloze kleren bij een kier langs de plint en luisterde avond aan avond naar alles wat er gezegd werd.

Het was de kleine Alex die dit aan zijn vader doorbriefde, waarbij zijn voorliefde voor melodrama zijn donkere ogen deed oplichten. Het maakte Helianos een paar avonden buitengewoon zenuwachtig om bij de majoor te zitten in de wetenschap dat zij eraan kwam; hij luisterde en hoorde vervolgens haar bekende trippelpasjes, het openen en sluiten van de kastdeur, het kraken van de vloerplanken. De majoor had het ook kunnen horen, maar als dat al het geval was, ging hij er waarschijnlijk van uit dat het Alex en Leda waren. Helianos raakte eraan gewend en soms gaf het hem een absurd, maar zoet gevoel van voldoening. Dierbare, troostende, maar ook ergerlijke aanwezigheid; liefde achter het beschot, zachtjes scharrelend als een muis, zachtjes kloppend als een geest! Het geheim van een oud en vertrouwd huwelijk als dat van hen gesymboliseerd, zei hij met fantasie en humor bij zichzelf.

Hij kwam tot de slotsom dat er waarschijnlijk geen kwade of ziekelijke bedoelingen scholen achter het feit dat ze hen bespioneerde; het kwam doordat ze zich verveelde en alleen voelde. In de goede tijd voor de oorlog was ze een uitermate sociaal ingestelde Atheense geweest, altijd maar in de weer met de buren in Psyhiko en met de familie van zijn en haar kant. Het kon ook zijn dat ze een beetje jaloers was; per slot van rekening ging de tijd die hij in de woonkamer doorbracht af van de vierentwintig uur die zij als verknochte echtelieden hadden.

Bovendien, zo zei de liefhebbende, maar ijdele echtgenoot bij zichzelf, was het merendeel van de gesprekken in de woonkamer de moeite van het beluisteren waard, en als de majoor zo voorkomend zou blijven als nu, kon het alleen nog maar beter worden: de buitenlandse mentaliteit werd onthuld, en een diep en profetisch historisch principe. Was het niet een groot goed dat zij Grieken mochten ervaren wat voor wereld deze wereldveroveraars voor ogen stond? Hij vond dat hij dit alles voor een deel aan zichzelf te danken had. Het was immers dankzij zijn tact en redeneerkunst dat de majoor zich beetje bij beetje blootgaf. Het voorafgaande jaar was hij allesbehalve goed gezelschap geweest, prikkelbaar als hij toen was, maar nu was hij veel meer ontspannen en had hij iets herwonnen van zijn goede manieren van voor de oorlog.

Op een avond bracht Kalter een fles Duitse brandewijn mee. Na het avondeten gaf hij Helianos een kleine hoeveelheid, nam zelf een flinke slok en sprak over de stoutmoedige bedoelingen van zijn grote natie, die zo slecht begrepen werden door al die landen die zich er in naam tegen hadden verenigd. Hij bracht het zelf ter sprake, lichtelijk geërgerd, en aanvankelijk alleen door zich kort en bondig te keren tegen de gezamenlijke internationale dwaling. Misschien had iemand hem op zijn wandeling door Athene iets uitdagends toegevoegd of hem door een domme opmerking tot een reactie aangezet.

Vervolgens, toen hij daar zo ontspannen met Helianos zat en Helianos hem liet merken dat hij geïnteresseerd was, begon hij zijn visie wat uitgebreider uiteen te zetten, op een gematigder en omstandiger manier.

Het kwam hem voor dat in dit stadium niemand meer kon voorwenden dat hij niet wist wat de bedoelingen van de Duitsers waren. 'Dat is immers in eigen kring een gemeenplaats geworden,' zei hij, 'en telkens weer met bewonderenswaardige Duitse openhartigheid door onze politici en schrijvers verduidelijkt. Alleen heeft de rest van de wereld er nooit aandacht aan besteed. Op die manier beginnen oorlogen!'

Zoals Helianos dit met zijn gevoel voor humor voor zichzelf parafraseerde: het was alsof de Duitsers zich verplicht voelden om af en toe een oorlog te beginnen om te bewijzen dat ze wel degelijk meenden wat ze zeiden.

'De scepsis van buitenlandse mogendheden is ongelooflijk,' riep Kalter uit. 'Het is een van hun grootste zwakheden.'

Helianos bespeurde in zijn uitspraak een lichte invloed van de brandewijn en hij realiseerde zich dat Kalter, voor zover ze wisten, het hele jaar 1942 geen druppel had gedronken.

Hij stak nu een geurige sigaar op en uit de subtiele bewegingen van zijn vingers en lippen bleek hoe hij ervan genoot. Hij keek Helianos welwillend aan, alsof hij tot zijn genoegen in hem een buitenlander zag die minder zwak en sceptisch was dan de meesten, en hij zette zijn uitleg voort van wat de Duitsers volgens hem dreef.

'De Duitse staat is uiteraard superieur als het op daadwerkelijk oorlogvoeren aankomt. Voor de rest is ze gelijkwaardig, dat wil zeggen: tenzij ze verraden is door de internationaal georiënteerde joden en dergelijke. De landen die Duitsland vijandig gezind zijn,' verduidelijkte hij, 'zijn het daar zelfs allemaal min of meer over eens. Zelfs uit de manier waarop ze het betreuren, spreekt een zekere bewondering.'

Naarmate hij langer aan het woord was, verdween het effect van de brandewijn, ofschoon hij nog altijd af en toe een slokje nam: de kracht van zijn overtuiging achter zijn beweringen deed het effect teniet. Hij kreeg iets buitengewoon ernstigs en indrukwekkends.

'Maar,' zo zei hij, 'superioriteit in oorlogvoering is niet alles. Het is maar één kant van de grootheid van een land, één aspect van het probleem hoe de andere landen te overstijgen. Het is niet altijd mogelijk een oorlog te winnen: er zijn talloze onzekerheden, beslissende omstandigheden, keerpunten...

Maar, ziet u, het maakt voor ons niet uit of we een bepaalde oorlog verliezen. In 1918 maakte het ook niet uit. Veronderstel nu eens dat we de huidige oorlog verliezen – wat dan nog?'

Helianos keek hem scherp aan. Hij voelde zijn hart kloppen: nog nooit had iemand hem gevraagd iets dergelijks te veronderstellen. Misschien was het dan dus toch niet allemaal onzin was geweest, die nacht dat hij bij hem had staan kijken, naar die onrustige slaap van een gewone soldaat met zijn uniform en laarzen nog aan – de droom van een Duitse nederlaag, het idee dat Kalter daar op verlof in Duitsland tekenen van had gezien!

Maar Kalter ging met harde stem door, alsof hij antwoord gaf: 'Wees niet bang, we zullen niet verliezen! Maar laten we ter wille van de redenering nu eens stellen dat het wel zo is. Wat zou dat tot gevolg hebben? Op de lange duur zouden we er alleen maar sterker door worden. De verbittering van de nederlaag maakt de geest van een volk krachtiger en versterkt zijn aanleg voor oorlogvoeren. Door het verdwijnen van de oude krachten en door de komst van vitale jonge mannen en vruchtbare jonge vrouwen ondergaat de staat een verjongingsproces. En de nederlaag is een goede leermeester! We worden steeds kundiger, vooral wat propaganda betreft...'

Het volgende onderwerp grensde aan het mystieke, maar was daarom niet minder boeiend, vond Helianos. Het ging erom dat als een volk op een werkelijk goede manier oorlog wil voeren, het er niet eenvoudigweg om moet gaan de overwinning te behalen, maar om een visie op de lange termijn en een hoger ideaal dat losstaat van alles.

'Weet u,' zei hij, 'ik ben er oprecht van overtuigd dat het de meeste Duitsers, dat wil zeggen de oude en de nieuwe adel, de leiders en de heersende klasse, niet uitmaakt of ze winnen of verliezen. Het is op zich al de moeite waard, het is het mooiste in het leven en de meest volmaakte manier om te sterven. Ze ervaren het als een oerkracht, zoals het moederschap dat is voor vrouwen: de pijn wordt genegeerd en geen moeite is te veel.

Ik geef toe dat het voor gewone mensen natuurlijk niet hetzelfde is. Die moeten in het geval van een nederlaag zoveel doorstaan dat ze vanzelfsprekend willen winnen. Maar weet u, het zijn zulke goede mensen, moedig en vreedzaam, en van nature gelukkig als ze hun leiders kunnen volgen.

O, het eist in veel opzichten een hoge tol, zelfs van de heersende klasse. Het vergt zozeer het uiterste van ons, in de bloei van ons leven, dat de grenzen van ons kunnen worden genaderd. In praktisch opzicht, wat economie en dergelijke betreft, is het niet eens zo'n slechte zaak. In die zin – en dit is iets wat ik voor mezelf als officier in de intendance een beetje kan beoordelen – halen we als vanzelf een behoorlijk voordeel uit de oorlog. En in vredestijd worden we door de andere landen geholpen. Dat is niet alleen een kwestie van gevoel: door de aard van hun economie en door hun inzichten weten ze dat het ook in hun eigen voordeel is...

Maar ik heb het niet alleen over het materialistische aspect: het is ook een kwestie van verbeeldingskracht, toekomstvisie, idealen! Wij Duitsers zijn per slot van rekening niet eens zo praktisch ingesteld, zoals u misschien zou denken. Het is nooit alleen maar de vraag hoe we vechten en hoe we leven: het is waarom we vechten en waar we voor leven.

Overwinnen? Goed, uitstekend, maar alles op zijn tijd! En als die tijd nog niet gekomen is, dan geeft dat niet, dan hebben we de toekomst nog voor ons! Zolang de overwinning mogelijk is, in de verte zichtbaar – ons voortdurend wenkend als in een droom, altijd maar voor ons uit gaand, als onze hoop op het paradijs, onze redding –, dan is dat genoeg! Ik wil dat u begrijpt wat ik zeg, Helianos! Tenslotte had het voor jullie Grieken, met jullie gevleugelde Nikè, ook ooit betekenis, nietwaar?

Ik weet het, het heeft iets pessimistisch en iets wanhopigs, maar toch is het magnifiek! Hierdoor vechten mannen als engelen, zelfs dwaze Engelsen en dronken Amerikanen, ieder voor zich, van alle franje ontdaan, op het laatste moment als het een kwestie is van doden of gedood worden.

Voor ons is het echter niet iets van het moment, het is voor altijd. Het is niet zonder franje, het is een visioen, ook al is het toevallig vredestijd. Wij verkeren tot op zekere hoogte voortdurend in de staat waarin jullie zo af en toe verkeren als er daadwerkelijk strijd geleverd moet worden...'

Na dit lange onderdeel van zijn tirade zuchtte de raadselachtige man diep, als een vermoeide schoolmeester die een kind een aantal rudimentaire en vanzelfsprekende dingen heeft moeten uitleggen. En Helianos voelde zich tijdens het gesprek in feite ook net een kind. Hij vergeleek zichzelf met de arme Leda, die weer een verzinsel van Alex moest aanhoren.

Wat zou hij bang geworden zijn als hij het allemaal had geloofd! Punt voor punt, zin voor zin leek het allemaal volkomen duidelijk, in volle ernst, volledig overtuigend en bijna overweldigend – maar als hij probeerde om het in zijn geheel te overzien, in zijn volle omvang, dan viel het in duigen en kreeg hij bijna de slappe lach. Als hij jonger was geweest, vol vechtlust, of een politicus, dan was het zijn plicht geweest om een poging te doen het te geloven, teneinde het te kunnen bestrijden. Hij realiseerde zich dat dit een punt was waar hij het met Kalter over eens was: ongeloof is een zwakte...

'Ziet u,' vervolgde Kalter zijn verhaal, 'ziet u nu hoe zwak jullie andere volkeren zijn, in intellectueel opzicht? Uiteindelijk telt voor jullie alleen het leven van alledag, met zijn leuke en minder leuke kanten, zoals die zich in de werkelijkheid voordoen.

Natuurlijk heeft alles in de werkelijkheid zijn hoogte- en dieptepunten en voor jullie geldt hetzelfde waar het jullie lotsbestemming betreft, maar niet voor ons! Jullie beoordelen alles op resultaat, maar wij oordelen naar de mate van grootsheid van het streven en het handelen. Als jullie falen is dat van geen enkel belang. Of wij falen of niet is voor ons van eminent belang.

Jullie zijn van nature bang voor het lot. Wij kennen die angst niet, omdat we ons ermee vereenzelvigd hebben en er actief aan werken: wij zíjn het lot. Ja, wat er ook gebeurt, wij smaken de voldoening dat we weten dat we eraan hebben bijgedragen, uit alle macht en met heel ons hart. Als het anders uitpakt dan verwacht, is dat niet erg – het gaat om de verandering, de creativiteit! Niets waar we deel aan hebben gehad, zal ooit nog hetzelfde zijn.

Maar laten we nu eens trachten om ons in te leven en het van uw kant te zien,' zei hij op een meer sympathieke, kameraadschappelijke, maar tegelijk neerbuigende toon. 'Niemand van jullie vreemde volkeren durft de mogelijkheid van een nederlaag onder ogen te zien, nietwaar, al is het maar om over te praten? Nee natuurlijk. Een nederlaag is op zich al ondenkbaar. Dat zou het einde van de wereld betekenen, van jullie eenzijdige wereld waarin alles precies goed moet zijn.'

Met zware ironie bedacht Helianos dat het eigenlijk allemaal bij wijze van spreken beleefdheidshalve tot hem gericht was, waarbij hij alle nog strijdende machten zo goed en zo kwaad als het ging in zijn armzalige persoon vertegenwoordigde. Het was immers op dit punt juist voor hem als Griek (helaas) helemaal niet ondenkbaar dat ze de oorlog verloren en er viel ook niets te bepraten: aan zijn wereld, of die nu eenzijdig was of niet, was al een eind gekomen.

'Jullie moeten resultaat zien,' zei Kalter ondertussen op harde, levendige toon, 'want daar hangt het van af of jullie iets voorstellen of niet: resultaat of niets. Jullie moeten winnen of de oorlog is voor niets geweest.

Voor ons is niets voor niets. Het is allemaal niet anders dan een hernemen, een nieuw begin. Er is altijd wel een volgende oorlog, houden we onszelf voor, hoe dan ook. Dat spreekt vanzelf, historisch gezien. De geschiedenis zal ons telkens opnieuw weer kansen bieden.'

Dat was nu niet bepaald wat je noemt je inleven en het van zijn kant bekijken, dacht Helianos met treurige spot. Tijdens de hele verhandeling had hij een paar keer zijn mond moeten bedekken om zoiets als een glimlach te verbergen. Wat zou zijn arme vrouw, op korte afstand zwijgend en stilletjes neergehurkt in de kleerkast, er wel niet van denken, schoot het door hem heen.

'Uiteindelijk,' verkondigde Kalter, 'zal het vroeg of laat zijn vruchten afwerpen. Het zal een groots moment zijn, een Utopia, zoals de Engelsen zeggen: alles nieuw, alles herschapen! Eindelijk zal de wereld een wereldregering hebben, en wie anders dan Duitsland zal die taak op zich kunnen nemen? Welk ander land zal tegen die taak opgewassen zijn, zo vol zelfvertrouwen en hardwerkend?'

Zijn kleine, enigszins opengesperde blauwe ogen, waarvan sinds zijn terugkeer uit Duitsland het wit niet helemaal wit meer was en de oogleden rood zagen, blonken als gevolg van het historische visioen. Helianos staarde hem verbijsterd aan, maar hun blikken kruisten elkaar niet, want de ogen van de majoor waren letterlijk en figuurlijk gericht op een verafgelegen punt en keken over hem heen.

Vervolgens zei de majoor dat geen van de andere landen ook eigenlijk de taak van een wereldheerschappij op zich wilde nemen en hij wees Helianos op het feit dat de niet-Duitse westerse wereld over de hele linie onwillig en de taak onwaardig was. Neem bijvoorbeeld de Grieken of de Fransen: belachelijk! De Engelsen zouden het kunnen, gaf hij toe, maar het ontbrak hun aan fantasie. En de Amerikanen waren buitengewoon inventief, maar niet serieus genoeg.

'Ik ken de Amerikanen toevallig goed, omdat mijn eigen broer een Amerikaan is,' vertrouwde hij hem toe. 'We staan versteld van hun gebrek aan ernst: altijd in de weer, maar zonder resultaat, almaar drinken en plezier maken en praten, en uiteindelijk gebeurt er niets!

We hebben trouwens al hun uitvindingen overgenomen en er iets goeds mee gedaan. Als er geen oorlog is, zijn ze buitengewoon royaal en gemakkelijk in dingen,' zei hij.

'Of neem Rusland! Het zal niet aan uw aandacht ontsnapt zijn, Helianos, dat ik met geen woord over Rusland heb gerept. U zult begrijpen waarom: het is niet zozeer de vijand van Duitsland, het maakt geen deel uit van de westerse wereld, het is onze gemeenschappelijke vijand, Azië!

Weet u, het heeft karakter, van een krachtig soort, net als het andere Azië. Als man van de wereld kan ik dat op waarde schatten. Maar wat een verschil met de rest van ons, zo dierlijk, zo simpel, met die passieve mystiek van dat arme volk. Wij Duitsers doorzien dat goed, maar verder blijkbaar niemand. Het is ideaal voor ons, een natuurlijk achterland. Het heeft karakter, maar een louter defensief karakter. We zullen er niet veel moeite mee hebben, als de andere landen afzien van een aanval op ons.

Wat hun revolutie betreft: ik neem aan – ik heb begrepen dat u in uw jonge jaren ook een vermogend man bent geweest – dat u er net zo over denkt als ik. Een afschuwelijk iets, maar het loopt nu nagenoeg op zijn eind, zoals te verwachten was...

Vergeet trouwens niet dat ze het allemaal aan ons Duitsers te danken hebben. Marx was een Duitser, ook al was hij een jood, en de geestelijke zoon van onze grote Hegel. Wij hebben de enige juiste versie, in ons nationaal-socialisme; zij hebben de ketterij. En vergeet niet dat het onze belangen goed gediend heeft, door alle liberalen in de democratieën tegen hun eigen regering te keren en regelrecht in onze armen te drijven. Daar horen ze ook: we kunnen ze bijna altijd goed gebruiken.'

Aan het eind van de avond probeerde hij Helianos een idee te geven van wat een Duitse wereldheerschappij zou inhouden. Het klonk allemaal mooi, maar Helianos merkte later dat het hem niet erg was bijgebleven. Hij was blijkbaar niet wezenlijk in staat, althans op dit moment, om het allemaal in zich op te nemen. Zijn aangeboren scepsis won het zelfs van zijn nieuwsgierigheid en hij liet hele onderwerpen een beetje aan zich voorbijgaan.

Hij had niet de minste behoefte om met de Duitser over wat dan ook in discussie te gaan. Kalter zou zich vast verveeld hebben of misschien wel geprikkeld zijn geraakt als hij een discussie was begonnen! Bovendien bedacht hij dat hij dat gezien vanuit zijn eigen standpunt, het Griekse standpunt, ook beter niet kon doen. Het leek hem dat als hij zou trachten om zich te meten met de Duitser op diens eigen terrein – het abstracte, idealistische en ideologische –, hij zeker de strijd zou verliezen.

Misschien was er op zich ook helemaal niets om over te discussiëren, zei hij bij zichzelf, met iets van gelatenheid en passiviteit in zijn overtuiging. Vervolgens zag hij in een kort en wonderlijk tragisch moment voor zich wat zijn overtuiging was, namelijk: er waren te veel door ziekte en dwang gekwelde vrouwen zoals de zijne, te veel onhandelbare jongens en halve bandieten zoals Alex, te veel geestelijk ontregelde kleine kinderen als Leda... Hoe dat grootse uur in de toekomst er ook uit mocht zien, hij was van zijn kant op dit moment niet bereid om daar de prijs voor te betalen. Het slimme van die Duitsers was telkens dat ze iedereen in termen van de toekomst lieten praten, alsof het heden niet bestond of er niet toe deed. En voor de Griek Helianos – met zijn gevoel voor wat een mensenleven waard was en het besef dat de dood onherroepelijk is – was dat iets wat niet kon kloppen.

Weldra voelde hij zich slaperig worden en leek alles pure verbeelding en lachwekkend, maar zonder vreugde. Hijzelf stond als nederige personificatie van de internationale gemeenschap tegenover de grandeur van de Duitser en verenigde mogelijk alle slechte eigenschappen van de gemeenschap in zich: het gebrek aan ruggengraat van de een, de apathie van een ander, de oppervlakkigheid van een derde, en dat alles in combinatie met de hem welbekende feilen van de Griek.

Hij bleef maar knikken bij alles wat Kalter zei, en dit louter instemmend gedrag leek de hooghartige Duitser beter te bevallen dan de uiteenlopende reacties die hij bij andere gelegenheden had getoond. Hoe langer Kalter sprak, hoe vriendelijker hij werd, wat misschien wel een goed voorteken was voor als het grote uur was aangebroken waarop hij en de zijnen over de wereld zouden heersen. Wereldheerser of niet, hij beëindigde het gesprek op een bijna broederlijke toon, en toen de vermoeide Griek eindelijk naar de keuken kon gaan om zich te rusten te leggen, gaf hij hem een paar klopjes op de schouder.

De volgende keer dat ze een serieus gesprek hadden ging het de hele avond over propaganda. 'We zijn geweldig goed in propaganda,' begon Kalter op een manier die aangaf dat hij zijn gedachten van tevoren geordend had, 'en wat ons daarbij helpt, is dat andere naties nergens consequent in geloven, geen bezieling en geen idealisme hebben, op één ding na.... medelijden met de underdog, dat kennen ze! Het is ongelooflijk, het is alsof ze door razernij bevangen worden! En in een periode tussen twee oorlogen strekt dat ons tot voordeel. Als we hulp nodig hebben, ligt het in de aard van andere volkeren om ons te helpen.

Wij zijn het enige volk dat geen verdeeldheid kent. Daarom is alles wat we aan kunst en cultuur hebben zulke goede propaganda. Wagner trekt bijvoorbeeld triomfantelijk over de hele wereld! U begrijpt hoe belangrijk dat is. Op die manier kun je aan het eind van de oorlog tot vrede komen en kunnen we weer overeind krabbelen. Het geeft ons, tussen de oorlogen in, de tijd om te leren en verder te komen, om dingen te bedenken en voor te bereiden.

Ik ben zelf geen expert op het gebied van propaganda. Ik heb me altijd gericht op problemen rond bevoorrading, logistiek en transport. Maar mijn vriend majoor von Roesch weet er alles van; ik heb me er samen met hem in verdiept. Het is natuurlijk niet zo veelomvattend als krijgswetenschap, maar het heeft wel meer van een exacte wetenschap. Het is, anders gezegd, een wapen van een kleiner kaliber, maar veel preciezer...

Zoals majoor von Roesch mij zei: onze Führer heeft als staatsman en generaal fouten gemaakt, ik geef het toe. Wie handelt, maakt altijd fouten. Zo is bijvoorbeeld militair handelen gericht tegen de kracht van de vijand en zoekt propaganda de zwakte van de vijand op, en heeft onze minister van Propaganda dus een minder zware taak. Hij is een soort kunstenaar. Voor hem bestaan er geen fouten! Hij zal nooit de strijd verliezen, zelfs niet hier in Griekenland, waar ze zo sluw en meedogenloos zijn...

Wacht maar af! Zelfs in dit achterlijke Griekenland, met jullie van trots gloeiende vaderlandsliefde, zullen jullie onderling verdeeld raken. In ieder bezet land zijn er als vanzelf politieke wantoestanden te vinden, en als de bezettende

macht met kennis van zaken handelt, is het verbazingwek-
kend hoeveel er bereikt kan worden, als je zorgt dat er geen
verbetering optreedt door die wantoestanden in ons voordeel te laten voortduren.

Alles heeft natuurlijk een keerzijde, alles is van twee kanten te beschouwen. Zo is het nu eenmaal. Maar alles kan zo
gedraaid worden dat het hoe dan ook goed voor ons uitpakt,
dat is de ware kunst! Wagner heeft dat heel goed begrepen...'

Helianos was niet onder de indruk van wat hij over Griekenland had gezegd. Hij geloofde niet dat er onder zijn volk
sprake was van grote verdeeldheid of gevaarlijke hartstoch-
ten die de vijand in de kaart konden spelen. Mensen uit andere landen konden nu eenmaal niet anders dan de oude Hel-
leense neiging tot onderling geruzie (in wezen een blijk van
democratische gezindheid) verkeerd begrijpen en menen dat
die in hun voordeel kon worden aangewend, zo dacht hij.

Het was het hoofdthema van de avond en een indrukwek-
kend thema, dat hem fascineerde en beangstigde. Op de eerste plaats ging het voor een deel over kunst, literatuur, muziek (of in ieder geval Wagner), althans in theorie, en op dat
terrein achtte hij zichzelf beter toegerust dan op het gebied
van politieke filosofie of krijgsmystiek. Ze vergaten niets, die
Duitsers! Het was in zekere zin fascinerend. Er waren hier
en daar overeenkomsten met Plato, maar het geheel was ern-
stiger van toon... Een paar dagen lang bleef hij zo nu en dan
over het voor en tegen van de beginselen van culturele propaganda discussiëren, niet zozeer met zijn vrouw, maar eerder hardop denkend in haar bijzijn. Hij vond wat hij Kalter
die avond had horen zeggen onheilspellender dan alles wat
hij ooit eerder had gehoord.

Zij vond het niet alleen verwerpelijk, maar beweerde tevens dat ze er niets van begreep. Waarom dweepte hij toch
zo met die vreselijke huurder van hen, die intellectuele kwar-
tiermeester, die onberekenbare dwingeland? Dat Leda zo
met hem wegliep was tot daar aan toe, zei ze stellig, maar

Helianos was een volwassen man, een man van eer, met een goede opleiding, en hij moest zich eigenlijk schamen.

Maar hij kon er niet toe komen om zich te schamen. Hij wist heel goed wat hij deed, zei hij tegen haar en tegen zichzelf. Van het luisteren naar de majoor stak hij heel wat op en vaak was het een waar genoegen. Als hij daar zo zat in zijn woonkamer met deze vreemde metgezel, die nu zo opvallend vriendelijk deed, sloot dat naadloos aan bij wat hij van nature graag deed: bedachtzaam en uitgebreid discussiëren over filosofie en geschiedenis. Het leek meer op zijn leven in vredestijd – als uitgever, intellectueel en tamelijk bevoorrecht mens – dan wat ook in deze wereldoorlog, deze Duitse wereld, dit geschonden, halfdode Athene.

Wat hij ook tegen zijn vrouw zei over de onderwerpen die Kalter had aangesneden, nooit gaf ze toe dat ze had meegeluisterd. Vreemd genoeg was haar gewoonte om zich in de kast te verbergen door geen van beiden ter sprake gebracht. Uit iets wat ze had gezegd had hij opgemaakt dat zij wist dat hij het wist, maar daar bleef het bij. Een enkele avond was zijn plezier vergald door de wetenschap dat de vrouw van wie hij hield een meter of wat verderop ongemakkelijk neergeknield zat achter de scheidingswand, met haar nerveuze, bleke, sproeterige gezicht dat ooit mooi was geweest tegen de kier bij de plint gedrukt, angstig luisterend en ongetwijfeld alles verkeerd interpreterend.

Op andere avonden kon hij haar verdriet vergeten door de zoete voldoening dat ze in zijn onmiddellijke nabijheid was, dat ze genoeg om hem gaf om hem te bespioneren, en als de majoor hem een enkele keer de kans gaf om ook iets te zeggen, sprak hij extra luid opdat ze hem kon horen.

Toen slaakte hij een zucht, die door Kalter, die helemaal opging in zijn theorieën, waarschijnlijk werd opgevat als een compliment, een erkenning van de duistere en overweldigende Duitse logica. Maar het was eerder het tegendeel. Helianos' gedachten dwaalden af naar zijn arme, dierbare vrouw en zielsverwante, die daar in het verborgene knielde, beefde en bad; in hem roerde zich het grondbeginsel van het soort man dat hij was, namelijk dat het persoonlijke leven belangrijker is dan het openbare leven, wat lijnrecht tegenover het Duitse grondbeginsel stond.

Dat was in zekere zin een misrekening, want als hij zich niet zo had laten afleiden door zijn oude liefde, als hij beter had opgelet op wat de majoor allemaal zei, dan had hij misschien iets ontdekt van de constante dreiging die daar voor hem persoonlijk in school.

Helianos was behoorlijk verrast door een van hun laatste gesprekken, wat wellicht opzettelijk zo bedoeld was. 'Jullie buitenlanders hebben het idee dat wij Duitsers allemaal hetzelfde denken,' zei Kalter, 'maar dat is een misvatting. Ik zal u eens iets vertellen. Ik moet dat misschien niet tegen een buitenlander zeggen, maar dat doet er nu niet toe, het is mijn persoonlijke opvatting. Er wordt vandaag de dag heel wat afgepraat over afkomst, arisch en anderszins; ik geloof daar zelf niet zo in. Het is uiteraard een effectief propagandamiddel, maar het is een relatief en denkbeeldig onderscheid.

Ziet u, Duitser-zijn heeft niets te maken met biologie, etnologie of antropologie. Het is veel simpeler. Het heeft louter en alleen te maken met hoe wij leven: het betekent om te beginnen toegewijd zijn aan leiderschap en orde, aan vertrouwen in onszelf en in elkaar. Het is bovenal de rol die we in de geschiedenis spelen en het voorbereid zijn op die rol. Het is een kwestie van opvoeding en geloof. Het is de hoop van iedereen, dat de wereld op een goede dag onberispelijk geleid zal worden door degenen die de bereidheid, het vermogen en de waardigheid daartoe hebben, en dat de wereld niet langer in de chaos van nu zal verkeren.

Dat is de reden dat zoveel Duitse joden model-Duitsers zijn. Ze leren van ons een toekomstvisioen te hebben, zoals hun beloofde land. Vooral tussen de oorlogen in zijn ze geweldig: ze weten te bewerkstelligen dat de hele wereld medelijden met ons heeft, ons te hulp komt en ons bewondert.

Daartegenover staat dat vele Duitsers, die zich in het buitenland vestigen, met name in Amerika, van de ene dag op de andere veranderen: ze worden Amerikaan. Ik zei u al dat ik een broer heb in New York. Hij is daar nog niet zo lang, pas sinds 1923, en hij is net zo weinig Duitser als u.

Is het niet merkwaardig?! Het zijn niet alleen boeren die erheen gaan, ambitieuze wetenschappers en zakenlieden, die uiteraard worden aangetrokken doordat er snel geld te verdienen valt, maar mensen van allerlei slag: geleerden, filmsterren, schrijvers – precies de groep die hun leven lang de Duitse geest hebben verwoord – en in een paar jaar tijd (ongelooflijk maar waar!) nemen ze alles aan Amerikaanse vorming en politieke en morele opvattingen over, zelfs het Amerikaanse patriottisme, als het die naam verdient.

Ze kunnen niet anders dan ongelukkig zijn, als de nieuwigheid er eenmaal af is. Hoe kunnen ze ooit vergeten wat het is om Duitser te zijn?' riep hij uit.

'Ik zal het u zeggen. Ik ben benieuwd of u het als buitenlander zult begrijpen! Tegenwoordig is godsdienst bijna helemaal verleden tijd. Maar weinig mensen hebben tegenwoordig een duidelijk idee van wat ons te wachten staat, over een leven na onze dood. Toch moeten we in dit leven heel wat moeilijkheden overwinnen en moeten we ons telkens van onze beste kant laten zien. En als beloning daarvoor hebben we in immateriële zin niets, maar dan ook niets in het vooruitzicht! Zelfopoffering is een goede zaak – ja, zelfs een noodzaak, en bovendien is het een onvermijdelijk iets. En wat staat daartegenover? Wat is er dan, als we afzien van onsterfelijke zaken, waardoor het allemaal de moeite waard is?

Nu denkt u misschien dat ik dit allemaal zeg uit pure minachting, omdat ik het alleen maar heb over het materialisme van andere landen. Nee! Als het iets is wat buitenlanders kenmerkt, dan zit dat ook in ons, helaas. Ook wij zijn sceptisch – u ziet: ik geef het toe. Hoe kan het ook anders? Want dat is moderne wetenschap, modern leiderschap, moderne psychologie: geen hemel meer te hebben.

Alleen wij Duitsers weten hoe het anders kan: wij hebben iets wat de plaats van de hemel kan innemen. Ja, ook de Duitser offert zich op en verliest de moed als ieder ander. Maar dat geldt alleen maar de persoon; de natie verliest nimmer de moed. Als een Duitser zijn doel niet bereikt, geeft hij zich gewonnen en gaat hij rustig en onverstoorbaar heen, nadat hij zijn zaken correct heeft afgewikkeld, zoals onder alle omstandigheden van hem mag worden verwacht. Hij draagt zijn verantwoordelijkheden over aan een ander, die net zo is als hijzelf, en hij weet dat het geloof instandgehouden zal worden, zo niet door deze ene, dan door de volgende!

Als hij sterft, is er niets verloren: hij leeft voort in zijn Duitse naaste, in zijn landgenoot, zijn soort. Dat, zeg ik u, is voor ons Duitsers onze onsterfelijkheid. Mocht een van ons onvolmaakt zijn, dan is er nog altijd het model, en vroeg of laat zal dat model de volmaaktheid bereiken. Als men daarin gelooft, dan is er voor alles een rechtvaardiging en een remedie. Ook al delft één man het onderspit – en na hem een ander, het geeft niet hoeveel! –, de overwinning zal uiteindelijk onafwendbaar zijn.'

10

Het laatste van die gesprekken tussen de Duitser en de Griek was het vreemdst. Het was niet zozeer een gesprek, als wel een tragedie in het klein en een onthullende illustratie aan de hand van de majoor zelf van die individuele zwakheid en nederlaag – tegenover het Duitsland als geheel dat voor eeuwig zou triomferen, met Duitser na Duitser die telkens weer de last op zich nam van degene die te zwak was om verder te gaan – waarover hij de avond daarvoor zo welbespraakt had verteld.

Het gesprek vond 's middags plaats, op de laatste dag van mei, op een maandag. Het was een van Kalters vrije middagen. Hij was even voor twaalven naar de woning teruggekeerd. Het toeval wilde dat Helianos wat meer etenswaar voor het middagmaal had weten te bemachtigen dan anders. De officier had in zijn vermoeidheid nog minder gegeten dan gebruikelijk en het gezin had dus praktisch een normale maaltijd gehad. De kinderen waren de straat op gegaan om te spelen en mevrouw Helianos was gaan liggen omdat ze zich niet in orde voelde.

Rond een uur of drie waagde een goedgemutste Helianos zich in de woonkamer, met het idee dat de majoor toch geen middagdutje deed en misschien wel wat voelde voor een gesprek. Hij had een bepaald politiek vraagstuk dat hij aan hem wilde voorleggen. Tot zijn verbazing trof hij hem aan achter zijn bureau met zijn hoofd ver voorovergebogen, met zijn handen voor zijn gezicht, in tranen.

Toen hij Helianos hoorde binnenkomen, sprong hij op en riep: 'In godsnaam, waarom komt u net nu binnen? Wat bezielt u?! Net als ik alleen ben, als ik alleen wil zijn...'

De Griek maakte zijn excuses en wilde de kamer weer uit gaan, maar de Duitser beende met vertrokken gezicht naar de deur en deed die dicht.

'Nu is het te laat,' zei hij, en hij liep terug naar zijn stoel, die hij omdraaide om Helianos te kunnen aankijken, onderwijl trachtend zijn gezicht weer in de plooi te krijgen. 'Nu is het te laat om de schijn op te houden. Ik heb al veel te veel gepraat. Waarom heb ik u, een godvergeten Griek, toch in vertrouwen genomen? Wat heeft me bezield?'

Helianos stamelde, geheel verbijsterd: 'Ik begrijp het niet, majoor; het moet een misverstand zijn, een vergissing.' Hij verontschuldigde zich desalniettemin voor wat hij mogelijk fout had gedaan en vroeg onderdanig of hij naar de keuken terug mocht gaan als zijn aanwezigheid de majoor te veel was. Hij bood aan om snel een glas glühwein te maken, en zich afvragend of de majoor misschien ziek was, stelde hij voor een dokter te halen, en informeerde met klem of hij niet iets kon doen wat de majoor aangenaam of nuttig vond.

Maar de ongelukkige officier, ongelukkiger dan ooit of werkelijk ziek, leek helemaal niets te horen van zijn welgemeende woorden.

Juist toen Helianos niets meer wist te zeggen, zei hij: 'Nee, het geeft niets. U bent immers een goed mens, Helianos? Of misschien ook niet, ik weet het niet...'

Hij sprak onduidelijk en maakte vage, ongeduldige handgebaren. 'Mijn god, erger kan het niet worden! Ik weet het niet meer, ik kan het niet meer beoordelen. Als een Duits officier niet langer kan vertrouwen op zijn vermogen anderen te beoordelen, dan is het eind in zicht, het definitieve eind, of niet?'

Hij ontblootte zijn tanden in een poging te glimlachen, droogde zijn tranen en snoot zijn neus. 'Nee, Helianos, ga zitten. Ik zal u zeggen wat er aan de hand is. Ik wil dat u weet dat het niets is waarvoor ik me moet schamen. Ik heb niets gedaan. Mijn zelfrespect gebiedt mij u dat te verzekeren.

Het is ook goed om u te zeggen wat er met me aan de hand is. Het zal me opluchten en het doodt de tijd, die zwaar op mij drukt.'

Helianos ging zitten en kon zich niet heugen ooit eerder zulke vage en verwarde gevoelens te hebben gehad: was het gêne? nieuwsgierigheid? medelijden? Daarbij kwam dat hij deels verwachtte, deels hoopte om iets van geamuseerdheid en vreugde te voelen nu hij zijn vijand zo in verwarring zag, ware het niet dat je iemand die zo van zijn stuk was gebracht nauwelijks nog als vijand kon zien...

Hij was niet bepaald egocentrisch ingesteld en pas na afloop van het gesprek, toen het te laat was, realiseerde hij zich dat er mogelijk gevolgen voor hemzelf waren. Hij dacht absoluut niet aan zichzelf, maar alleen aan de Duitser, die op dat moment bijna als een vriend voor hem was, ondanks de oorlog en ondanks de verschillen in politieke opvattingen.

Zijn vriend Kalter was, zo besloot Helianos, ondanks zijn intellectuele en nationalistische trots een beklagenswaardig mens, aan heftige emoties ten prooi, en iemand die zonder twijfel meer dan wie ook behoefte had aan de steun van een door hemzelf gepropageerde, onderling overeengekomen collectieve en georganiseerde vorm van menselijkheid, de staat of zelfs een wereldstaat – iemand die op dit moment om de een of andere reden behoefte had aan een vriend.

Hij was doodsbleek en slaakte zo nu en dan met een lichte siddering een diepe zucht in een poging zich te vermannen. Het was een zeer warme middag en er stonden zweetdruppels op zijn bovenlip. Tranen blonken op zijn wangen.

Na een ogenblik stilte begon hij met iets van zijn gebruikelijke felheid te spreken: 'Jullie Grieken en al jullie buitenlanders, jullie denken allemaal in jullie vervloekte arrogantie
dat jullie de enigen zijn die onder de oorlog te lijden hebben! Maar dat is niet zo! De oorlog valt beide zijden zwaar,
zeg ik jullie.

Luister goed,' ging hij verder. 'Ik heb u gezegd dat ik mijn
testament aan het maken was, een nieuw testament. Kwam
het niet bij u op, domme Griek, om u af te vragen wat er gebeurd kon zijn dat mijn oude wilsbeschikking van nul en ge-
nerlei waarde was geworden? Als u mijn vriend geweest was,
had u zich dat wel afgevraagd, maar natuurlijk bent u niet
mijn vriend, hoe zou u dat kunnen zijn?

Wat er gebeurd is, is dit: vlak voordat ik naar Duitsland
terugkeerde, is mijn oudste zoon, die jachtpiloot was, neer-
gestort en omgekomen. Dat is tot daaraan toe; vrijwel ieder
gezin moet wel een zoon afstaan aan het vaderland, en soms
meer dan een.

Ja, dat is tot daaraan toe, maar terwijl ik onderweg was
naar huis, werd mijn woning in Königsberg tijdens een luchtaanval verwoest: door een bom brandde het huis af en mijn
vrouw kwam bijna in de vlammen om.

Nadat ik was aangekomen en nog terwijl mijn vrouw buiten bewustzijn lag, kwam mijn jongste zoon om in Rusland.

Hij was nog een kind, een kersverse soldaat. Hij was nooit
eerder aan het front geweest. Hij schreef ons brieven vol beschamende moedeloosheid, zoals al die groentjes, de arme
jongen. Hij had nog geen enkele onderscheiding of eervolle
vermelding gekregen en niets gedaan om trots op te zijn: een
zinloze dood.

Mijn vrouw balanceerde dagenlang op de rand van de dood
en toen ze bij bewustzijn kwam, was ze geestelijk ontwricht.
Ik mocht haar bezoeken, maar ze sloeg alleen maar wartaal
uit. Mijn hart brak, Helianos. Het was weerzinwekkend, Helianos, zoals ze daar lag met haar haar weggeschroeid, haar

gezicht half in verband en met de onzin die ze uitsloeg: de dokter kon niet zeggen of ze voor de rest van haar leven krankzinnig zou blijven of niet.

Toen verbeterde haar situatie en ze kwam weer bij zinnen: een dag of drie lang ging het heel goed met haar. Ze leerde me te leven met de dood van onze zoons, ze herstelde mijn vertrouwen in de toekomst en in Duitsland, en deed me opnieuw in mezelf geloven.

Ik kan u niet vertellen hoe het was, Helianos. U kunt dat onmogelijk begrijpen, met uw Griekse opvattingen van moraal! We voelden ons met al ons verdriet om het verlies als goden, daar in dat grimmige ziekenhuis, met die afschuwelijke zwachtels van haar. Schitterende dagen waren het! En toen stierf ze.'

Een mooi verhaal, dacht Helianos, een treffend beeld van de toestand van nu en de oorlog in het klein. En terwijl hij ernaar luisterde, viel hem op dat Kalters eigenaardige rauwe en ingehouden stem, verzacht door zijn vermoeidheid en het opwellen en wegebben van zijn verdriet, er goed bij paste. Maar iedere passage, ieder woord gaf hem een gevoel van onwerkelijkheid; niet het verhaal zelf, dat duidelijk de zuivere waarheid was, maar de context: Kalter die zat te vertellen en hijzelf die zat te luisteren, het maakte een onwerkelijke indruk.

Het was per slot van rekening wel het laatste wat hij verwacht had ooit nog eens in werkelijkheid te zien: een door verdriet overmande Duitse officier die zich beklaagt over iets wat in oorlogstijd de normaalste zaak van de wereld was. Hij dacht terug aan alles wat zich in het verleden had afgespeeld, aan de tijd dat de huilende majoor nog de angstaanjagende kapitein was, en hij keek er met verwondering op terug: de tirannie, de beledigingen en het dramatisch optreden, en vervolgens de ommekeer en zijn eigen nieuwsgierigheid, verkeerde interpretaties, vergevensgezindheid en meer ontspannen houding, de verbijsterende politieke discussie, en dan dit...

De rauwe stem stokte bij de woorden 'en toen stierf ze' en viel stil. Helianos wist niets te zeggen en zat daar maar, terwijl bedrieglijke gedachten zijn hoofd vulden. Zo betrapte hij zichzelf erop dat hij bedacht dat je deze mensen de heerschappij over de wereld eigenlijk niet kon misgunnen, als ze die zo graag wilden dat ze bereid waren dezelfde prijs te betalen als de andere partij, als ze bereid waren hetzelfde leed en onherstelbare verlies over zichzelf af te roepen als over anderen. Zijn halfhartige medelijden toen hij bij het bed van de majoor had staan kijken was niet bepaald welgemeend geweest... Nu vervulde het hem met verbazing, en hij besefte dat die verbazing in feite een eerbetoon was aan de overwinnaars en dat de mate van zijn eigen wanhoop als een van de overwonnenen eruit kon worden afgelezen; het was niet in hem opgekomen dat ook de overwinnaars zich ongelukkig konden voelen.

Maar plotseling bedacht hij dat al die berusting, al dat rationaliseren, volstrekte onzin was. Ze waren natuurlijk helemaal niet bereid om dingen over zichzelf af te roepen: ze deden gewoon hun beklag als andere mensen, beefden en huilden als andere mensen en ze schoven allemaal de schuld op een ander, want iemand moest toch de schuld krijgen? Opeens begon het korte, gezette, vermoeide lichaam van Helianos te trillen van woede, zijn hart sloeg een slag over, het zweet stond in zijn handen, een brok kwam in zijn keel en zijn knieën knikten. Hij voelde verontwaardiging over het gemeenschappelijke ongeluk en noodlot van zichzelf, van Griekenland en in feite ook van de rest van de wereld, van iedereen, zelfs van deze individuele Duitser.

Die Duitser zei ondertussen: 'U hebt er geen idee van, Helianos – u weet daar niets van, u kunt dat niet begrijpen –, maar luister: ik heb zo genoeg van deze oorlog! Als ons lijden te groot wordt, worden we veel te gevoelig voor het lijden van anderen, ook al weten we dat hun lijden niet te vergelijken is met dat van ons. Ik moet de strijd opgeven. Ik wil alleen nog maar naar muziek luisteren, zitten en luisteren en terugdenken, terugdenken aan mijn martelares van een vrouw en aan mijn heldhaftige jongens, en de tijd doden, de tijd die me nog rest. Ik weet wel dat iedereen zich na de oorlog een tijdlang zo zal voelen, maar ik kan niet wachten, ik voel me in de hel, een hel op aarde, en ik weiger te wachten.'

Hij zweeg even, sloeg zijn handen voor zijn ogen, haalde ze even daarna weer weg. Zijn gezicht vertrok zich tot een tragisch masker; hij balde zijn vuisten en bewoog ze voor zijn gezicht heen en weer. Of hij nu probeerde om zijn emoties de baas te worden of fysiek gestalte te geven – Helianos kon het onmogelijk zeggen.

Toen zei hij: 'Zeven weken geleden; over krap twee weken zal het twee maanden geleden zijn dat het gebeurd is. Het was op een zaterdag. Iedere middag beleef ik het uur, iedere dag van de week en de datum van de maand, en het wordt met de minuut erger. Mijn god, ik heb me toch gedragen, ik ben goed geweest, ben trouw naar het hoofdkwartier gegaan, heb al het andere laten passeren, ik heb u netjes behandeld, en geprobeerd om de tijd te doden met praten en nog eens praten! Ik voel precies het moment waarop het tijdstip aanbreekt, zestien minuten voor drie. Altijd is er weer dat tijdstip, ieder uur duurt een jaar. Nooit is het uit mijn gedachten, als het tikken van een afschuwelijke reusachtige klok!'

Toen hij dit had gezegd, bleef hij bewegingloos en zwijgend zitten en begon opnieuw te huilen. Het was een vreemde aanblik, een onwrikbaar iets. Plotseling vertrok zijn hele gezicht tot een lelijk masker van verdriet, waarna iedere beweging eruit verdween. Alleen de traanklieren werkten nog en zijn tranen kwamen niet één voor één, maar liepen in een kleine stroom over zijn wangen naar beneden tot aan zijn kin. Het was alsof je een beeld zag huilen – geen Grieks beeld natuurlijk, maar een gotisch beeld...

Hij stond met zijn gezicht naar het raam en een helder licht viel op het litteken en de littekenachtige mond, accentueerde de asymmetrische neus en belichtte de groeven en uithollingen in zijn wangen, plaatsen waar de hand van de beeldhouwer was uitgeschoten.

Het beeld in kwestie wilde iets zeggen, maar was daar niet toe in staat zolang al zijn spieren zich inspanden om zijn oorspronkelijke uiterlijk te herkrijgen. Toen zei hij: 'Helianos, luister, de reden dat ik mijn testament heb gemaakt, de reden dat u mij te zien krijgt, zo beschamend en onmannelijk verdrietig, als een verdomde Fransman of jood...

Luister: ik heb besloten zelfmoord te plegen. Ik kan niet meer. Het is niet dat ik niet wil, maar ik kan het niet. Ik ben nergens meer geschikt voor, mijn zenuwen hebben het begeven. Ik kan nog uitstekend denken, zoals een goed Duitser betaamt, ik kan me nog goed uitdrukken – ik heb u alles duidelijk weten uit te leggen over de goede zaak van het vaderland, nietwaar? –, maar het heeft geen zin meer, het gevoel is eruit verdwenen. Ik kan het leven niet langer verdragen, ik walg ervan. Het is een psychopathische toestand.'

Dit werd allemaal op half fluisterende toon gezegd, zacht en snel als een verliefd iemand en eentonig dreunend als een ziek kind. Toen hij zweeg begon zijn gezicht opnieuw te trekken en kwamen de tranen opnieuw. Ze glommen in de lentezon en gleden over zijn onregelmatige en glimmende wangen. Hij begon zijn hoofd ritmisch naar voren en naar achteren te bewegen.

'Op een avond,' prevelde hij zachtjes, 'op een avond ben ik in slaap gevallen zonder me te hebben uitgekleed, zonder in bed te gaan liggen. U vergat me die avond warm water te brengen – ach, Helianos, u bent ook zo vergeetachtig! – en ik werd pas midden in de nacht wakker. Die nacht wist ik dat ik niet langer door wilde gaan en gaf ik alle verdere pogingen op. Helianos, ik kan niet zeggen hoe opgelucht ik me voelde toen ik die beslissing eenmaal had genomen. Ik had het toen kunnen doen, maar ik wilde mijn zaken fatsoenlijk afwikkelen en geleidelijk aan mijn verantwoordelijkheden aan Roesch en anderen overdragen, zodat ze geen argwaan zouden krijgen. En ik wilde mijn testament ten gunste van de musici herschrijven.'

Aha, zei Helianos in gedachten, zo kwam een mens vroeg of laat achter het waarom van de dingen. Hij vroeg zich af of zijn vrouw zich in de kleerkast bevond en of deze wee-klacht niet inmiddels zo zacht was uitgesproken dat ze het niet had kunnen verstaan. Inderdaad, het was een onmanne-lijk verdriet, ook al leek het niet bepaald op het verdriet van de Fransen en joden die hij kende. Terwijl Kalter zweeg, luis-terde hij of hij zijn vrouw hoorde, maar hij kon niet het min-ste geruis, gerucht of gekraak van de vloer bespeuren. Hij hoopte dat ze er niet was: ze liet zich immers meer door haar hart dan door haar hoofd leiden, en gezien haar eigen ver-lies van een dierbare en haar eigen suïcidale neigingen zou dit een negatiever effect hebben op haar wankele geest dan al die mooi bedachte, huiveringwekkende uitspraken over de Duitse zaak, de germanisering van de wereld en het eeuwig-durende Germaanse Rijk. Of het nu medelijden in haar zou oproepen of woede en haat, ze zou er geheel door van streek raken.

Hij was ook blij dat de kinderen niet binnen waren, voor-al die kleine wildeman Alex. Als hij zou weten dat de Duit-ser door verdriet overmand en in tranen was, zou hij hele-maal opgewonden worden en wellicht een vreugdekreet, een onbeschaamde opmerking of een triomfantelijke grijns niet kunnen onderdrukken, en daarmee die arme Kalter on-draaglijk kwellen.

Het kwam niet in Helianos op om het idee van zelfmoord serieus te nemen, maar het had wel tot gevolg dat hij meer sympathie voor de man ging voelen. Dat is wellicht wat ie-dere herinnering aan de dood of zelfs maar een toespeling op de dood teweegbrengt. Het is los van alles zo'n univer-seel en overweldigend iets...

Maar het gevoel van sympathie ging ook gepaard met een

zekere ongerustheid, een – naar het leek – kleine opleving van het gevoel dat hij van vroeger kende, uit de tijd van de nog niet herboren Kalter. Nu het geheim van zijn verandering van karakter was onthuld en hij zijn gevoelens van rouw openlijk had getoond en feitelijk aanschouwelijk had gemaakt, kon hij weleens plotseling een ander aspect van zichzelf tonen of weer de oude worden. Dat onverwachte wankelen van een zo krachtig mens, dat schaamteloos bekennen van een beschamende geestestoestand en dat overvragen van de dood door te spreken over zelfmoord – alsof de dood van zijn vrouw en zijn beide zoons niet genoeg was, om maar te zwijgen over het feit dat de rest van de wereld door Duitse eerzucht aan de dood wordt overgeleverd –, het was allemaal weinig geruststellend, te plotseling en te onsamenhangend voor hem als Griek.

Maar nog altijd wist hij niet wat hij moest zeggen. Hij voelde zich een dwaas; de aanblik van verdriet maakt altijd dat men zich een dwaas voelt. Door zijn fysieke instelling voelde hij in het beven van zijn knieën en het tijdelijk onvermogen om te spreken nog altijd het verzet tegen het verfoeilijke lot dat ieder treft, oorlog en dood. Toen hervond hij eindelijk zijn spraak en zei met uiterste eenvoud: 'Ik leef met u mee, majoor.'

De majoor gaf geen antwoord en toonde geen reactie, zelfs niet met een blik.

Dat leidde ertoe dat Helianos een koppigheid en protest in zich voelde opkomen: hij was vastbesloten om deze man, die zo in zijn eigen lijden opging, ervan te overtuigen dat hij het meende, dat hij werkelijk medelijden met hem had.

'U moet weten, majoor Kalter,' zo ging hij verder, 'dat ik mijn zoon verloren heb, twee jaar geleden op de Olympos. Ik begrijp hoe ongelukkig u zich voelt. Mijn oudste zoon was me meer waard dan de kleine Alex en Leda. Maar ik geef toe dat het een minder groot verlies is in vergelijking met wat u verloren hebt.'

Hij besefte met enige bittere ironie dat dat zo'n beetje het enige was wat hij wist te zeggen. Maar ondanks die bitterheid voelde hij plotseling een onvervalst medelijden. Het was alsof hij had geprobeerd om het niet te voelen, niet serieus, maar nu overviel het hem vervolgens toch. Opnieuw realiseerde hij zich met een schok dat Kalter oprecht was, in ieder geval in zijn lijden, eindelijk oprecht, en dus was hij het ook.

Kalter gaf nog altijd geen antwoord. Alleen leken zijn betraande ogen wat te drogen, genoeg om zich op hem te concentreren. Het waren de ogen van ieder ander door verdriet overmand mens, vond Helianos, niet fel of onvriendelijk. Kalter liet zijn hoofd hangen en schudde het heen en weer als in een poging om te luisteren, terwijl hij in de zakken van zijn uniform zocht naar een zakdoek. Helianos meende dat de ander zijn medeleven geaccepteerd had.

'Ach, majoor Kalter,' riep hij zonder kwade bedoelingen, eerder hardop denkend, 'is het niet onverdraaglijk? Te bedenken dat twee mensen, twee mannen met zo'n overdosis macht, noodlottige en tragische mannen, al dat leed over ons andere mensen hebben gebracht?'

Met een ruk keek majoor Kalter op, een en al aandacht. 'Twee mannen? Wat bedoelt u?' vroeg hij streng. 'Welke mannen?'

'Ik bedoel de Führer en de Duce,' antwoordde Helianos zonder nadenken.

Dat was zijn ondergang. Majoor Kalter sprong op en stormde meer dan woedend op hem af. Ook Helianos sprong op en probeerde zich uit de voeten te maken, maar hij was niet snel genoeg.

'Hoe durf je, smerige Griek,' schreeuwde de majoor, 'hoe durf je zo over de Führer te spreken?!' En hij sloeg de Griek links en rechts met klinkende slagen in zijn gezicht.

'Domme, achterlijke schoft, smerige Slaaf! Wil jij je verzetten tegen de Führer? De spot drijven met de Italianen?'

En dit keer was hij niet tevreden met de aanblik van een hevig geschrokken en diepgeschokte Griek met opengesperde mond en dichtgeknepen ogen. Dit keer ging hij hem achterna, dreef hem achterwaarts struikelend door de kamer, sloeg hem hard tegen de muur, trapte hem en schold hem de huid vol – vervloekte lafaard, verraderlijke rat, ziek en vals onderkruipsel, misselijkmakende oude gek – en ondertussen zei Helianos almaar dat het hem speet, terwijl Kalter doorging met verwensingen en beschuldigingen schreeuwen.

'We zullen die onzin er wel uit ranselen! Vervloekt! Ik zal je leren nog eens iets over de Führer te zeggen!' brulde hij dreigend, en uitte onvertaalbare vloeken. Met overslaande stem voegde hij hem de ergste verwensingen en dreigementen toe.

Ondertussen had mevrouw Helianos verderop in de keuken het eerste geschreeuw gehoord en ijlings haar post in de kleerkast betrokken. En daar, onder de kleren en tussen de schoenen, begon ze te huilen toen het slaan en trappen aanving. Ze greep naar boven en trok de zoom van een van haar jurken en de pijpen van een van Helianos' broeken tegen haar gezicht om het geluid van haar huilen te dempen. Zo hoorde ze alle verwensingen van de majoor aan, waaruit ze opmaakte dat Helianos iets beledigends had gezegd over het Duitse staatshoofd: om de andere zin schreeuwde de majoor daar iets over.

'Wat bezielt Helianos toch, o, wat bezielt die man?' jammerde ze zo zachtjes mogelijk. 'Ik heb hem nog zo gewaarschuwd, wat vreselijk, wat moet ik doen?' huilde ze, en ze propte de zoom van haar jurk in haar mond om haar kreten te dempen, zodat ze meer kon horen.

Toen kwam de woedeaanval van de majoor enigszins tot bedaren en hoorde de vrouw in de kleerkast de zachtere stem van haar man vervuld van onuitsprekelijke spijt en verwarring zijn excuses aanbieden. Hij snikte zacht en haalde met horten en stoten adem, strompelde weg en liet zich in een stoel vallen, nog altijd zijn spijt betuigend, en ze hoorde het aan met brekend hart en vol schaamte.

En uit wat Helianos zei – hij bood, nog altijd bij wijze van spijtbetuiging, vergeefs zijn deelneming aan – maakte ze op dat de vrouw en beide zoons van de majoor dood waren. Dat verklaarde waarom de Duitser de hele maand zo neerslachtig en zachtmoedig was geweest, iets wat die arme ongelukkige Helianos tot kwellens toe had geprobeerd te begrijpen. Tegelijkertijd maakte dat het brute optreden van de Duitser nog beestachtiger. Het afnemende geschreeuw van de majoor leek ook zoveel te bewijzen: zijn niet meer dan natuurlijke zelfmedelijden kreeg weer de overhand nu zijn woede afnam...

Onverwachts hield het schreeuwen en slaan op. Zijn stem klonk weer normaal, misschien zelfs zachter dan anders, maar nog altijd goed verstaanbaar, en hij zei op regelmatige, officiële en vastberaden toon: 'Arme onbezonnen ouwe Griek, ik had gedacht dat u intelligenter was dan de rest. Ik dacht dat u wel beter wist. Ik neem aan dat u weet wat er nu moet gebeuren. Ik zal de militaire politie bellen om u in hechtenis te nemen.'

Hij zweeg even om het te laten doordringen en zei toen met nog rustiger stem: 'Het spijt me voor je, arme dwaas, maar er is niets aan te doen. Het is nu eenmaal voorschrift in dit soort gevallen.'

Toen mevrouw Helianos, gezeten in de kleerkast, dit hoorde, begon ze zo te beven dat ze met geen mogelijkheid overeind leek te kunnen komen. Ze kroop op handen en voeten de kamer van de kinderen in, hervond daar snel haar krachten en haastte zich de gang in, vol vertwijfeling, maar toch in de hoop op de een of andere manier door te protesteren, te praten of te smeken de arrestatie van haar man te kunnen voorkomen.

Maar toen ze voor de kamerdeur stond, zwaaide die open en daar stond de majoor met getrokken pistool, niet op haar gericht, maar opzij in de richting van Helianos, en hij snauwde haar toe: 'Ga weg, ongelukkige, uw man is onder arrest geplaatst!'

Hij sloeg de deur toe en deed die op slot. Ze bleef er een ogenblik tegenaan gedrukt staan, draaide aan de knop en hoorde hem aan de andere kant met nog altijd kalme en in marsritme hamerende stem herhalen: 'Het spijt me, maar het moet zo zijn, dwaas die je bent, het is mijn plicht...'

Toen haastte ze zich terug naar de kleerkast, ging weer op haar knieën zitten en hoorde hem rustig en afgemeten telefoneren. Ze kon het niet langer aanhoren, stond op en raakte met haar hoofd verstrikt in de jassen en jurken, die op de grond vielen, waarbij enkele kleerhangers een kletterend geluid maakten. Toen ze vervolgens door de kamer van de kinderen liep, ving ze in de spiegel een glimp op van zichzelf in die toevallige, niet bij elkaar passende kleren, als een vrouw buiten zinnen, met een onderrok als sluier en een broek als mantel. Ze voelde zich duizelig en ging zo snel ze kon naar het bed in de keuken; ze liet haar oude kleren achter zich op de grond vallen en rukte daarbij in haar haast, bang als ze was om flauw te vallen voor ze het bed bereikte, het lijfje van haar jurk van een van haar schouders.

Ze viel niet flauw, maar haar hart speelde zo op dat ze niet anders kon dan een hele tijd stil en hulpeloos liggen – ze transpireerde en kwijlde, wrong haar handen, beet op haar nagels en luisterde naar haar bloed dat ophield te stromen, vervolgens met een doffe dreun weer begon en opnieuw ophield – tot voorbij het moment dat de soldaten kwamen en Helianos meenamen, tot op het moment dat Alex en Leda terugkwamen van waar ze al die tijd waren geweest.

Ze liepen vanaf de straat de trap op, net op het moment dat Helianos naar beneden kwam tussen twee soldaten in – jonge, gelijkmoedige, zelfs goedhartige kerels, voor wie dit dagelijkse routine was –, een paar treden hoger gevolgd door een vormelijke en hooghartige majoor Kalter. De kinderen zagen hun vader voordat hij hen zag, voelden in een flits wat dat escorte van Duitsers betekende, draaiden zich om en vluchtten de straat op.

En zo was het laatste wat Helianos van hen zag dat ze met twee treden tegelijk naar beneden sprongen en wegvluchtten alsof ze bang voor hem waren. Hij riep hun achterna: 'Wacht, jullie moeder is ziek! Alex, Leda, jullie moeder heeft een hartaanval gehad. Ga de dokter halen!'

11

Alex had zich niet durven omdraaien om te laten merken dat hij de laatste instructie van zijn vader gehoord had, maar dat was wel het geval. Het was geen probleem om het snel te doen en de hele weg naar de dokter en weer terug rennend af te leggen, maar waar moest hij Leda in de tussentijd laten? Op een straathoek kon natuurlijk niet, in het leegstaande pand waar ze speelden ook niet. Van voorbijgangers moest ze niets hebben en als ze alleen werd gelaten, raakte ze al snel in paniek als ze ook maar iets als een open ruimte om zich heen had of een lange afstand lopen voor zich zag. Ze bevond zich liever op afgesloten plekken, in schuilplaatsen en in het halfduister.

Toen schoot Alex een stille, halfduistere plek te binnen, vlak naast hun speelterrein, waar ze soms midden op de dag beschutting zochten als het erg warm was en waar ze naartoe gingen als ze helemaal alleen wilden spelen, als Leda een slechte dag had en niet met andere kinderen wilde spelen of andere kinderen niet met haar. De plek was ergens in het bakstenen gedeelte van een ingestort gebouw. Een lege deurpost in een bouwvallige muur met daarachter een halve trap omhoog en een kleine ingestorte kelder eronder, waardoor een beschutte plaats was ontstaan. Leda hield van die plek.

Hij nam haar er bij de hand mee naartoe en liet haar plaats-nemen. Ze knipperde met haar ogen en keek hem vragend aan; hij legde haar uit wat hij ging doen en dat hij weer snel zou terugkomen. Toch klom ze er tot twee keer toe uit en rende hem over straat achterna, zijn naam jammerend. Twee keer bracht hij haar terug en trachtte haar te overreden door haar als het ware te hypnotiseren met die vurige blik van hem waar ze zo van hield, en door met zijn voet te stampen en door druk en snel op haar in te praten, als een bezorgd aap-je of een nerveus vogeltje. Vervolgens gaf hij haar een flinke stok in handen om zichzelf mee te verdedigen, zoals hij zei, en daardoor leek ze te accepteren dat ze alleen werd achter-gelaten. Goedkeurend bezag hij de aanblik die ze bood in die vreemde schuilplaats van afgebrokkeld pleisterwerk en steen: haar verwarde hoofd omlijst door haar wilde zwarte lokken, en dan de manier waarop ze de stok plechtig voor zich uit hield alsof het een scepter was. Ook al dacht hij vol be-zorgdheid aan het gevaar dat zijn vader liep en aan zijn zie-ke moeder, toch lachte hij even naar haar om zijn bewonde-ring te laten blijken, en dat deed haar weer goed.

Toen zette hij het op een rennen. Gelukkig trof hij de dochter van hun huisarts aan in diens praktijk. Ze wist waar hij heen was en beloofde naar hem toe te gaan en hem direct naar de woning van het gezin Helianos te sturen.

Leda zat in de bouwval te wachten toen Alex terugkeerde, maar ze was allesbehalve vrolijk. Nog voordat hij over het hek was geklommen en de afgebrokkelde muur was gepas-seerd, hoorde hij, nog voor hij haar kon zien, haar zachtjes zijn naam zeggen: 'Alex, Alex, Alex.' Ze stond achterstevo-ren in de nis met haar voorhoofd en handen tegen het pleis-terwerk aan gedrukt, als een slaapwandelaar die in een hoek of achter een deur is beland.

Ze liepen terug naar huis en aangezien hun moeder erg ziek leek, zweeg Alex en bedwong Leda haar tranen.

Kort daarop kwam de dokter, en ofschoon hij niet de juiste medicijnen bij zich had, deed zijn bezoek mevrouw Helianos toch goed: ze viel in slaap en sliep die nacht aan één stuk door, volledig uitgeput. Die avond kwam de majoor pas rond middernacht terug en de volgende ochtend stond hij vroeg op en verliet het huis zonder te ontbijten en zonder dat ze hem te zien kregen.

Mevrouw Helianos moest verscheidene dagen in bed blijven en de kinderen verzorgden haar. Kalter gebruikte zijn maaltijden elders in de stad. Op de tweede dag kwam hij haar in de keuken opzoeken. Van zijn woede was geen spoor meer te bekennen, alsof hij het uit zijn herinnering gewist had. Hij gaf op ernstige, wellevende manier uiting aan zijn goede wil jegens haar en liet blijken dat haar herstel hem ter harte ging.

Het weinige dat hij te zeggen had over Helianos klonk haar bemoedigend in de oren; het was in ieder geval niet kwaadwillend, geen voorbode van rampspoed of openlijk wraakzuchtig. 'U weet toch wel, mevrouw Helianos, dat uw man op buitengewoon uitdagende en beledigende wijze tegen mij gesproken heeft over het Duitse staatshoofd en over onze bondgenoten? Aangezien u niet bepaald een onverstandige vrouw bent, zult u begrijpen dat dit niet straffeloos kan. Een grondig onderzoek naar hemzelf en al zijn vrienden en familieleden is nu vereist.

Uzelf hebt echter niets te vrezen, mevrouw Helianos. U draagt geen schuld aan zijn dwaasheid. Wacht rustig af,' voegde hij eraan toe. 'Als hij zich redelijk opstelt, is het misschien allemaal binnen afzienbare tijd voorbij.'

Mevrouw Helianos' ogen glommen van vijandigheid; ze bevochtigde telkens haar lippen, terwijl haar door haat bevangen lichaam rusteloos woelend op het oude opklapbed lag. De majoor nam er niet de minste notitie van. Het was in feite ook niet meer dan een oppervlakkige gemoedsbeweging: het was niet genoeg om haar een ernstige hartaanval te bezorgen. De schok dat haar man was gearresteerd had voorlopig zelf voor een remedie gezorgd: een soort reductie van lichaam en geest, waardoor er niet genoeg energie overbleef om werkelijke haat of verdriet of angst te voelen, alleen onbeduidende losse gedachten, een wezenloos optimisme en een zo overweldigend gevoel van eenzaamheid dat het beeld van een gedoemde Helianos maar vaag tot haar doordrong. Het leek een goed idee om in bed te blijven en te rusten.

Ze was optimistisch, maar niet bepaald dom. Met dat enigszins cynische intuïtief aanvoelen van wat mensen drijft – wat vrouwen meer eigen is dan mannen – begreep ze dat het de Duitser dwarszat dat hij noodgedwongen in restaurants moest eten of eventueel naar een ander onderkomen moest omzien en naar een ander gezin om bij in te trekken. En dat hij het daarom op dit moment, nu ze zo ziek was, oprecht betreurde dat hij Helianos had moeten arresteren. Ze vroeg zich af hoe ze dit in haar voordeel kon laten werken en bedacht een plan, een typisch vrouwelijk bedenksel: ze moest zo snel mogelijk beter zien te worden en hard werken om het hem nog meer dan eerst naar de zin te maken, en vervolgens weer ziek worden of dreigen te worden. Dat zou hem er uit eigenbelang toe kunnen aansporen om Helianos met de grootste spoed op vrije voeten te laten stellen.

Op de derde dag liet hij een Duitse arts komen. Omdat die onverwacht kwam en in uniform, en haar daarmee schrik aanjoeg, trof hij haar in belabberde staat aan, en om majoor Kalter een plezier te doen nam hij haar geval serieus. Het was een sombere, korzelige man, klein van stuk, maar zijn dokterstas bevatte de benodigde medicijnen en hij maakte indruk op haar door zijn geleerde voorkomen en ze mocht hem. Het was voor het eerst in haar leven dat ze een Duitser graag mocht, nu, nu het te laat was, nu ze ze volgens haar ongekunstelde en terechte mening als vrouw allemaal verachtelijk moest vinden...! Onder de geneesmiddelen die hij haar gaf, waren pillen tegen ondervoeding en hij drukte haar op het hart ze niet aan de kinderen te verspillen, maar hij glimlachte mild toen hij aan de uitdrukking op haar gezicht zag dat ze niet van plan was om zijn raad op te volgen. En dat gebeurde dan ook niet.

Toen stond ze op en hervatte haar bestaan met haar huishoudelijke en haar moederlijke taken min of meer zoals eerst. Het was hard werken: Helianos was er niet meer om te helpen, tijdens haar ziekte waren allerlei taken verwaarloosd en dan was er nog dat plannetje van haar om de majoor gunstig te stemmen door een voorbeeldige huishouding, en in het bijzonder door goed te zorgen voor de kinderen, die lastiger waren dan ooit. Maar juist die dingen betekenden vooralsnog de redding voor mevrouw Helianos, omdat ze haar afhielden van gepieker, verdriet en zelfs het koesteren van hoop. Leda had nu vrijwel dagelijks een nieuw soort huilbui, waarbij ze zich met de armen voor haar gezicht op de grond liet zakken, en iedere ademtocht klonk als een bijna onhoorbaar gejammer. Alex had weer zijn toevlucht genomen tot zijn vroegere wildheid, zijn haat jegens de Duitsers en zijn melodramatische fantasieën. Klaarblijkelijk zag hij de situatie van zijn vader zo zwart mogelijk in en praatte daar met zijn melancholieke zusje over met een vuur dat aan vervoering grensde, zodat zijn moeder zich uiteindelijk gedwongen voelde om hem daar streng over toe te spreken.

Een dag verstreek, en nog een, en ook mevrouw Helianos voelde deels iets van vervoering, onverstoorbaarheid en zelfs een bevrijdend gevoel voor humor. Op een morgen, tegen het middaguur, toen ze alleen thuis was, stond ze voor het keukenraam en keek in de richting van de Akropolis. Ze kon zich niet herinneren wanneer ze daar voor het laatst naar had gekeken, misschien niet één keer in het hele jaar dat de majoor bij hen inwoonde. Ze had geprobeerd het huishouden te doen zoals hij van haar had verwacht en Helianos het haar had aangeraden, en al die tijd had ze zich geen moment gegund voor dat soort dingen. Haar plan om Kalter gunstig te stemmen lukte niet erg, vond ze: hij was te moe en te somber door verdriet over zijn overleden vrouw en zoons om er notitie van te nemen. Ze beeldde zich in dat hij eenzamer was dan ooit, nu Helianos er niet meer was om hem gezelschap te houden; misschien zou dat hem milder stemmen.

Hoe dan ook, naar de duivel met het huishouden nu, zei ze bij zichzelf. Die allesoverheersende, kwaadaardige huurder en die dierbare dwaas van een echtgenoot van haar hadden niet langer zeggenschap over haar. Nu ging ze zich die paar minuten voordat de kinderen thuiskwamen voor hun dagelijkse korst brood eens ontspannen: even nietsdoen en naar hartenlust uitkijken over de daken van Athene.

Ze mocht dan wat beperkt van geest zijn en bij uitstek een gevoelsmens, maar mevrouw Helianos was zeker niet een Griekse van het eenvoudige Balkantype. Ze hielp zichzelf af en toe aan dat onderscheid herinneren en was er trots op. Ze wist genoeg van de Europese beschaving om te weten met hoeveel ontzag men opkeek naar het oude Griekenland en het oude Athene, hoe de hele wereld er schatplichtig aan was en daarvoor erkentelijkheid betuigde. Uittorenend boven het huidige Athene stond daar het belangrijkste nationale monument, waar toeristen uit het buitenland (Duitsers inbegrepen) met duizenden tegelijk naar kwamen kijken: het Parthenon op de Akropolis, een bouwwerk dat ondanks alle oorlogshandelingen nog steeds overeind stond, afstekend tegen het wolkeloze blauw, op een tijdloze rots waar zelfs de almacht van de Duitsers geen greep op had, een tastbaar stuk verleden op een brok eeuwigheid. Nu ze ernaar keek, welden er grote woorden en een gelukzalig gevoel van koppigheid in haar op.

Terwijl ze daar zo stond te kijken, nam ze als vanzelf een houding aan die in fysiek opzicht haar gedachten weerspiegelde. Het was een houding die misschien werd ingegeven door een onbewuste herinnering aan de antieke beelden die ze haar leven lang had gezien (zonder er overigens veel om te geven) of die wellicht louter en alleen een illustratie was van een manier van staan van haar ras die juist de basis had gevormd voor die beeldhouwwerken, een klassieke pose: haar vermoeide, mollig geworden lijf rechtte zich vanaf de hielen en vanuit de heupen; haar hoofd vormde één lijn met haar mollige, maar nog altijd rechte nek; haar vuile, verweerde handen hieven zich ter hoogte van haar uitgezakte boezem, waar net op dat moment een lichte, dreigende siddering aan hartkloppingen doorheen voer, een pijn op de borst die aanvoelde als de naaisteken van een oneindig sterke en onzichtbare naaister.

'Een van de Schikgodinnen,' sprak ze hardop tot zichzelf, 'het schrikwekkende drietal.' Ze vond het niet erg om zo te denken. De tijd om zich niet om haar persoonlijk lot te bekommeren was aangebroken.

De minuten verstreken. Nog altijd keek ze omhoog naar de ruïnes van de citadel en naar de lege tempels, de ene als een enorme doos met een beschadigd deksel en de andere kleiner en minder beschadigd daarachter, van lichte, nog net niet zuiver wit steen; naar de dorre, afgevlakte heuvel die als platform of voetstuk diende en waarvan de steile helling zelfs op dit zonovergoten uur van de dag een donkere aanblik bood; en overal daaromheen, tot in de wijde omtrek, andere heuveltoppen en andere hellingen – omdat het landschap haar zo vertrouwd was, kon ze ze zich voor ogen toveren, ook al waren ze niet allemaal zichtbaar: die grote, omvademende vormen die je door heel Griekenland tegenkwam en waar het zonlicht overheen gleed, wat een ongenadige zomerse aanblik en bleekpaarse weerspiegelingen veroorzaakte.

Vroeger deed Helianos niets liever dan de Akropolis op gaan, 's winters op zaterdag- en zondagmiddagen als de wind niet al te snijdend was, of 's zomers na het avondeten: hij liep dan rond, klauterde omhoog en omlaag, en bezag het geheel met bewondering. Altijd nam hij haar en de kinderen mee, omdat hij zijn gedachten graag onder woorden bracht en daar een gehoor bij nodig had. Ze had zijn enthousiasme voor de rotsachtige, steile heuvel of voor de kale, oude ruïnes zelf nooit erg kunnen delen. Het had haar gestoord dat een monument, dat in het mannelijk denken zo'n glorieuze positie innam, in zo'n vervallen toestand werd gelaten – wat waren mannen toch zinloos en onrealistisch in hun denken, en ondertussen bleven ze maar praten! –, maar ze had geduldig en half instemmend geluisterd naar alles wat Helianos had gezegd, zoals een vrouw betaamt.

Ze herinnerde zich dat hij had gezegd dat hij de heuvel graag bezaaid had gezien met olijfboomgaarden, zodat die helemaal overdekt zou zijn geweest met een wirwar aan golvende takken, zoals het menselijk lichaam van top tot teen voorzien is van gevoelige zenuwen en een oneindige hoeveelheid bloedvaten. Op de grond zouden dan talloze sappige en smakelijke vruchten hebben gelegen, en de geur van olie vulde je neusgaten. En zelfs bovenop, afstekend tegen de hemel, zouden de top en de tempels zelf overhuifd worden door een bleek, dun en beweeglijk bladerdek, als onwerkelijke objecten in een wisselend licht gehuld, als maanlicht te midden van zonlicht.

Mevrouw Helianos vroeg zich af hoe zo'n olijfboomgaard zou kunnen gedijen op die doorgroefde en zongeteisterde top. Was er ooit, daar hoog in de lucht, een zachte laag aarde te vinden geweest? Enigszins oneerbiedig, maar met de nodige genegenheid, dacht ze weleens dat Helianos' kennis van het verleden minder groot was dan hij deed voorkomen, of dat hij maar wat verzon.

Hoe het ook zij, ze gaf nu de voorkeur aan de schitterende top zoals die was: kaal. Niets dan rots en nog eens rots, zonder zenuwen, zonder vlees op de botten, zonder zachte bedekking, zonder netwerk van aderen. Zoals het er nu uitzag leek het ook beter te passen bij 1943: een voorteken, een gunstig voorteken, zo gunstig als verwacht kon worden in het Griekenland van 1943. Iets ergers had zich in geen eeuwen voorgedaan en nog altijd stond de heuvel daar! Het was een schrale troost, maar niettemin een troost voor mevrouw Helianos.

Ze herinnerde zich ook andere dingen die Helianos haar had verteld. Op de een of andere manier raakte zijn afwezigheid aan een segment van haar geest waarin grote delen van wat hij had gezegd bijna letterlijk waren opgeslagen, zoals bij een spons die alles opzuigt, zelfs dingen waar ze destijds geen woord van begrepen had, zoals de levenswijze en onbarmhartige mythologie van de duistere prehistorie, en filosofische opvattingen uit langvervlogen tijden. Zijn theorieën over de oude Griekse architectuur, bijvoorbeeld – in het bijzonder over de oude tempel van Pallas Athene die was leeggehaald en opengebroken om de hemel boven Athene te laten zien. De tempel had een menselijker karakter dan alle andere bouwwerken, zo zei hij haar. Naar zijn mening was dat het mooie eraan: het werkte geruststellend op de menselijke geest en voor het menselijk oog.

'Ze hebben hem voor ons op maat gemaakt,' zei hij, 'zoals een stoel of een bed goed aanvoelt als je moe bent. Zoals de omhelzing door een man zich naadloos voegt naar de geliefde vrouw die hij in zijn armen sluit – weet je nog, toen we jong waren? Zoals een moederarm het kwetsbare kind omsluit en haar borst zich voegt naar de gulzige mond – weet je nog, toen de kinderen nog klein waren?'

Vroeger lachte ze hem uit als hij zo sprak, wees hem terecht en zei dat ze zich niets van dat alles kon herinneren. Maar nu ze gedreven werd door eenzaamheid en zich zijn stem zo duidelijk voor de geest kon halen alsof ze hem hoorde, nu herinnerde ze het zich.

'Maar weet je, schoonheid is niet alleen gevoel,' zei hij, 'het is ook wiskunde en psychologie. Het is er omdat de aanblik van het Parthenon overeenkomt met wat we via onze andere zintuigen en andere gevoelens ervaren: alles komt erin samen. We zien de verhoudingen en voelen tegelijkertijd de verhoudingen van ons eigen lichaam en merken de overeenkomst: daarom is het een feest voor het oog, precies zoals onze voeten bij het dansen genieten van de muziek.

Tijdens het dansen voelen we de klanken, horen we de beweging, en architectuur, onze Griekse architectuur, werkt net zo. Zelfs als we er van een afstand naar kijken, reageren we erop alsof we het bouwwerk aanraken, omdat dankzij gelijkenis en ratio – ratio is iets wonderbaarlijks! – het ons bewustzijn versterkt van de relatie tussen alle delen van onszelf.'

'Ratio is iets wonderbaarlijks' was een van zijn geliefde uitspraken: het was eigenlijk de enige uitroep waarbij hij zijn zachte stem verhief. Van zijn uitweidingen over architectuur begreep mevrouw Helianos altijd het minst en haar neiging om erom te lachen was dus groot. Daar stond tegenover dat hij hier het liefst over sprak – er kwam een speciale glans in zijn mooie ogen, hij koos zijn buitenissige bewoordingen langzaam en liet de mooiste zinnen resoneren –, zodat ze uiteindelijk altijd haar lachen had weten in te houden.

Ook hun gestorven zoon Cimon had zijn vader graag horen praten, maar dat had, zoals hij zijn moeder op een dag had toevertrouwd, alleen maar te maken met het oplichten van diens ogen, zijn dierbare stem en de betoverende woordkeuze; begrijpen deed hij het evenmin. Ze maakten samen grappen over zijn gebruik van 'wij' – 'wij voelen' en 'wij reageren' en 'wij geloven' –, terwijl ze nauwelijks begrepen wat hij allemaal zei. Er was een innige, stilzwijgende overeenkomst geweest tussen haar en de goedhartige en zachtaardige Cimon. Hij had het meest van haar gehouden en zei soms: 'U bent de meest intelligente, moeder. Vader is een en al kennis en mooie woorden.'

Nee, dacht ze nu, Helianos had ongetwijfeld toch in alles gelijk gehad. Ze was in haar ongekunsteldheid niet dommer dan andere vrouwen en had mogelijk al die dingen wel degelijk gevoeld zoals dat volgens hem in de menselijke aard besloten lag en zoals hij van haar verwachtte. Dat het allemaal zo moeilijk te doorgronden en zo onzinnig leek, kwam misschien niet door wat hij zei, maar door hoe hij het zei: alsof hij haar alleen maar had willen overdonderen in plaats van een serieuze uitleg van iets te geven. Of architectuur nu wel of niet alle kanten op danste, dat ging in ieder geval wel op voor zijn zinnen.

Of misschien was het toch onzin en waren het niet meer dan typisch mannelijke bedenksels, een vorm van vertier voor het mannelijk brein, boordevol kennis maar zonder duidelijk doel.

Maar het deed er nu niet meer toe! De herinnering aan dit alles gaf haar immers een gevoel van belangrijkheid en intellectuele visie, en voor haar was er niets plezierigers ter wereld: dit was het enige opvallende aspect van haar leven dat haar restte. Was het niet bijzonder, riep ze in gedachten uit, helemaal opgewonden en verrukt, dat een doodgewone vrouw uit Athene onder deze omstandigheden – een vrouw zonder vooruitzichten, verslagen en zonder hoop, vermoeid en verslonsd, dik maar uitgehongerd, met hartklachten, met pijn in haar hele lijf, verhit, bezweet en ongewassen – ondanks alles toch nog een hoofd vol weelderige, buitenissige woorden heeft, die in haar geheugen weergalmen, nadat haar man ze lang geleden tot klinken heeft gebracht?

Korte tijd nam een lichte geestelijke vervoering bezit van haar, zodat het leek alsof het keukenraam, dat haar onzekere, ongelukkige donkere gestalte omlijstte, groter was geworden en een betere verhouding tussen hoogte en breedte had dan in werkelijkheid; het was ook alsof er een zoetere geur in de lucht hing dan de uitwaseming van de gedoemde straten van Athene toeliet en er een draaglijker warmte heerste dan op dit middaguur mogelijk was. Toen draaide ze zich met een zucht om naar haar vuile keuken en hervatte lijdzaam haar werkzaamheden.

's Avonds lag ze wakker in het keukenbed – bijna comfortabel, nu haar dierbare, maar omvangrijke man niet naast haar lag, comfortabel en beangstigend – en probeerde te bedenken wat ze kon ondernemen om hem uit de gevangenis te krijgen. Hij zat nu langer dan een week in gevangenschap. De eerste dagen waren gemarkeerd door huilbuien, hartkloppingen en flauwtes; vervolgens had ze zich een paar dagen niet meer dan een leeg omhulsel gevoeld, zonder een enkele gedachte, hulpeloos; en nu was er weer een dag voorbij, vol herinneringen aan wat een geweldige man het was en wat een grootse, duistere en diepzinnige dingen hij had gezegd. Morgen zou de zevende, nee, de achtste dag aanbreken, en ze voelde zich sterk genoeg om iets te ondernemen; kon ze nu maar iets bedenken.

Moest ze de Duitsers gaan uitleggen dat haar Helianos een braaf en oplettend man was, totaal anders dan zijn neven met dezelfde naam; een man die week voor de feiten, voor sterkere machten en voor het lot, niet alleen nu het Duitse juk hem daartoe dwong, maar zijn leven lang, aangezien het zijn aard was; een ongevaarlijke, belezen, maar over het geheel genomen naïeve man, die bovendien zijn beste tijd had gehad en de moeite van hun aanklacht en berechting niet waard was; een goede en gedienstige bediende en huisknecht, die zijn ervaring had opgedaan onder majoor Kalter en die, als majoor Kalter niet langer gebruik van hem wenste te maken, het een andere Duitse officier goed naar de zin zou kunnen maken? Dat was allemaal waar, maar ze was te trots geworden om het te zeggen, te trots of te lijdzaam, of wat dan ook.

Misschien, dacht ze in een bitter ogenblik van zelfkritiek, terwijl ze haar beurse hoofd van de ene kant van het bed naar de andere heen en weer draaide, haar kussen met haar vuisten bewerkte en de slaap voelde opkomen – ze schaamde zich om te slapen terwijl Helianos gevangenzat –, misschien was ze gewoon te lui geworden! Ze wilde niet voor zichzelf toegeven dat ze de hoop begon te verliezen.

Wat ze ook niet deed: ze dacht niet aan haar broer en maakte al evenmin plannen om te proberen te achterhalen waar hij was, en als hij contacten onderhield met de Duitsers, om een beroep op hem te doen om Helianos te helpen. Omdat Helianos zo'n hekel aan hem had, had ze daadwerkelijk besloten om in gedachten te doen alsof hij dood was. Hij verscheen weleens in vage dromen, maar als ze wakker werd, maakte ze ervan dat het iemand anders was geweest.

Met een schok ontwaakte ze en zag zich geconfronteerd met nog een vraag. Moest ze Helianos' neven niet eens opzoeken en hun om hulp vragen? Er was weliswaar geen twijfel over mogelijk dat die hele door boosheid gedreven, arrogante, hopeloos heroïsche bende minachting had voor haar man, maar misschien hielpen ze toch: het bloed kruipt immers waar het niet gaan kan. Maar ze huiverde alleen al bij de gedachte aan het hele stel. Ze hadden inmiddels waarschijnlijk hun toevlucht moeten zoeken tot ongewettigd en zelfs misdadig geweld, door in het wilde weg van alles en nog wat op te blazen en in brand te steken en zelfs te moorden, allemaal voor hun idealen. Zo ging dat nu eenmaal in het verzet, had Helianos lang geleden tegenover haar toegegeven, ook al droeg hij zijn familie een warm hart toe. Ze had ook schokkende verhalen gehoord, nu ze er zelf op uit moest voor boodschappen en zo met andere Atheners in contact kwam. Ze was er ondertussen niet eens meer zo van onder de indruk.

Inmiddels deed een nog erger verhaal de ronde: gedreven door een onstuitbare drift waren de mannen van het verzet ook onderling slaags geraakt. Zij gaf de Duitsers de schuld. Op een avond had ze vanuit haar schuilplaats Kalter waarschuwend tegen Helianos horen zeggen dat dat precies hun opzet was... Hoe dan ook: die opstandige familieleden konden haar vreedzame, onschuldige Helianos niet helpen in zijn huidige benarde toestand, zijn onvoorziene opsluiting. Als een van hen of een van hun medestrijders zich met de zaak zou bemoeien, zou dat Helianos' einde betekenen. Het zou voor de Duitsers juist het bewijs zijn dat ook hij een door agressie gedreven, hopeloos heroïsche man was: het zou niet meer dan terecht zijn, zijn arrestatie en opsluiting, of erger – zoveel erger dat ze bij de gedachte alleen al zo beefde dat het opklapbed onder haar schudde.

Maar zoals het er nu voor stond, zo stelde ze zichzelf gerust, was er toch eigenlijk geen reden om te denken dat de Duitsers Helianos niet binnen een paar dagen vrij zouden laten en naar huis zouden sturen. Ze zouden zichzelf toch belachelijk maken als ze dat niet deden? Maar wat als ze het nu niet zouden doen? Als hij nooit meer thuis zou komen? Met felle pijnscheuten die door haar ziekelijke borstkas joegen onderging ze een kort, bijna tastbaar gevoel van angst, dat de vage vormen aannam van dingen om haar heen: duistere, nachtelijke schimmen, de bedorven lucht van de keukenslaapkamer. Ze schudde haar hoofd, probeerde het niet te zien en weg was het. Ze snoot haar neus, schudde haar kussen op, trok de beddensprei tot over haar hoofd en het gevoel was verdwenen.

Het was belachelijk: de Duitse bezetters waren toch geen goden? Ze konden toch niet zomaar dingen doen alleen om mensen versteld te doen staan of voor de uiterlijke schijn? Ze wilden toch zeker dat hun overwinning standhield en vruchten zou afwerpen? Daar zou weinig van terechtkomen als ze belachelijke fouten begingen zoals het verkeerd beoordelen van mensen als Helianos en het oppakken van iedereen die per ongeluk iets verkeerds had gezegd!

Zo kregen haar optimisme en verbeeldingskracht haar opnieuw in hun greep en losten op in een droom, om vervolgens met een schok weer tot leven te komen. Maar of ze nu waakte of sliep, dacht of droomde, ze dicteerden haar gedachten, de hele verdere nacht lang.

12

Er verstreken een paar dagen. Dikwijls speelde haar fantasie haar parten, niet in de vorm van zelfbedrog, maar wel met een onbeheersbaar en ontmoedigend effect. Zo stond ze een keer midden op de dag voor het keukenraam uit te rusten en kon de pijnlijke, feitelijke omstandigheden van het moment niet anders dan in de zwartste termen zien. Ze kon of wilde geen enkel soelaas vinden in herinneringen aan het verleden en denken aan de toekomst was onmogelijk.

Wat had de toekomst haar te bieden, uitgeput en ziek als ze was? Ze kon alleen maar denken aan de komende dagen of weken die het nog zou duren voordat Helianos weer naar huis kwam. Wat had ze ooit begrepen van het verleden, het antieke verleden van Hellas? Niets, helemaal niets; ze had alleen belangstelling geveinsd om hem te plezieren. Het verleden was zíjn tijdverdrijf geweest en tevens zijn zwakte, bedacht ze met enige verbittering en almaar toenemende spanning. En wat had hem dat opgeleverd, afgezien van sentimentele gevoelens en een zinloze geleerdheid? Brokstukken van tempels, een dode godsdienst, een ondoorgrondelijke toneelkunst en zinloze, wrede mythen. De mythen van vandaag de dag, zo herinnerde ze zich zijn uitspraak, waren veel zinlozer.

Ze bieden geen hulp, geen toevlucht; haar Hellas was het

tegenwoordige Athene, en wat had dat nog te bieden, wat was daar nog van over? Stof, stank, uitputting, walging, angst, voortdurende angst, en bedelaars en kadavers. Ze kon niets anders verzinnen om aan te denken, niets wat de moeite waard was. Het ergst van alles was wat de kinderen nu overkwam. Haar wildebras van een zoon en haar achterlijke dochter waren veel beter af dan het gemiddelde kind! Als gezin kenden ze niet echt armoede. Wat een geluk dat er een Duitse majoor bij hen inwoonde! Daardoor hadden ze immers iedere dag van hun leven met grote regelmaat iets te eten. Ze waren niet afhankelijk van het Rode Kruis.

Het Rode Kruis had niet genoeg melk of medicijnen om uit te delen, en daarom was besloten om het sterkste kind uit arme gezinnen, het kind dat de beste overlevingskansen had, eruit te pikken en zich daarop te concentreren. En dus was in de allerarmste gezinnen een niet eerder vertoonde onrechtvaardigheid en ongelijkheid zichtbaar: één uitverkoren gelukskind te midden van broertjes en zusjes met holle ogen, slappe, opgezwollen buiken, uitgemergelde armen en benen, langzaam uitdrogend en stervend. Er was niets aan te doen. Men kon het zich niet permitteren iets aan de niet-uitverkoren kinderen weg te geven. Het gerucht ging dat men de voorkeur gaf aan meisjes, omdat na de oorlog één man op meerdere vrouwen genoeg was om een nieuwe bevolkingsaanwas te garanderen.

Die ochtend op het marktplein had er vlak voor mevrouw Helianos een vreemde arme vrouw in de rij gestaan. Een andere arme vrouw was aan komen lopen en was brutaalweg voorgedrongen, waarop de eerste vrouw had geprobeerd haar met verwensingen weg te jagen. Maar opeens bedacht ze zich, werd rustig en deed deemoedig een stap naar achteren. Ze verklaarde aan iedereen die het horen wilde dat ze nooit voordrong en zelfs vond dat ze niet kwaad mocht worden op wie dat wel deed, omdat ze een gelovige vrouw was.

Ze was jong, maar zag er oud uit. Mogelijk was het een zigeunerin. Ze had een onsympathieke, loerende blik en de donkere huid stond bij haar neus en jukbeenderen zo strakgetrokken dat hij wel koper leek. Ze droeg een haveloze, donkere doek op klassieke wijze, niet over haar voorhoofd, maar losjes over haar hoofd gedrapeerd en langs haar gezicht afhangend, haar wangen vrijlatend, waarbij het uiteinde op een schouder was vastgezet met een puntig stokje in plaats van een speld.

'Ik ben een gelovige vrouw. Iedere dag bid ik voor mijn kindertjes die zullen doodgaan,' had ze tegen mevrouw Helianos gezegd nadat ze zich had omgedraaid. 'Ik bid dat ze sneller zullen doodgaan.'

Mevrouw Helianos had zich vol medelijden getoond en zei mild berispend dat ze niet zo moest wanhopen.

Waarop de vrouw had geantwoord dat de dood het enige vooruitzicht was dat in aanmerking leek te komen om voor te bidden.

Ze sprak met krakende stem, als een orakel, en keek met een lege blik om zich heen; ze vergat mevrouw Helianos en draaide haar de rug toe.

'Ik heb één kind dat niet zal sterven,' had ze daarna op opgewektere toon gezegd, tegen niemand in het bijzonder, in de leegte voor haar. 'Mijn jongste zoon, die melk en medicijnen krijgt van het Rode Kruis. Het is een taai kind, een echte vechter; voor hem hoef ik niet te bidden.'

Toen had ze gezwegen en zich volledig aan haar boodschappen gewijd. Maar blijkbaar waren de woorden van mededogen van mevrouw Helianos blijven hangen en ze was met het weinige dat ze had gekocht teruggekomen om het haar te laten zien: ze was beter geslaagd dan anders.

'Weet u, het is helemaal niet fijn als ik het geluk heb dat ik iets te eten heb gevonden,' had ze gezegd, 'want dan moet ik mijn Rode Kruis-kind apart te eten geven, omdat hij zoveel sterker is dan zijn oudere broer en zus; hij neemt meer dan hem toekomt.'

Met een angst voor de toekomst die zoveel moeders eigen is en die soms het enige is wat ze aan verbeeldingskracht hebben behouden, vroeg mevrouw Helianos zich af: hoe zullen ze zijn als ze volwassen zijn, deze sterke, melkdrinkende en vitamineslikkende kinderen, die aan de hongerdood zijn ontsnapt door een afschuwelijke bevoorrechting en een eetlust die ten koste is gegaan van hun broers en zussen? Dit is een overleven van de sterkste op de slechtst denkbare manier. Maar ze hadden in dit geval geen keuze, net zomin als het Rode Kruis of Griekenland zelf. Een nieuwe generatie, klein in aantal, moet wel zo worden grootgebracht – een minderheid van kleine, moordzuchtige varkens aan de trog van het Rode Kruis, een stel kleine wolven die zich voeden met de karkassen van hun soortgenoten –, of er is helemaal geen nieuwe generatie meer, geen enkele Griek.

Ondertussen, zo overpeinsde mevrouw Helianos, maakten de mannen en vrouwen van haar eigen generatie van hun leven wat er nog van te maken viel: de goede Grieken werden slaven en de moedige Grieken werden bandieten, brandstichters, bommengooiers en moordenaars. Helianos was, voorzover zijn vrouw wist, de enige man in Athene die de middenweg had weten te bewandelen, en nu had dat stel idioten hem aangehouden, uitgerekend hem!

Maar goed, over een paar dagen zouden ze meer dan genoeg hebben van al dat straffen, onderzoeken en berispen, en dan zouden ze hem wel laten gaan. Het zal een arme, zachtmoedige man op leeftijd als hij wel allemaal buitengewoon zwaar vallen. Gelukkig was hij inmiddels wel wat gewend aan moeilijke omstandigheden. Hij zou er wel overheen komen: van echte tragiek was geen sprake, als je zag wat zich in het Griekenland van 1943 aan tragedies afspeelde. Het zou niet lang meer duren, zo hield mevrouw Helianos zichzelf nadrukkelijk en manmoedig voor. Desondanks zorgde het ervoor dat ze de Duitsers voor de rest van haar leven zou blijven haten.

Vaak speelde het door haar achterhoofd: haat. Het was iets wat ze nooit eerder had ervaren; iets zat daar te mompelen, te snauwen, in zichzelf te praten – het waren natuurlijk haar eigen gedachten, althans voor een deel. Ze bedacht zelf wat er gezegd werd, maar het leek apart te staan van de rest van haar gedachten, op geringe afstand van de rest maar wel luider, en het ging zonder onderbreken door: ze kon het nauwelijks bijhouden of precies begrijpen. Het vormde een aanklacht tegen de Duitsers, niet alleen voor wat ze deden, hadden gedaan en gingen doen, maar ook voor wat ze waren en zelfs voor hoe ze eruitzagen.

Het *Herrenvolk*, zei het haatdragende deel van haar denken – het bevatte een heleboel Duitse woorden, woorden die ze in de kleerkast had opgevangen, grote woorden uit Kalters mond, die ze keer op keer herhaalde als magische spreuken, die door zijn hamerende manier van spreken dwars door de scheidingswand heen als in haar geest gebeiteld stonden –, het Herrenvolk had krachtige kaken doordat ze almaar tandenknarsend rondliepen en enigszins vormeloze monden met gebarsten lippen door het niet-aflatende bevochtigen van hun lippen. Hun scherpe neuzen stonden niet helemaal recht in hun bleke gezichten en tussen hun holle wangen. Hun kleine blauwe ogen hadden niets varkenachtigs, maar deden wel aan een ander klein dier denken. Dat hun ogen zo klein waren, had hun uiterlijk als geheel iets melancholieks of deemoedigs kunnen verlenen, ware het niet dat er eerzucht en wreedheid in blonken en blikkerden. Kijk uit voor eerzucht en wreedheid, *Achtung*, pas op! zei de ongetemde kant van haar denken.

Het vulde haar geheugen met onaangename details, zoals de manier waarop hun kaken, lippen en tongen druk in de weer waren als ze aten en de manier waarop hun mond en kaken welbespraakt woorden vormden als ze uitleg gaven over hun *Weltanschauung* of prat gingen op hun superieure manier van oorlogvoeren – *Wehrmacht* – of hoogdravend gewag maakten van hun harde lot – *Schicksal* – en huiverden als ze het hadden over hun Duitse onsterfelijkheid – *Ewigkeit*. Dat bracht haar een bizar moment lang op de gedachte om een van hen te wurgen. Ze stak haar handen als in een reflex voor zich uit: haar vingers stonden stijf gekromd, haar duimen waren onbeweeglijke haken en stonden strak als een tang. Ze keek ernaar en voelde weerzin dat dat beetje gewelddadige energie zo aan lege lucht verkwist werd.

Het leidde tot zinloze observaties van haar kant waar het kenmerken betrof van de Duitse volksaard, zoals hun verlangen om zowel gevreesd als geliefd te zijn (en dat waren ze ook) en hun vastbeslotenheid om zowel wetenschappelijk als mystiek te zijn (en ook daarin waren ze succesvol).

Haar zintuigen werden erdoor bedrogen met onplezierige indrukken, zoals hun specifieke aroma, waarvan zelfs een vlaag tot haar doordrong nu ze voor het open keukenraam stond, de lichaamsgeur van Kalter. Vroeger was het de muskusachtige uitwaseming van Evridiki geweest die in de keuken hing, maar nu was het zijn olieachtige geur en ze voelde zich misselijk worden.

Ze kreeg het morbide gevoel besmeurd te zijn, en ze keerde zich van het raam af en liep naar de gootsteen, maakte haar trillende handen en verhitte gezicht nat en wreef ze overdreven hard schoon. Omdat ze alleen maar een paar handdoeken voor de kinderen had, liep ze terug naar het zonovergoten raam en hield haar hoofd achterover en haar vingers gespreid om ze in de zon te drogen. Maar ze kon het olieachtige aroma nog altijd ruiken en ze voelde zich nog steeds misselijk.

In feite waren het natuurlijk niet de Duitsers in het algemeen of Kalter in het bijzonder die haar misselijk maakten. De werkelijkheid lag anders, en dat wist ze. Wat haar misselijk maakte was haar eigen haat en het feit dat ze het beu was dat ze door diezelfde haat werd beheerst, aan dingen werd herinnerd, werd misleid en voor gek gezet. Het was allemaal zo dwaas en kinderachtig en het ging zo snel dat ze zich er later maar een fractie van kon herinneren.

Ze probeerde zich van deze gedachtestroom los te maken. Ze wist wat het was: het was de stem des tijds, de Zeitgeist, zoals ze hardop tegen zichzelf zei, waarbij ze het woord met een scherpe ts-klank uitsprak. Tot op heden, tot aan deze bittere week, was ze een goed mens geweest, hield ze zichzelf vol trots voor. Haar gedachten waren tot nu toe altijd zuiver geweest: nooit eerder had ze een vervloekte Zeitgeist tot spreekbuis gediend! Het vervulde haar met schaamte en vrees. Ze gaf de voorkeur aan haar normale gemoedsgesteldheid: gelatenheid en zelfmedelijden. Ze had, zo meende ze, veel liever de gewone rampspoed; die was tenminste tastbaar. Terwijl deze stem van haat, die haar slechts half toebehoorde, krankzinnig klonk en tegen haar wil indruiste. Als die stem zich verhief, kon ze zich er niet tegen verzetten, moest ze ernaar luisteren en voelde ze hoe ze met hart en ziel meegesleept werd.

En ook haar hart, vervuld van afkeer, verzette zich en deed haar naar de andere kant doorslaan. In haar uitputting, waarbij nog die ingebeelde stank en ingebeelde bezoedeling kwamen, welden de tranen onstuitbaar op in haar ogen en klonk er uit haar mond een snik. Zo stond ze voor het keukenraam te huilen in de warme zonneschijn.

Ze schaamde zich net zo erg voor haar huilen als voor haar haat. Een ongecontroleerde emotie, een bij vlagen hysterische germanofobie, aanval na aanval, of eigenlijk aanvallen die elkaar versterkten: het was verspilling van tijd en energie, nu haar Helianos gevangenzat en er niets gebeurde. Ook dat vergieten van tranen en zacht weeklagen was de Zeitgeist! Nog zo'n fascinerende val van Duitse origine, waar waarschijnlijk iedereen ter wereld wel een keer in trapte. Opnieuw werd ze gegrepen door verontwaardiging; met haar vuile mouw droogde ze haar tranen en probeerde haar kortademige gesnik een halt toe te roepen door haar tanden opeen te klemmen en haar adem in te houden, en ze nam zich voor niet nog een keer in die val te lopen. Geen traan zou ze meer laten!

Wat had het immers voor zin? Het liet de mannen die Helianos gevangen hadden gezet koud, het richtte niets uit tegen de vijand, het hield de bezetter niet tegen. Het leek wel of zelfs die germanofobie op de een of andere manier in het voordeel van de Duitsers kon uitpakken. Misschien kon een Duitser als Kalter in zo'n houding volharden – tegen de joden over de hele wereld, tegen Aziatische Russen, tegen achterlijke Grieken –, maar niet als je een van nature goede Griekse was. Dan was hij plotseling weg en schaamde je je ervoor en werd je er misselijk van. Dan maakte die je aan het huilen totdat je volkomen uitgeput terneer lag, terwijl Helianos nog altijd hulpeloos gevangenzat.

Het loste niets op. Niet dat ze als eenvoudige, aan emoties overgeleverde vrouw wist wat de oplossing was, maar ze wist in ieder geval dat emoties haar niet zouden helpen. Kalter zou het niet deren; het zou hem niet eens ongemak bezorgen. Ze bedacht dat Kalter haar dat moment van ontspanning bij het keukenraam niet zou misgunnen; het zou zelfs kunnen dat hij zich erdoor gevleid voelde. Stel dat ze een paar minuten vol onmacht en vijandigheid stond te tieren, om die emotie vervolgens in een paar minuten vol walging en in verwarring weg te laten ebben, wat zou Helianos daarmee opschieten? Nu ze erop terugkeek – nog voor het goed en wel voorbij was – kwam het haar voor dat ze al haar zelfrespect verloren had.

Omdat ze zo onuitsprekelijk eenzaam was in haar verlangen naar Helianos, probeerde ze haar blik nogmaals te richten op de afgevlakte, dorre rots met zijn onveranderlijke oude tempel, omdat die hem zo dierbaar was – het nationale monument van Griekenland en het handelsmerk van Athene, dat niet alleen toeristen, maar ook hem in verrukking bracht –, maar omdat ze er tot dan toe niet in geslaagd was met huilen op te houden, zag ze alleen een schimmige, onduidelijke vlek, waardoor ze zich eenzamer voelde dan ooit.

Het was begin juni, maar zo direct in de zon was het volop zomer – een zomer die van de hellingen van de Akropolis gleed, vagelijk groen met vage, purperen schaduwen, een zomer die kriebelde in de kleine zweetdruppels op haar voorhoofd en bovenlip, een zomer die de beschamende tranen op haar wangen droogde – en desondanks was ze steenkoud. Dat afgeleefde hart van haar pompte nauwelijks meer bloed door haar aderen. Hoe lang had ze daar gestaan (tien, vijftien minuten, ze wist het niet), starend naar die vaag in groen en purper gehulde heuvel zonder hem te zien, verblind door haar wanhopige gedachten of flarden van gedachten? Ze had niet alleen staan huilen als een idioot, ze had ook hardop tegen zichzelf staan praten en nu was ze in haar dwaasheid alweer vergeten wat ze zichzelf had horen zeggen.

Haar geduld met zichzelf was op: ze wendde haar blik af, trok boos de gordijnen dicht en ging in de verduisterde keuken aan de slag. Ze warmde wat soep op (voor meer dan de helft water) als middagmaal voor de kinderen en ging op het bed gelaten zitten wachten totdat ze van de straat naar boven zouden komen. Ze hadden de honger zo goed leren verdragen dat ze meestal niet veel trek hadden...

Het was Kalters schuld. Opeens zag ze weer voor zich hoe hij na de arrestatie van Helianos de deur van de woonkamer, haar eigen woonkamer, voor haar neus op slot had gedaan, en in een heftige opwelling sprong ze op, rende zonder ergens op te letten de keuken uit, de gang door, trok de sleutel uit de deur, ging ermee terug naar de keuken en wierp het ding het raam uit.

Haar hele wezen deinsde terug voor dit lachwekkende gebaar, dat zinloze ritueel en symbool, zo'n kinderachtigheid! Ze had het nog niet gedaan of ze voelde de schaamte al opkomen en ze was vastbesloten om, haar vermoeidheid en af-geleefde hart ten spijt, naar beneden te gaan, de straat op en de sleutel op zijn oorspronkelijke plaats terug te leggen. Ze leunde lange tijd ver voorover uit het raam in de hete zon; ze wist niet waar de sleutel terechtgekomen was en zocht te-vergeefs de stoep en het wegdek af, terwijl het felle zonlicht en het bloed dat naar haar hoofd steeg door het voorover-leunen vlekken voor haar ogen toverden.

Toen kwamen de kinderen terug van het spelen; ze schaam-de zich, zei niets over de sleutel en vergat naar beneden te gaan om er zelf naar te zoeken.

Majoor Kalter deed de deur van de woonkamer vrijwel nooit op slot ('Alleen maar als hij iemand arresteert,' zoals Alex tegen Leda zei...). Maar de volgende ochtend merkte hij bij toeval dat de sleutel verdwenen was en dat beviel hem niet.

Mevrouw Helianos was in de keuken en hoorde hoe hij op de gang Alex er korzelig van beschuldigde dat hij de sleutel had gepakt om ermee te spelen. Het is weer het oude liedje, en dat terwijl meneer zogenaamd zo veranderd was! dacht ze bij zichzelf, en ze voelde alles in zich samentrekken alsof ze op het punt stond te gaan lachen of huilen. Het was zijn ver-keerde stem, een stem als een beitel, voortgedreven door een humeur als een hamer. Dit was onverdraaglijk!

Ze kwam de gang in gelopen. Daar stond de somber ogen-de officier met zijn gezicht in haar richting, uittorenend bo-ven de kleine jongen, die met zijn rug naar haar toe stond. Met één blik wist ze dat het weer begonnen was, hun oude, vertrouwde, hachelijke antipathie: de Duitser hield zijn hoofd vooruitgestoken en zijn kleine ogen vonkten, en Alex pro-beerde in een verstarde pose zijn kalmte te bewaren, terwijl hij volhield onschuldig te zijn – waarvan mevrouw Helianos nu eens een keer zeker wist dat het de waarheid was. Terwijl ze dichterbij kwam, wierp Alex haar over zijn schouder een wanhopige blik toe. Ze zag tevens hoe de Duitser zijn grote hand geagiteerd langs zijn zij bewoog en tot een vuist begon te ballen.

Met zes grote passen was ze bij hen, sloeg haar arm om Alex, trok hem opzij en ging tussen hen in staan; met gespreide armen stond ze pontificaal voor de majoor, als een hen tussen haar kuiken en de havik, en voor het eerst en het laatst voer ze in alle hevigheid tegen hem uit.

'Majoor Kalter, waarom schreeuwt u zo tegen Alex?! U bent de sleutel kwijt, maar wat dan nog? De man des huizes is er nu niet meer, dankzij uw opvliegendheid en domheid. Natuurlijk gaan er dingen verkeerd, raken er dingen kwijt. Niemand van ons heeft die verdraaide sleutel van u aangeraakt, zeg ik u. Het is vervelend dat u hem kwijt bent, we zullen hem zoeken of een nieuwe halen, maar wilt u niet meer schreeuwen?!

Wilt u eraan denken, majoor, dat het mijn eigendom is, die sleutel die u zegt kwijt te zijn? U hebt mijn zoon er niet van te beschuldigen dat hij hem gestolen heeft. Dit is mijn huis en ik wil hier geen ruzie tussen u en Alex.'

Het was een beangstigend en uitzinnig moment. Leda was wakker geworden van de snerpende stem en helemaal in paniek in de deuropening van de slaapkamer verschenen en struikelde over de drempel met een spookachtige gil. Alex ontworstelde zich aan zijn moeders greep en wierp zichzelf opnieuw tussen haar en Kalter in om de klap af te weren die de Duitser haar naar alle verwachting zou gaan toedienen. En ook zijzelf kromp onwillekeurig ineen: nog terwijl ze sprak, besefte ze dat ze nu het ergste kon verwachten.

Maar er gebeurde niets. Haar gezond verstand en haar zenuwen hadden het begeven; ze was onvoorzichtiger en brutaler geweest dan ooit, maar tot haar verbazing had het gewerkt. Ze zag het gezicht van de Duitser rood worden, ze zag hoe hij zijn vuist ontspande en liet zakken, ze zag zijn Duitse gezag en mannelijke kracht aarzelen, een seconde lang wankelen en toen wijken. Er kwam niet eens een woord over zijn lippen. Er verscheen een wat schaapachtige grijns op zijn gezicht en hij draaide zich abrupt om en ging de woonkamer in.

Hij was nog niet weg of mevrouw Helianos greep Alex bij zijn schouders, draaide hem naar zich toe en gaf hem te verstaan dat hij Leda moest helpen opstaan en met haar naar buiten moest gaan, weg van deze plaats des onheils, om haar te kalmeren. Alex stond helemaal te trillen, maar het was duidelijk dat de merkwaardige nederlaag van de majoor hem niet ontgaan was; mogelijk dat zijn zesde zintuig hem ook zei dat er iets niet klopte aan wat zijn moeder over de sleutel had geroepen. Op het moment dat Leda en hij de voordeur uit liepen, draaide hij zich om en schonk haar in een flits een brede grijns. Een paar minuten later vertrok ook de majoor, op weg naar het hoofdkwartier, met een kalm 'Tot ziens, mevrouw Helianos'.

Het was een wonder, zei ze bij zichzelf. Maar ze kon een huivering niet onderdrukken toen ze eraan terugdacht hoe Kalter net was teruggekeerd, in rouw gedompeld en uitgeput, hen vriendelijk had toegesproken en zich over het algemeen wat menselijker had gedragen, en hoe Helianos en zij dat in hun dwaasheid een wonder hadden genoemd, waarna hij vervolgens in een nieuwe driftaanval Helianos een pak slaag had gegeven en hem in de gevangenis had laten gooien!

Welnu, ditmaal zou ze hem niet vertrouwen, ook al was het nu wel wat geloofwaardiger dan eerst, zo hield ze zich voor. Die andere keer had het wonder vooral bestaan dankzij Helianos' betoverend zachtmoedige optreden, en Helianos was een buitengewoon charmant mens. Maar aan haar gedrag was niets charmants geweest: ze was als een klein kind zo hatelijk en stout geweest, ze had de waarheid verzwegen, erger nog dan Alex, en ze had staan schreeuwen als een viswijf!

Dat waren vreemd genoeg de voorwaarden geweest waardoor haar geestkracht het op onverklaarbare wijze had weten te winnen van Kalters tirannie en fysieke overmacht. Op een of andere manier was de geestkracht van die grote brute kerel daadwerkelijk gebroken, zijn ego ondermijnd, zijn gezond verstand aangetast en zijn energie weggeëbd. Misschien was dat wel wat er achter dat laatste brute en onrechtvaardige optreden tegen Helianos zat: een laatste opleving van zijn temperament, van het kwaad in hem, een wilde drift die hem zijn laatste krachten kostte. Nu was het aan haar om haar kleine voorsprong te benutten. Nu was de tijd blijkbaar rijp om verandering te brengen in de gang van zaken in wat zij zo-even nog trots haar eigen huis had genoemd. De rest van de dag kon ze daar niet zonder een glimlach aan terugdenken.

En dus besloot ze om van toen af aan een tijdlang dagelijks een kleine scène te maken als ze ook maar de kleinste misstap van Kalter bespeurde – de geringste aanleiding was voldoende – en beetje bij beetje zijn zwakke punten af te tasten. Dan, als ze een dag of twee, drie haar krachten had verzameld en alles goed van tevoren had overdacht, zou ze de woonkamer binnenstormen en met een hoop bombarie en toneelspel de invrijheidstelling van Helianos eisen! Het zou kunnen werken; misschien zat die vreemde Duitser daar wel op te wachten... Zeker zou het werken! Het hele plan bezorgde haar een paar gelukkige dagen, waarin ze droomde van Helianos' thuiskomst.

Het voorval met de sleutel had Alex zo gefascineerd dat hij telkens als hij haar zag die fascinatie opnieuw voelde en dezelfde grijns van geluk te voorschijn toverde. Ze vond dat maar niets. Ze was bang dat hij nu zou denken dat haar verzet tegen de majoor hem op de een of andere manier het recht gaf hetzelfde te doen. Of misschien kreeg hij door (of had hij het al door) wat zij voor een boosaardig spel wilde spelen met de gebroken Kalter. Als hij zou besluiten om dat spel mee te spelen, zou alles verloren zijn!

Maar wat haar voor zichzelf nog meer dwarszat, was dat hij haar tersluiks en sluw stond aan te kijken alsof hij haar medeplichtige was of de bedenker van al dat opruiends. Ze was zijn moeder en ze had – meestal – haar waardigheid, en ze realiseerde zich dat zijn jongensachtige bewondering iets ongerijmds en spottends had. Hoe beschamend en lachwekkend haar gedragingen met betrekking tot de sleutel ook waren, ze behield een onverklaarbaar en intens zelfrespect. Ze respecteerde de wanhopige gespannenheid die de kwestie onbewust hadden veroorzaakt en aan het rollen gebracht.

Er vond een merkwaardige kleine krachtmeting tussen haar en Alex plaats – het was een vrijdagavond, de tweede vrijdag van juni – toen ze Leda en hem naar bed bracht. Opnieuw was daar die spottende uitdrukking op zijn gezicht. Ditmaal had ze er genoeg van en ze hief haar hand, klaar om hem een klap te geven. De pret verdween uit zijn grijns, maar de grijns zelf hield hij koppig vol, en een ogenblik lang keken ze elkaar verbeten en strak in de ogen, wil tegen wil, totdat hij het jammerlijk opgaf.

Toen hij zo grijnsde en zij hem strak aankeek, viel haar met enige trots op wat een volmaakt gebit hij had. Arme kleine dondersteen: hij was er lichamelijk meer dan beroerd aan toe, had een gelige huid, was mager maar week en met een gezwollen buikje, en zijn armen en benen deden haar denken aan stokken die losjes met riempjes aan elkaar gezet waren – maar dit ene was volmaakt aan hem, regelmatig als een parelsnoer, witter dan bergkristal!

Naar zou blijken zou dit de laatste keer zijn in hun aan Kalters lot vastgeklonken levens dat zij zich als moeder door hem verbitterd en teleurgesteld zou voelen. Het zou niet lang meer duren voordat ze hem alles en voor altijd zou moeten vergeven.

13

De volgende dag had Kalter een vrije dag en zijn aanwezigheid in huis maakte mevrouw Helianos ongemakkelijk en nerveus. Hij had nog steeds met geen woord gesproken over haar uitbarsting met betrekking tot de sleutel. Ze was bang dat dat alsnog zou gebeuren en daar was haar gemoedstoestand niet op berekend. Hij had te kennen gegeven dat hij zich niet wel voelde en wilde zo midden op de dag liever niets eten. Hij had haar gevraagd ervoor te zorgen dat de kinderen zich rustig hielden, zodat hij kon rusten, maar het was duidelijk dat hij niet aan slapen toekwam. Ze kon horen hoe hij schijnbaar zonder reden een tijdje in zijn kamer heen en weer liep, toen achter zijn bureau gezeten laden opende en met veel kabaal weer dichtschoof, herhaaldelijk zijn keel schraapte en zijn neus snoot. Ze was zo moe dat ze eigenlijk niets wilde horen, maar ook zo nerveus dat ze in weerwil van zichzelf bleef luisteren om maar niets te missen.

Ze ging weer naar het keukenraam met het vreemde en on-Griekse idee dat de middagzon haar goed zou doen en zonk op haar knieën, terwijl ze met haar ellebogen op de vensterbank steunde. Ze had de kinderen de straat op gestuurd om de majoor ter wille te zijn, maar om de een of andere reden waren ze teruggekomen. Ze hoorde ze met schrille stemmen in hun slaapkamer met elkaar praten en vroeg zich af of ze ze niet moest waarschuwen stil te zijn, voordat ze de majoor zouden storen. Ze wist nog maar al te goed hoe hij het om veel minder op een tieren zou hebben gezet...

Toen klonk er een pistoolschot: het weergalmde door de woning. Aan de hand van de klank kon ze precies bepalen uit welk deel van het huis het geluid kwam: de woonkamer, zijn kamer. Een seconde lang dacht ze dat Helianos misschien was teruggekeerd en wraak had genomen, maar ze kende zijn manier van lopen zo goed dat ze hem zou hebben horen binnenkomen, al had hij op zijn tenen gelopen, al was het aan het eind van de gang of bij de voordeur geweest. Daarom zette ze die gedachte meteen van zich af, krabbelde overeind en snelde vanuit de keuken naar de woonkamer. Ze wist dat er niemand in de woning was dan zijzelf, de kinderen en de majoor. In de woonkamer, waar het pistoolschot had geklonken, was niemand anders dan de majoor; ze had immers in weerwil van zichzelf gespannen zitten luisteren en alles gehoord? Daarom wist ze ook wat er gebeurd moest zijn, ze hoopte het zelfs, toen ze aan de deur van de woonkamer stond te luisteren – alles was stil, geen stem, geen zucht, geen voetstap te horen – en vergeefs door het sleutelgat probeerde te kijken. Toen snelde ze naar de kamer van de kinderen.

Leda deed een poging de gang op te komen, maar Alex hield haar met twee handen aan haar schouders tegen. Leda zag eruit alsof ze haar laatste restje geestelijke vermogens kwijt was: haar vlezige gezicht was helemaal vertrokken tot een starre grimas. Alex zag eruit als een spook: zijn mooie gezicht hing slap en wit als een doek, zijn ogen glommen pathetisch en zijn redeloze mond stond hijgend open, en hij vroeg: 'Moeder, moeder, er is iets gebeurd. Is het vader? Heeft vader zichzelf doodgeschoten?'

'Je weet heel goed dat dat niet kan,' antwoordde mevrouw Helianos. 'Je vader is niet hier, hij zit in de gevangenis. Luister naar me, Alex, je moet nu flink zijn, als een groot mens.'

Ze tilde Leda op, liet zich in een stoel zakken en trok het bevende kinderlijfje stevig tegen zich aan; het bolle gezichtje drukte zich als een gebalde vuist tegen haar borst. Tegelijkertijd hield ze Alex met enige moeite bij zijn pols vast, terwijl hij uit alle macht trachtte weg te komen. 'Moeder, laat me gaan,' smeekte hij, terwijl hij zich in allerlei bochten wrong.

Ze had geen idee waar hij heen wilde of wat hij wilde gaan doen. Toen bracht hij zijn gezicht naar de hand waarmee ze hem bij de pols hield en even dacht ze dat hij haar als een klein dier in het nauw wilde gaan bijten, maar in plaats daarvan kuste hij haar hand en veegde de tranen uit zijn ogen af aan haar pols. 'Ik ben zo bang, moeder,' riep hij huilend. 'Moeder, ben jij niet bang?'

Maar ze was niet bang, ze was gelukkig en bedacht met voldoening dat er nu niemand anders in huis was dan zijzelf en de kinderen. Er was op het moment dat het pistoolschot klonk niemand anders in de kamer van de majoor geweest dan hijzelf en dus bleef ze hoop houden dat er ook nu niemand of niets in de kamer van de majoor was, behalve het lichaam van de majoor met een schotwond. En van dat lichaam, bedacht ze met een vrolijkheid die aan hysterie grensde, hoefde ze niet bang te zijn. Haar opgejaagde hart ging heftiger tekeer dan ze zich kon herinneren, maar ze trok zich er niets van aan omdat ze vertrouwen begon te krijgen in wat ze hoopte, en ze kon bijna niet wachten om te gaan kijken of het ook zo was. Maar eerst moest ze zorgen dat die arme kinderen uit de buurt waren.

O, nu had ze Helianos meer dan ooit nodig en in plaats daarvan had ze alleen Alex, die ze nog altijd bij zijn pols vasthield: deze halve Helianos, die armzalige vrucht van hun lendenen, met dat kleine door oorlog misvormde lichaam en die verwrongen duivelse geest! Maar aangezien Helianos gevangenzat, was er in haar zo vrouwelijke geest – door gewoonte zo innig met hem verstrengeld – een leegte ontstaan die onder deze omstandigheden gewoonweg door iemand opgevuld moest worden, en die iemand was Alex en niemand anders!

Ze trok hem aan zijn pols zodat ze hem kon aankijken en keek hem vervolgens aan als was het de allereerste keer. Wonderlijk genoeg liet ze zich, voor het eerst in lange tijd, niet van haar stuk brengen door zijn ondermaatse, broodmagere lijf met dat buikje en werd ze ontroerd door zijn merkwaardige gezicht – die ziekelijke glans in zijn ogen die flonkerden van de tranen, die ongrijpbare uitdrukking van zijn mond, die grijns die geen grijns was – en was niet bang van hem of bang dat hem iets zou overkomen. Ze besloot hem in vertrouwen te nemen. Ze moest iemand in vertrouwen kunnen nemen, iemand die haar kon helpen, vooral met Leda.

'Lieve, kleine Alex,' zei ze zachtjes, 'ik denk dat ik weet wat er gebeurd is. Er was niemand anders in de kamer dan de majoor zelf. Ik denk, ik hoop, dat hij zichzelf heeft doodgeschoten...'

Alex liet een gedempte kreet uit zijn keel ontsnappen en probeerde zich niet langer los te rukken, zodat zijn moeder hem niet meer bij zijn pols hoefde vast te houden. De pijn in haar hart was geen erge pijn, maar wel goed voelbaar, en ze was blij dat ze haar zoon niet meer hoefde vast te houden.

'Alex, wil je iets voor me doen? Wil je doen wat ik je vraag?'

'Ja moeder, dat is goed.'

'Nu dan, Alex...' Ze probeerde te fluisteren, voor het geval ze zich had vergist en er toch iemand anders in de woning was, maar toen ze het probeerde, kwam er geen geluid over haar lippen. 'Ik wil dat je het volgende doet. Je moet Leda mee naar buiten nemen en daar met haar blijven totdat ik klaar ben en jullie kom halen.'

'Nee moeder, dat wil ik niet,' antwoordde hij met luide stem. Hij kon net zo slecht fluisteren als zij.

Ondertussen lag Leda in alle rust in haar armen alsof ze in slaap was gevallen, met een gezicht alsof ze een boze droom had.

Toen kreeg ze een ingeving. De volgende dag zou ze zich

afvragen of het alleen maar lafheid was geweest, maar zo simpel lag het zeker niet... Ze voelde opeens een golf van diep medelijden met het wraakzuchtige jongetje dat nooit de kans had gekregen zich echt te wreken, en ze voelde een diepere genegenheid dan ooit voor hem. In het verleden had ze nooit genegenheid getoond omdat ze een hekel had aan die wraakzucht van hem; nu was die hekel verdwenen. Plotseling zag ze hoe ze dat gebrek aan genegenheid goed kon maken en tegelijkertijd Alex kon inzetten in het voordeel van Leda door haar uit de buurt te houden, en in haar eigen voordeel door mogelijk te maken dat ze een ogenblik lang alles kon laten voor wat het was en een poosje met Leda kon uitrusten.

'Alex, luister je naar me? Je moet het doen voor Leda. Je houdt toch van Leda? Ze komt er nooit overheen als ze ziet wat er gebeurd is.'

Hij keek haar slechts aan en schudde zijn hoofd.

'Alex, je haat majoor Kalter, nietwaar? Als ik het goed vind dat je in je eentje gaat kijken wat er met hem gebeurd is, wil je dan daarna Leda mee naar buiten nemen?'

'Ja, ja, moeder, mag ik dat alstublieft? Ik wil gaan kijken wat er is gebeurd,' zei hij.

Het was in zekere zin een laffe ingeving, laf en ingenieus. Want als er niet gebeurd was waar ze op hoopte, als hij in plaats daarvan de Duitser betrapte bij het uitvoeren van een duister plan of Grieken bij een aanslag op zijn leven, wat dan nog? Ze zouden hem een trap of een klap verkopen en daarmee basta! Ze zouden het hem kwalijk nemen zoals je kinderen iets kwalijk neemt, zonder dat je er veel achter zocht. Hij was te jong om hem serieus iets kwalijk te nemen of om hem van iets te verdenken en te arresteren.

Ze greep hem opnieuw bij zijn pols om te zorgen dat hij wachtte. 'Ik denk niet dat de deur op slot is. Ik heb de sleutel weggehaald.'

'Ik wist het dat jij hem had meegenomen, moeder,' zei Alex bliksemsnel.

'Val me niet in de rede, Alex, luister naar me. Ga zachtjes naar de deur, luister of je iets hoort en kijk door het sleutelgat. Doe de deur voorzichtig op een kier open en niet verder, voor het geval dat. Als de majoor dood is of zwaargewond, ga je naar binnen. Ga zo dicht naar hem toe als je wilt en bekijk hem goed. Ik blijf hier wachten. Als je hebt gezien wat er te zien valt, kom je het mij vertellen. Je kunt het Leda ook vertellen, maar niet nu! Later, als ze oud genoeg is...'

'Laat me nou gaan, moeder,' riep hij met een hoge geknepen stem, die maakte dat ze zich schaamde.

'En nergens aankomen,' riep ze hem na, terwijl hij de kamer uit rende.

Het was niet goed om hem zo te laten gaan en op pad te sturen, en ze begreep het maar half. Het was de laatste keer dat zichtbaar werd hoe ze haar leven lang door Helianos verwend was geweest: opgewonden en zonder verder nadenken vroeg ze iemand iets voor haar te doen. Ook hulp die geen werkelijke hulp was, was beter dan niets en een wild zwak kereltje als haar zoon met zijn spookachtige gezicht was beter dan niemand. Ze kon het niet helpen. Het schoot haar door het hoofd dat Alex met zijn wilde aard dit soort dingen misschien wel beter aankon dan zijn vader: een kereltje is in dit geval beter dan een kerel.

Ze tilde Leda op, keek haar aan en schudde haar voorzichtig door elkaar, waar ze helemaal niet op reageerde, en gaf een kus op haar in een grijns vertrokken wangen. Misschien had het schot haar net zo'n schrik aangejaagd als destijds de slachting op het marktplein en was ze geestelijk en lichamelijk verdoofd. Misschien zou het dit keer niet bij drie dagen blijven en bleef ze de rest van haar zinloze leven in deze staat, als een zware, vlezige pop. Met gedachteloze tederheid en alle automatische gebaren van een liefhebbende moeder aaide en wiegde ze het hopeloos kleine lijfje, zoals ze zou hebben gedaan als ze van Leda's leeftijd was geweest en Leda daadwerkelijk haar pop.

Toen kwam Alex terug. Blijkbaar had hij iets gezien wat hem goeddeed: zijn gezicht was niet langer lijkbleek, zijn ogen puilden niet langer uit hun kassen en hij had zijn stem weer onder controle. 'Hij is dood, moeder,' deelde hij kalm mede.

'Ik weet het, ik dacht het al.' Ze sloot een ogenblik haar ogen en stelde zich voor hoe de fiere, machtige Duitser daar lag op de vloer of onder het bureau, terwijl zijn kwaadaardige, wisselvallige ziel tegelijk met het pistoolschot het raam uit verdween, in het niets oplossend in de stilte die volgde op het schot...

'Er was verder niemand,' vervolgde Alex. 'De voordeur zat op slot, het raam van de woonkamer was aan de binnenkant vergrendeld. Dan kan er toch niemand binnen zijn geweest? De deur van de woonkamer was niet op slot en ik ben naar binnen gegaan en heb gekeken. Moeder, ga alstublieft niet, ga niet kijken!' zei hij smekend.

'Goed, ik zal niet gaan kijken. Neem je dan nu Leda mee, zoals je hebt beloofd...?'

Daarop ging hij recht staan, maakte zich zo groot als hij kon en zei met een uitdrukking vol duistere, antieke dramatiek: 'Ik heb hem doodgemaakt, moeder.'

'Nee, dat is niet waar, Alex. Denk eraan: je bent een grote jongen nu en je moet niet liegen.'

'Ik weet het, moeder. Niet boos op me zijn,' zei hij. Hij begon te huilen, maar hield daar trillend van de zenuwen weer mee op.

'Neem Leda nu maar mee. Als ze niet kan lopen of dat niet wil, moet je haar maar dragen. Blijf niet voor het huis hangen, maar ga de straat in, want de Duitsers komen zo. Zorg goed voor Leda, speel met haar, praat met haar, vertel haar over wat je maar wilt, maar niet over wat je hebt gezien.

Ik kom zo gauw mogelijk. Ik moet de Duitsers bellen dat ze hem komen ophalen.'

Leda bleek wel te kunnen lopen, maar heel langzaam, alsof ze nog sliep, en ze hield de hand van haar broer stevig vast. Toen mevrouw Helianos in de gang achter hen aan liep, hen nakeek terwijl ze de trap af liepen en de voordeur achter hen op slot deed, verloor haar vermoeide geest een ogenblik lang ieder gevoel van richting; haar bekroop een vaag gevoel dat ze hen misschien nooit meer terug zou zien.

Daarop overviel haar de sterke wens om Helianos te zien: ze voelde dat ze zijn raad en bijstand zo ontzettend hard nodig had dat ze zachtjes begon te jammeren, maar het geluid in de lege woning maakte haar zo van streek dat ze ophield. Voor gevoelens was nu geen plaats. Het was hoog tijd dat ze iets deed om het lichaam van de majoor het huis uit te krijgen, zonder dat ze daar hulp bij hoefde te verwachten. Van alle moeilijke en vernederende taken die haar waren opgelegd sinds de inval van de Duitsers in Griekenland, was dit de zwaarste.

Alex had de deur van de woonkamer weer dichtgetrokken, zodat ze nog een paar minuten uitstel had, als ze wilde. Inmiddels maakte het hortende, onwillige kloppen van haar hart haar bang, maar geleidelijk aan, naar het leek door een beroep te doen op haar wilskracht, kreeg ze zichzelf onder controle. 'Zo God me genadig is,' zei ze hardop bij zichzelf, 'zal ik geen hartaanval krijgen.'

Daar stond ze in de gang en hield haar adem in, zich bewust van de seconden en minuten die vergleden, en deed alsof ze zich concentreerde op wat moest worden gedaan. 'Goddank,' zei ze, 'dat de majoor een telefoon heeft.' Die bevond zich in de afgesloten woonkamer met zijn lichaam.

Opnieuw raakte ze van streek door haar ongerijmde stem die haar toesprak in de stilte van de woning. De gewoonte om in zichzelf te praten was een van de redenen voor haar vrees dat ze op een dag gek zou worden. Nu besefte ze dat die vrees een luxe was die ze zichzelf had gepermitteerd, een misplaatste zwaarmoedigheid! Alles bij elkaar was ze eigenlijk verbaasd hoe ze zelfs in deze bizarre tragische omstandigheden haar gezonde verstand en haar innerlijke rust behield, ook al kon ze gewoontegetrouw haar mond niet houden.

Toen ze daarop haar mond hield en alleen haar eigen hart hoorde slaan – geleidelijk aan regelmatiger, maar met een doorweekte slag, een zompige samentrekking als het ware – was dat wonderbaarlijk, een beperkte wereld waarin iedereen dood was; en de stilte en de absolute eenzaamheid doordat de kinderen en Helianos en zelfs de majoor ontbraken, vond ze deels verontrustend, maar ook plezierig.

Ze liep terug naar de keuken en keek uit het raam; ze boog zich ver voorover en zag Alex en Leda verderop in de straat al pratend heen en weer lopen. De dappere jongen leidde het mechanisch voortbewegende meisje bij de hand en deed het woord; hij vertelde haar een lang maar blijkbaar niet af-schrikwekkend verhaal, niet wat er gebeurd was. Leda liep een beetje schuins naast hem voort en hield haar gezicht met een liefhebbende uitdrukking naar hem toe gewend.

Op datzelfde moment kwam kort maar hevig de gedachte aan zelfmoord bij haar op; het was niet meer dan een vage notie dat het een aangenaam en passend gevoel zou zijn om uit het raam te vallen en voor altijd met het gezicht naar be-neden op de stoep te liggen. Want daar in de keuken om haar heen bespeurde ze een lichte stank, als van de dood – in fei-te was het het slechte voedsel dat ze had staan klaarmaken, het vuile opklapbed, haar eigen verwaarloosde lijf en haar ou-de kleren –, terwijl het briesje van buiten een vlaag zoetgeu-rende rook uit een schoorsteen meevoerde en de geur van wilde kruiden ergens op een heuvel even buiten de stad.

Enerzijds was er het leven, daar in die keuken en achter haar rug, haar leven, saai en walgelijk, nog afgezien van het lijk in de woonkamer waar iets mee moest worden gedaan. Anderzijds was er de dood, daar buiten het raam in de zoe-te lucht en beneden op de zonovergoten straat, een tierige en aantrekkelijke dood! Alles stond op zijn kop en haar ge-dachten liepen een ogenblik lang dooreen, een verandering in de geestelijke stofwisseling die daadwerkelijk een van de oorzaken voor zelfmoord is. Bovendien kan de ene zelfmoord gemakkelijk tot een volgende leiden.

Maar in werkelijkheid bleven de gevolgen van haar denken uit: het was maar een mogelijkheid, ze had toegegeven aan een loos spel van de verbeelding nu ze het gevaar voelde. Immers, voorzover ze wist in alle verwarring, na alle gekte in het verleden en met alle gekmakende dingen in het vooruitzicht: ze was gelukkig. Niet iedereen was dood, bij lange na niet. Het kon niet lang meer duren of Helianos zou terugkeren. Zijn vijand was nu immers dood en niet hij: wat een buitengewoon geluk! Nu was er niemand meer die kon getuigen wat hij had gezegd toen hij zijn mond voorbijpraatte.

En zo keerde ze het keukenraam nogmaals de rug toe en liep met haar gewone vlijtige pas de gang door naar de kamer van de majoor, alsof het niets anders betrof dan een gewone huishoudelijke klus.

Het grote, fiere lichaam was niet op de grond gevallen. Het zat op zijn gebruikelijke plaats achter het bureau en was door zijn gewicht ver voorovergezakt. Een arm was met een zwaai dwars over het bureau richting muur terechtgekomen en hing zo neer. De andere arm was opgetrokken onder het lijf. Het was een mirakel dat bij het voorovervallen de stoel niet onderuit was gegleden en de man had doen vallen. Mevrouw Helianos zag waarom dat niet was gebeurd: de vloer was niet in de was gezet, de stoel was de zware, oude leunstoel zonder wieltjes van Helianos' vader en er lag geen vloerkleed. De majoor hield een been ver naar rechts uitgestoken, misschien in een ongewilde poging om uit de stoel op te staan.

Ze zag dat de foto's van zijn familie boven op het bureau op een rij stonden: de hooghartige schoonmoeder, de nietig ogende echtgenote, de mismoedige schooljongens. Ze hadden daar niet meer gestaan sinds hij van verlof was teruggekeerd.

Ook in deze kamer hing een vage stank en aanvankelijk

hield ze met trillende neusvleugels haar adem in, omdat ze meende dat het bloed was. Maar het was geen bloed, het was kruitdamp. Ze keek zo lang naar het lichaam als nodig was om vast te stellen dat al het leven eruit geweken was. Wat er aan bloed was, kwam uit de mond en neus en was voor een deel via het bureau op zijn schoot terechtgekomen. Het liep over zijn kin en hals naar beneden. Hij had zichzelf door zijn verhemelte geschoten. Het was een afgrijselijk gezicht: de loop van het pistool wees nog altijd in de richting van de mond, alsof het een fles was waaruit hij had zitten drinken en zijn dood het gevolg van overmatig drankgebruik was geweest. Met uitzondering van de kolf van het pistool en een deel van de hand waarmee hij de trekker had overgehaald, lag alles in de plas bloed op het bureau, met daarnaast zijn niet langer menselijk gezicht.

Mevrouw Helianos bedacht wat het voor Alex moest zijn geweest om dit te aanschouwen; de gedachte alleen al maakte haar onpasselijk.

Maar dat duurde niet lang. Onpasselijkheid was niet wat het bij haar opriep. Vreemd! Deze dode had ze, een heel jaar lang, met een uiteenlopende reeks overweldigende gevoelens bezien, maar dit was de eerste keer dat ze zich kwaad voelde.

Snel overzag ze het verleden en zag met grote helderheid wat ze achtereenvolgens had ervaren: eerst was er angst geweest, toen wantrouwen en wrok – zo onophoudelijk knagend dat Helianos een paar beroerde weken lang bijna zijn liefde voor haar had verloren, zo wist ze zich te herinneren –, gevolgd door wanhoop toen ze hem gevangen hadden gezet, en daarna was ze, al mediterend in de middagzon, overvallen door nachtmerries (of beter: dagmerries) en felle haat. Al die gevoelens waren relatief gemakkelijk door de omstandigheden opgewekt, maar van echte kwaadheid was nu pas sprake. Ze ervoer heel sterk dat kwaadheid in moreel opzicht superieur is aan haat.

Ze was niet het soort vrouw dat gemakkelijk kwaadheid

voelde; die leidt immers snel tot emotionele uitputting en noopt tot onvrouwelijk handelen. Ze was een vrouw die geen kwaadheid kon voelen voor een man die ze respecteerde, en het merendeel van de gevoelens die ze nu de revue liet passeren had met respect te maken. Angst is zo'n emotie en wat haat betreft: als daar niet iets van ontzag in doorschemert...! Maar nu ze de man bekeek die daar dood lag, of beter gezegd: dood zat, koesterde ze geen respect meer voor hem. Ze verachtte hem, ze walgde van hem.

Voor de rest voelde ze nauwelijks enige emotie: haar kwaadheid sloot alles buiten. Na kwaadheid, zo was haar veronderstelling, kwam als natuurlijke volgende stap woede, blinde woede, die ze moest zien te vermijden of in ieder geval moest onderdrukken! Er moest nu eerst het nodige gedaan worden, of ze nu kwaad was of niet. Door haar en Helianos, als die was teruggekomen, wat nu niet lang meer kon duren. Ze had geen idee waar haar kwaadheid toe zou leiden. Ze wist alleen maar dat er iets moest zijn wat ze nog niet wist.

Toen gebaarde ze met haar hand voor haar ogen om een eind te maken aan haar zinloze gedachten en met enige moeite richtte ze haar aandacht weer op de afschuwelijke feiten. Achteraan op het bureau, een eindje weg van het bloed, lag een groot ongevouwen vel papier, een verslag of een brief. 'Wat een geluk dat ik Duits kan lezen!' riep ze volgens slechte gewoonte hardop, nadat ze dichterbij was gekomen, over het gestrekte been heen was gestapt en over de schouder had gekeken.

Het was een brief, die begon met een vormelijke Duitse aanhef, maar ondanks die vormelijkheid een zeer persoonlijke brief, aan de vriend van de dode majoor, de andere majoor, de hondenliefhebber, majoor von Roesch. Ze reikte over de schouder om hem te pakken, las hem half, waarna ze – terwijl het tot haar doordrong dat de brief Helianos en haarzelf vrijpleitte van elke schuld aan zijn dood en ze voor zichzelf erkende wat ze tot dan toe had geweigerd te erkennen en in één zucht alle gevaar en schrik over zich liet komen die ze zou hebben gevoeld als ze wel de schuld hadden gekregen, en zichzelf verloor in een gevoel van opluchting – flauwviel.

Toen ze weer bijkwam, lag ze op de vloer en voelde een vreemde gelukzaligheid, alsof het gevaar geweken was en alles goed was afgelopen, maar dat was natuurlijk een ogenblik lang niet meer dan een vaag en onwerkelijk gevoel. Het was meer een religieuze ervaring, het kritieke stadium van een ziekte of iets uit een sprookjesboek. Met vertroebelde blik zocht ze de vloer af, besefte waar ze was toen ze plotseling het gestrekte been van de dode majoor zag en wist toen alles weer: het gevaar en hoe het was geweken, en de vrijspraak.

Waar was de brief? Die bleek te zijn weggedwarreld onder de boekenkast. Zodra ze ertoe in staat was, stond ze op, greep de brief en herlas hem.

Ik hoef je niet te vertellen wat er met mij gebeurd is, beste vriend Roesch. Je hebt het al gehoord. Dat de moed en de kracht mij verlaten hebben en dan deze daad van zelfvernietiging: je zult het begrijpen, ook al zul je het – goddank – niet goedkeuren.

Toen ik je vertelde dat mijn weerstand gebroken was en dat dit uiteindelijk het gevolg zou zijn, kon je het niet geloven, nog minder dan ik: maar nu is het de simpele waarheid.

Als een soldaat de moed verliest, moet hij zich gewonnen geven, eruit stappen! Als ze niet hadden geweigerd om me naar het Russische front te sturen – je weet nog wel dat ik je vertelde dat ik een aanvraag had ingediend –, dan had die vervloekte vijand het voor mij kunnen opknappen: dat zou eervoller, waardiger geweest zijn, vind je ook niet?

Je begrijpt dat er een verschil is met andere zelfmoorden. Ik bezie mezelf met objectiviteit. Mijn intellect staat los van mijn verandering van inborst en mijn gebroken hart; daarom kan ik oordelen over mezelf. Ik ben niet in staat verder te leven, ik ben ongeschikt voor de verantwoordelijkheden die ik als officier heb, ik spreek mijn oordeel uit, veroordeel mezelf tot de dood en schiet. Als ik met mijn huidige inzicht in mijzelf voor de krijgsraad zou zijn geleid, dan verzeker ik je dat ze met mij hetzelfde gedaan zouden hebben wat ik nu doe. Ik bespaar je een hoop moeite!

Toen mevrouw Helianos dit allemaal zorgvuldig las, raakte ze zo vervuld van woede en minachting dat ze zich nauwelijks nog kon concentreren; het kneep haar de keel toe van misselijkheid en bleef als een brok zelfmedelijden steken. Ze zag hem voor zich, de pompeuze, pathetische zinnen formulerend en opschrijvend, om daarna met zichzelf te doen wat hij gedaan had!

Regel de kwestie zo eervol mogelijk, ging de goedgeschreven brief verder. Kalter gaf in die alinea raad over iets wat mevrouw Helianos niet begreep: een regeling met een van de onderdelen van de bezettingsmacht, met een bepaalde officier; het betrof iets wat de dode majoor na zijn dood geregeld wilde hebben. Ook stonden de namen en adressen van advocaten in Athene en Königsberg die de verschillende zakelijke documenten en zijn testament in bewaring hadden.

Mijn eigen schande interesseert me niet, luidde het slot, *nu mijn zoons dood zijn, mijn gezin uitgeroeid. Ik koester zelf geen enkele hoop meer – herinner je je dat ik je vertelde hoe dat was, als een ondraaglijke, ongeneeslijke ziekte? –, maar ik heb natuurlijk nog altijd alle vertrouwen in de ijzeren wil en de glorieuze toekomst van het Duitse volk en van onze leider.*

De brief eindigde met een Frans woord dat de Duitsers zo graag gebruiken, *Adieu*, en alleen de achternaam: *Kalter*.

Ze liep naar de gootsteen om wat water te drinken – dat ongezonde Atheense water met de geur van de dood en zijn afschuwelijke smaak! – en terwijl ze kleine slokjes nam, was ze eindelijk in staat om na te denken. Ze besloot dat ze er het verstandigst aan deed om noch de gewone politie, noch de militaire politie of een andere officiële instantie te waar-

schuwen, maar om de vriend van de dode majoor persoonlijk op de hoogte te stellen, de andere majoor van wie ze de
naam vergeten was, maar die goddank boven aan de afscheidsbrief genoemd werd.

En dus ging ze terug naar de woonkamer en deed wat ze
zich had voorgenomen. Het was niet gemakkelijk. Om te beginnen had ze bijna geen stem en ze had moeite met de naam
– ze sprak hem verkeerd uit en moest hem voor twee verschillende manschappen van de intendance spellen, von
Roesch, en van hen horen hoe je hem moest uitspreken –,
maar de moeite, de vertraging en het ongeduld leidden haar
aandacht af van het lijk dat even verderop in de kamer zat en
kalmeerden haar; de zenuwen die ze voelde bij deze onder-
geschikte taak verminderden haar algehele zenuwachtigheid.
Ze bleef de naam van majoor Kalter roepen en de woorden
tod, tod! en de naam van majoor von Roesch, die na enige tijd
aan de telefoon kwam. Daarna volgde een verward gesprek,
totdat hij het opeens begreep, zachter ging spreken en met
ernstige, hese stem beloofde er direct aan te komen, en hij
gaf haar opdracht de deur op slot te doen en onder geen enkel beding iemand anders toe te laten totdat hij er was.

Terwijl ze in de keuken op hem wachtte, zonk ze weg in
mijmeringen, waardoor ze geen notie had van het verstrijken
van de tijd die hij nodig had om ter plekke te arriveren. Geschokt en afgemat als ze was, verloor ze alle aandacht voor
alles wat haar omringde en van belang was: het lijk in de andere kamer, het probleem om het weg te halen en de boel op
te ruimen, de onbekende majoor-hondenliefhebber die onderweg was. Het was als een slaap, waarin de droom werd
gevormd door alle onbelangrijke kleine tastbaarheden om
haar heen, allerlei spullen in de keuken, het fornuis met een
roestvlek, een oud overhemd van Helianos dat als droogdoek
diende, een paar schoenen die ze droeg als ze naar de markt
ging, een scheut ranzige olie in een kopje, een bedwants (die
ze gedachteloos doodmaakte), een emmer.

Toen realiseerde ze zich dat ze over zichzelf aan het nadenken was: hoe ze op Alex, Leda en Helianos leek, op alledrie: op Leda leek ze zoals ze nu tijdelijk wegvluchtte uit de realiteit, zoals haar geest leek te slapen. Op Alex leek ze in een ander opzicht: in haar opwinding en spraakzaamheid en het tonen van een levendige belangstelling voor problemen die zich konden voordoen, en in de toename van haar energie en haar gezonde verstand als die problemen realiteit werden, zoals nu...

En wat Helianos betrof: zeker in de begintijd van hun huwelijk was ze heel anders geweest dan hij – hij uit een liberaal, zij uit een reactionair nest, een kerngezonde man en een ziekelijke vrouw, een geleerde en een onnozele hals, een humorvolle, lankmoedige intellectueel en een klagerige bourgeoise –, maar wat was ze in het afgelopen jaar nader tot hem gekomen en door hem beïnvloed!

Het kwam haar voor dat ze een ander mens was geworden, met een andere manier van denken, en waar het ging om het verduren en snel herstellen van vermoeidheid en ongemak met een verjongd lichaam en een nieuw hart. Van pessimisme naar (tot op zekere hoogte) optimisme; van zwaarmoedigheid naar een zekere vitaliteit, ondanks haar slechte gezondheid; van een zwakke, benepen en burgerlijke vrouw naar iemand met karakter en een redelijk inzicht in wat er speelt – wat een vooruitgang! En dat zonder enige zelfdiscipline, zelfs zonder een bewust verlangen om te veranderen; ze was ertoe gedreven door de omstandigheden, de merendeels beroerde omstandigheden...

Nog één keer dacht ze met minachting aan de dode Kalter en aan die opvallende verandering in hem vanaf de dag dat hij uit Duitsland was teruggekeerd tot vandaag, de dag van zijn dood: dat was niets, helemaal niets in vergelijking met de verandering in haarzelf! Hij was immers niet werkelijk intelligent – wat was er intelligent aan een preek over propaganda en over een schijnwereldheerschappij, en wat was er intelligent aan een gekunstelde zelfmoordbrief? – en een onintelligente of onbegrijpelijke verandering telde niet, was haar mening.

O, niet dat zijzelf ooit intelligent genoeg zou zijn voor Helianos, zo hield ze zichzelf voor. Maar, zo bedacht ze, voortaan zou ze onmogelijk nog echt onintelligent kunnen zijn, ook al zou ze willen; daarvoor had ze immers te veel meegemaakt. En zo zag ze zichzelf, door de dramatische wendingen van haar leven boven zichzelf uitstijgend – het verwende kind van rijke kooplui, de schrandere bruid van een jonge uitgever, een weldoenster voor haar land dankzij die ene gevallen held op de Olympos, bovendien de lankmoedige moeder van een abnormaal kind (Alex) en een achterlijk kind (Leda), en nu de vrouw van een gevangengenomen anti-nazi, de hospita van een dode, en wie weet wat nog zou volgen! –, en het was als een mystiek visioen, zo verheven.

Maar van valse trots was geen sprake: beroerde omstandigheden behoeden een mens voor valse trots... In zekere zin had ze immers alles te danken aan de Duitsers. Ze was tegen de situatie opgewassen gebleken, maar die was Duits. Dankzij hun invasie in haar alledaagse, beperkte, stagnerende en passieve bestaan was ze wakker geschud. Maar ze voelde geen enkele behoefte hen daarvoor te danken. Het was iets goeds geweest, maar door toe te geven dat iets goeds uit iets slechts is voortgekomen, maak je eigenlijk een knieval voor het slechte. Door haar innerlijke onrust en opgewonden stemming – een eenzame Griekse in haar keuken met een dode in de aangrenzende kamer, wachtend op de politie – had ze zelfs God niet gedankt: ze dankte haar Helianos.

Dit alles speelde in korte tijd door haar hoofd, in minder tijd – dan zijzelf dacht – dan nodig was om er verslag van te doen.

14

Daar waren ze dan: politie en Duitsers belden aan en klop-
ten op de deur. Ze werd erdoor verrast en een ogenblik lang
liet haar intelligentie, haar vol trots pas ontdekte intelligentie, haar in de steek: nog eenmaal moest ze een moment van
paniek dulden.

Wat als ze zouden denken dat zij de majoor had neerge-
schoten, of dat ze wist wie anders het gedaan had? Maar nee,
dat kon niet, er was immers de afscheidsbrief! Ze holde naar
de woonkamer, raapte hem op en ging terug naar de keuken
met de brief tegen haar borst geklemd, alsof die haar enige
vrijgeleide, haar attest, haar volmacht, haar persoonsbewijs
was, en bedacht toen angstig dat nu waarschijnlijk haar vingerafdrukken erop stonden – toen ze vroeger tijd genoeg had,
las ze detectives, *Fantomas* en Edgar Wallace. Ze holde terug
naar de woonkamer, reikte over de schouder van de dode en
legde de brief op het bureau neer waar ze hem het eerst had
gezien. Toen deed ze de voordeur open en liet de ongeduldige Duitsers binnen.

Ze waren met z'n tweeën en liepen achter elkaar. De voor-
ste man zei: 'Ik ben majoor von Roesch. Waar is majoor Kalter? Bent u alleen in huis? Wie is hier nog meer geweest?
Waarom duurde het zo lang voordat u ons binnenliet? Ik

dacht dat u ervandoor was gegaan. In godsnaam, zeg wat!'

Majoor von Roesch sprak zonder stemverheffing, snel, laag en hees. Mevrouw Helianos had verwacht dat hij er hetzelfde zou uitzien als zijn overleden vriend, maar ze verschilden als dag en nacht. Hij was een beetje gezet en tamelijk oud, had donker haar en een grauwe huid, lichtbruine ogen en een lelijke neerhangende mond. Hij had een vriendelijk gezicht op de mond na, een schrander gezicht.

De ander die met hem was meegekomen was een luitenant – nadat ze zo onbeleefd waren geweest om niet op te merken dat kapitein Kalter majoor Kalter was geworden, had het gezin Helianos geleerd om naar onderscheidingstekens te kijken –, een nog jonge man met het uitdrukkingsloze, bescheiden en introverte gezicht van een jonge priester.

Zonder op een antwoord op hun vragen te wachten, kwamen ze direct binnen, alsof het niet meer dan natuurlijk was om te doen of mevrouw Helianos helemaal niet bestond. Ze week voor hen terug de gang in, in de richting van de deur van de woonkamer, en wees daardoor naar binnen, glipte zelf de kamer in en maakte zich klein in de hoek bij de boekenkast.

Majoor von Roesch – een stevige, gezonde man, die zich gehaast en zonder moeite voortbewoog – stapte met lichte tred de kamer binnen en bleef precies in het midden een moment staan, volkomen onbeweeglijk, wat bij moedige mensen het equivalent is van trillen. Hij keek strak naar de rug van zijn dode vriend en naar de uitgestrekte hand, als van een jachthond die is blijven staan.

Toen ging hij aan de zijkant van het bureau staan en boog een beetje voorover om precies te kunnen zien wat er gebeurd was: het pistool dat in de richting van de mond wees, het door haar omgeven vochtige gat boven in de schedel, het bureau vol bloed. Hij snoof luidruchtig en liep met veerkrachtige passen naar het raam, ontgrendelde het en zette het wijd open.

De jonge officier volgde hem, stap voor stap, bijna gebaar voor gebaar, als een grote, grijze schaduw. Maar hij was van nature alert, alsof hij ieder ogenblik klaarstond om in de houding te springen en te salueren. Desondanks, en ondanks het feit dat hij zoveel jonger was en slechts luitenant, viel het mevrouw Helianos op dat de majoor hem met een zekere achting behandelde.

De luitenant zat bij een onderdeel van de geheime militaire politie dat onder andere de persoonlijke relatie tussen Duitse officieren van de bezettingsmacht en Grieken in de gaten hield. Officieel gesproken was hij dus degene die de leiding van het onderzoek had. Majoor von Roesch had daarentegen, als stafofficier van de intendance en vriend van de overledene, slechts beperkte bevoegdheden en tijdelijk gezag. Maar hij leek een intelligent en wilskrachtig man, vastbesloten om het op zijn manier te doen.

Nadat ze hadden gezien hoe het lichaam erbij zat, begonnen ze opnieuw vragen te stellen, vooral de majoor, en zijn stem klonk gespannen. 'Wie heeft dit gedaan? Wat is er gebeurd? In 's hemelsnaam, zeg wat.'

Om duistere redenen vergat mevrouw Helianos op dat moment haar Duits en antwoordde met nauwelijks verstaanbare stem in het Frans: '*Ç'était lui, lui-même*', daarbij wijzend op de dode.

Toen stokte haar adem, omdat ze de afscheidsbrief niet op de plaats zag liggen waar ze hem, over de schouder van de dode heen, had neergelegd. Nerveus keek ze om zich heen, zag hem op de vloer liggen, waar hij door de tochtvlaag door het open raam was terechtgekomen, en wees ernaar. Aangezien de beide officieren het niet leken te zien, liep ze snel voor hen langs, raapte de brief op en gaf hem aan majoor von Roesch. '*Ç'est pour vous* – hij is aan u gericht. Ik heb hem gelezen,' voegde ze er verontschuldigend aan toe, 'om te weten te komen wat er gebeurd was.'

De oude majoor wierp er een blik op en keek haar toen

ernstig en onderzoekend aan. 'Dit is het handschrift van mijn vriend, ja. Gelukkig voor u, mevrouw Helianos!'

Dat hij haar naam wist, verbaasde haar. Het was haar beloning voor al die avonden dat ze honger had geleden, terwijl Alex en Helianos de kliekjes van het avondeten in kleine pakketjes naar het huis van het oude Macedonische echtpaar hadden gebracht voor zijn hond.

'Bovendien wordt er verwezen naar gesprekken tussen majoor Kalter en mijzelf,' ging hij verder, 'gesprekken waar verder niemand bij aanwezig was. Wilt u dat feit goed onthouden, luitenant Frieher? Het is van wezenlijk belang.'

Hij schraapte zijn keel en sprak in sneller tempo verder. 'Beste mevrouw, wilt u ons nu naar de andere kamer voorgaan? Het is misschien een teken van zwakte – weet u, luitenant, bij de intendance maken we dit soort dingen niet iedere dag mee – maar ik voel me niet erg op mijn gemak in de buurt van doden, onnodige doden.'

Mevrouw Helianos, die zich ook niet op haar gemak voelde, bracht hen niet naar de aangrenzende slaapkamer van Kalter, maar via de gang naar de kamer van de kinderen.

'Ik moet tevens iets kwijt over mijn dode vriend wat ik liever niet in zijn bijzijn zeg,' legde majoor von Roesch op weg daarheen uit.

Hij ging op het bed van de kinderen zitten en herlas snel fluisterend en mompelend de afscheidsbrief. Plotseling kwam hij overeind en bleef diep in gedachten verzonken staan, zijn goudbruine ogen half toegeknepen en zijn dunne lippen onheilspellend neergetrokken. Toen keerde hij zich om naar de jonge officier en las een alinea hardop.

Het was de alinea die mevrouw Helianos had overgeslagen omdat ze er geen wijs uit kon worden, de alinea over wat Kalter na zijn dood gedaan wilde hebben: *Regel alles naar eigen goeddunken, beste vriend, zo eervol mogelijk. Overleg met het politiek bureau van de geheime dienst: luitenant-kolonel Sertz. Hij zal wellicht een methode weten om de omstandigheden van mijn*

dood zo te verklaren dat het op de een of andere manier hun be-
langen, het breken van het Grieks verzet, kan dienen. Zo kan ik
zelfs na mijn dood van enig nut zijn en de belangen van het va-
derland dienen.

Majoor von Roesch schraapte na het voorlezen opnieuw zijn keel en vroeg: 'Luitenant Frieher' – de luitenant luister-de bewegingloos en aandachtig – 'is het u duidelijk wat de-ze passage uit de brief van mijn vriend betekent, wat hij van ons verlangt?'

'Ja, ik denk het wel, majoor von Roesch. Ja, ik begrijp het.'

Mevrouw Helianos begreep het niet, maar aangezien bei-de officieren zo gewichtig deden, deed ze haar best om het te begrijpen, een beetje voorovergebogen en haar adem in-houdend om geen woord van wat de majoor zei te missen.

'Welnu, luitenant,' zei hij op scherpe toon, 'luister dan goed wat ik te zeggen heb. Niet dat het me allemaal zint, ab-soluut niet! Ik ben de volgende mening toegedaan: op het moment van zijn dood, bij het schrijven van deze brief, was mijn arme vriend niet bij zijn volle verstand, hoort u wel? Ik wil het liefst dat luitenant-kolonel Sertz niets, helemaal niets doet.'

Hij zweeg even, kneep zijn goudbruine ogen opnieuw sa-men en zei toen: 'Ik heb weinig op met sommige methoden van luitenant-kolonel Sertz. Volgens mij heeft hij ze allemaal uit die Engelse boekjes die vroeger op stations te koop wa-ren, van de jood Oppenheimer en de jood Wallace.'

Mevrouw Helianos verschoot van kleur vanwege het feit dat ze toevallig nog enkele minuten daarvoor aan diezelfde boeken had moeten denken. Ze begon buitengewoon ner-veus te worden.

'Bovendien zijn de methoden waar ik op doel in dit ver-domde land niet erg effectief gebleken,' voegde hij eraan toe.

Mevrouw Helianos zag dat de luitenant ook van kleur was verschoten en recht voor zich uit staarde, vrijwel zonder uit-drukking: uit zijn hele houding sprak dat hij geen standpunt wilde innemen in dit meningsverschil tussen zijn superieuren, wat de uitkomst ook zou zijn.

Majoor von Roesch keek hem onderzoekend aan. Ook wierp hij een scherpe zijdelingse blik op mevrouw Helianos en zuchtte. 'Het spijt me dit te moeten zeggen, luitenant, maar de ware oorzaak van de dood van mijn vriend is zijn eigen lafheid. Wacht, begrijp me niet verkeerd, geen lafheid in militair opzicht! Het was zuiver persoonlijke tegenslag. Hij verloor zijn zinnen als gevolg van de dood van zijn beide zoons in actieve dienst en de dood van zijn vrouw, die bij een luchtaanval levend verbrandde. Drie doden in één week: een samenloop van omstandigheden! Kijkt u zelf maar, luitenant. Hij beschrijft het uitstekend in zijn brief.'

Hij overhandigde de brief aan de jongere officier, die hem las en toen beurtelings naar de brief en naar de openhartige oude intendanceofficier keek alsof hij zijn ogen en oren niet kon geloven.

'U begrijpt het geloof ik wel, luitenant? Majoor Kalter was een uitmuntend officier, een paar weken geleden is hij nog met eervolle vermelding bevorderd vanwege zijn kundigheid en grote inzet alhier. Wij van de intendance zullen hem missen. Eigenlijk werkte hij te hard, wat voor een deel de oorzaak was van zijn problemen.

Hij was een gevoelig mens. Hij probeerde zijn tegenslag te dragen als een man, maar dat bleek onmogelijk. Door zijn hele manier van leven, kan ik u zeggen, was hij niet op tegenslag voorbereid. Dat mag een volk tot eer strekken, zoals wel gezegd wordt, maar voor een individu is het soms te veel...

Zo waren er bijvoorbeeld behalve zijn vrouw, die hij tot zijn groot verdriet moest verliezen, geen andere vrouwen in zijn leven – tenzij we zijn arme hospita hier, mevrouw Helianos, meerekenen!'

Waarop hij mevrouw Helianos een spottende, maar niet onvriendelijke glimlach toewierp. Hij pakte een grote zakdoek en wiste zijn voorhoofd en neus ermee af: het was zeer warm die middag.

'Ah,' verzuchtte hij, 'ik kan u wel zeggen dat ik op dit moment niet zoveel achting heb voor mijn dode vriend. Maar goed, we zijn hem nu eenmaal respect verschuldigd omdat hij dood is, nietwaar?'

De luitenant probeerde nu niet langer uitdrukkingloos te kijken. Hij keek verveeld, gechoqueerd en mogelijk zelfs kwaad. Het was duidelijk dat majoor von Roesch dat doorhad: snel hervatte hij zijn scherpe blik en zijn autoritaire toon.

'Maar nu serieus, luitenant – ik zeg: als iemand dood is, is het afgelopen, laat hem met rust! Als ik de zaak rond de dood van mijn vriend zou overdragen aan luitenant-kolonel Sertz, die er met het oog op politieke oorlogvoering mee aan de haal zou gaan, is dat voor mij net zo onaangenaam als wanneer ik zijn lichaam aan een ziekenhuis zou geven om er studenten in te laten snijden.'

'Ik begrijp het, majoor,' mompelde de luitenant met een verbijsterde, lege blik.

Mevrouw Helianos kon haar verbijstering niet langer meer bedwingen. Ze deed een stap in de richting van de twee officieren en smeekte hun in het Duits, haar slechte Duits: 'Alstublieft, heb toch medelijden! Wat betekent dit toch? Is er iets wat u niet begrijpt aan de dood van majoor Kalter? Heeft het iets met mij te maken?'

Ze greep majoor von Roesch bij de pols om die pas los te laten als ze antwoord had gekregen, maar omdat het haar herinnerde aan wat Leda had gedaan bij de overleden majoor, liet ze weer los.

'U moet wat meer geduld hebben, mevrouw Helianos,' zei hij. 'Wilt u mij alstublieft niet bij mijn hand grijpen? Daar kan ik slecht tegen. U spreekt niet zo best Duits, nietwaar? En ik begrijp dat u het nog minder goed verstaat. Jammer! U hebt een prachtkans gemist met mijn vriend die meer dan een jaar bij u in huis was.'

Zijn goudbruine ogen vestigden zich weer op de luitenant. 'Ik kan u zeggen, luitenant, dat wijlen majoor Kalter een van de beste sprekers was die ik ooit heb gekend. Het was een verspilling van talent dat we hem bij de intendance hebben gehouden. Hij was qua temperament sowieso niet iemand voor het leger, hij had een belangrijke post op het ministerie van Propaganda moeten hebben.'

Dit was vast de meest breedsprakige man ter wereld, dacht mevrouw Helianos. Hij speelde een kat-en-muisspelletje met haar. Ze probeerde andermaal wat inlichtingen van hem los te krijgen: 'Zegt u me toch alstublieft wat er aan de hand is. Heb ik er iets mee te maken?'

Hij negeerde haar. 'Luitenant Frieher, spreekt u Frans?' informeerde hij.

De luitenant bloosde. 'Een paar woorden maar, majoor. Ik ben niet meer dan zes weken in Frankrijk geweest.'

'Dan moet u mij excuseren, maar ik wil een moment in het Frans verder spreken. Ik wil dat mevrouw Helianos het allemaal goed begrijpt. Als ze ziet in welk lastig parket ze zit, denk ik wel dat we in de komende tijd op haar medewerking kunnen rekenen.'

Hij draaide zich met een ruk naar haar om. 'Ik zal u precies vertellen wat er hand is, mevrouw Helianos,' zei hij in het Frans. 'Het heeft zeer zeker iets met u te maken.'

Toen vertelde hij het haar zonder dralen, in afgebeten zinnen correct Frans, met een zekere zwier in zijn diepe, hese oude stem: 'Het was, volgens de alinea in zijn brief aan mij die ik hardop heb voorgelezen, de bedoeling van mijn vriend om u en uw gezin verantwoordelijk te stellen voor zijn dood.'

Mevrouw Helianos voelde haar bloed stollen; haar hart stond stil en er trok een rood waas voor haar ogen; ze reikte naar het voeteneind van het bed van de kinderen en greep het vast om steun te zoeken.

'Tenzij luitenant Frieher en ik het tegendeel verklaren,' ging hij verder, 'zal zijn dood niet als zelfmoord te boek komen te staan, maar als politieke moord; u zult de zwaarste straf opgelegd krijgen die er is, en waarschijnlijk zal een aantal van uw familieleden en vrienden uw lot moeten delen.'

Dus dat was wat de alinea die ze had overgeslagen (dwaas die ze was) te betekenen had. En dat was het dus waar de officieren op doelden: het plan dat die gemene Kalter had bedacht om haar na zijn dood bij volmacht te gronde te richten. Het was ongehoord: alsof iemand zijn lichaam op het laatste moment met gif volstopt om na zijn dood een stel arme honden te kunnen afmaken. Zo zou haar leven dus eindigen...

Op het moment was ze er niet zo door geraakt dat ze niets meer kon. Ze moest trouwens wel alert blijven, want ze wilde niet dat er nog anderen dan zij het slachtoffer van het plan zouden worden. Helianos kon het in ieder geval niet deren: die zat veilig en onweerlegbaar onschuldig in de gevangenis! Uit die gedachte putte ze kracht genoeg om door te kunnen gaan.

De oude majoor was nog altijd aan het woord, in het Frans. 'Er bestaat op de een of andere manier een vete tussen beiden: oog om oog, tand om tand – uw dood in ruil voor de zijne. Ik moet zeggen dat het me onder de omstandigheden tamelijk onzinnig voorkomt, maar het is niet anders: het was zijn bedoeling, zijn wens, op dat laatste, plechtige moment.'

Ze besloot zich er niets van aan te trekken. Ze wist haar tranen te bedwingen en vertrok haar mond tot iets wat op een glimlach leek, een milde glimlach als om zichzelf aan te moedigen en aan te zetten om sterk te zijn. Maar die kerel mocht niet weten dat ze het zo koeltjes opnam. Snel hief ze een hand voor haar gezicht om haar uitdrukking te verbergen. Haar bravade was niet zo volmaakt als ze had gewild: haar andere hand, waarmee ze zich aan het ledikant vasthield, en haar vermoeide benen trilden zo dat ze zich opzij moest draaien en op de rand van het bed moest gaan zitten. Ze was min of meer beschaamd dat ze moest gaan zitten en bedacht

met een zeker gevoel voor humor dat je bij een terdoodver-
oordeling eigenlijk moest staan.

Maar zoals het er alles bij elkaar uitzag, was het geen ter-
doodveroordeling – althans, nog niet. De goede majoor zei:
'Maakt u zich niet ongerust, mevrouw Helianos. Het recht
zal zegevieren, mevrouw Helianos, streng maar rechtvaardig
Duits recht!'

Wat een vreemde man! Nu leek hij zelfs grappen te maken over Kalters kwade opzet en haar benarde positie. 'Tja,
mevrouw Helianos, dit is uw doodvonnis,' zei hij, en hij bewoog de afscheidsbrief heen en weer zodat het papier een
beetje ritselde.

'Jullie Grieken moeten mijn vriend wel heel erg diep gekwetst hebben! Hij was ook zo'n gevoelig mens. En dit is zijn
wraak, zijn protest, zijn postume vergelding. Wat een vechter! Zelfs na zijn dood toont hij zich ongebroken!'

Zijn dunne mond sloot zich half en alsof er een soort trek-
koord in hem zat, klonk er bij wat hij zei een lachje – of iets
wat daarop leek – uit hem op: hij ademde in en uit via zijn
schrandere mond, heel snel. Mevrouw Helianos kreeg de indruk dat hij een intense hekel had gehad aan zijn overleden
vriend.

Heel even kwam ze in de verleiding om hem deelgenoot
te maken van het beeld dat even daarvoor door haar hoofd
was gegaan, van iemand die in zijn stervensuur zijn lichaam
vergiftigt om na zijn dood honden af te maken. Dat leek haar
zinniger dan wat hij allemaal zei. Ze was zo ontzettend nerveus dat ze een diepe zucht slaakte. Ze wist immers niet of
wat hij aan Duitse rechtvaardigheid in het vooruitzicht stelde oprecht was of alleen maar de zoveelste grap.

'Maar ziet u, mevrouw Helianos,' ging hij voort, 'een dergelijk plan zou weleens verkeerd kunnen lopen na de dood.
Die arme Kalter had beter in leven kunnen blijven als hij er
zeker van wilde zijn dat de zaken liepen zoals hij gewild had.
Jammer genoeg voor hem heeft hij het aan mij overgelaten

om de kwestie te regelen, en ik denk er heel anders over. Ik ga de zaak heel anders aanpakken. Ik sta aan uw kant. U kunt op me rekenen. Ik zal u beschermen en voor u zorgen.'

Dat betekende dus vrijspraak voor haar, of in ieder geval uitstel van executie: blijkbaar was het geen grap. Ze voelde zo'n enorme opluchting en dankbaarheid dat ze overwoog om als een eenvoudige boerenvrouw neer te knielen en zijn vlezige, gebruinde hand te pakken en te kussen, maar hij had duidelijk gemaakt hoe hij over dat soort uitingen dacht. Ze ging staan, maar kwam niet dichterbij. 'Dank u, dank u wel,' zei ze met zwakke stem, en ze zou nog meer gezegd hebben als ze daar niet van was weerhouden door een snelle, kille blik in zijn ogen.

Toen draaide hij zich om naar de luitenant en sprak in het Duits verder. 'Nu zal ik het u uitleggen, luitenant Frieher. Ik denk wel dat u het met mij eens zult zijn. Heeft mijn vriend in zijn brief immers niet gezegd dat ik zelf mag weten hoe ik het zal regelen?

Wat betreft dit Griekse gezin waar mijn vriend bij inwoonde,' begon hij, met zijn hand in de richting van mevrouw Helianos wuivend, alsof ze niet één persoon was, maar een heel gezin. 'Het zou luitenant-kolonel Sertz weleens heel goed uit kunnen komen om hen op een of andere manier verantwoordelijk te houden voor zijn zelfmoord. Laten we er eens van uitgaan dat hij die opzet zou willen volgen... Goed dan,' zei hij plotseling met een vreemde, heldere maar besliste stem, en snel als een zweepslag, 'in dat geval zal ik tegenover het bevoegd gezag kunnen getuigen dat het anders in elkaar steekt!'

Het was duidelijk dat dit bepaald geen loos dreigement was: de jonge officier leek verbijsterd te zijn.

'Als u wilt, luitenant, mag u de luitenant-kolonel gerust van mijn zienswijze op de hoogte stellen,' voegde de oude officier eraan toe, alsof hij daar nu pas aan dacht.

Toen werd zijn stem weer laag, hees en langzaam, als een

zweep die niet langer benut wordt en over de grond wordt teruggetrokken, en hij zei: 'Ik zal u nu iets vertellen over de achtergronden van dit gezin, luitenant, die ik toevallig goed ken omdat ik de overleden majoor gedurende de tijd dat hij hier woonde vaak heb bezocht. U mag dit naar believen in uw rapport vermelden, om het waarheidsgetrouwer te laten lijken.

Dit zijn de feiten: de hier aanwezige mevrouw Helianos is een achtenswaardige vrouw; mijn vriend heeft me van alles over haar verteld. Ze is volgzaam, gedwee en plichtsgetrouw...' En hij voegde eraan toe: 'Ze heeft lange tijd alles wat ze aan eten over wist te houden aan mij gegeven voor mijn oude bulterriër, totdat die zo oud was geworden dat ik hem moest afmaken. Na ieder avondmaal liet ze het in een keurig pakketje bij mij thuis bezorgen. Dat was buitengewoon sympathiek van haar.'

Deze zogenaamde karaktertekening van haar alsof ze er helemaal niet bij was, verontrustte en ergerde haar, maar ze had in feite geen reden om te denken dat hij het niet vriendelijk bedoelde. Het leek eerder bedoeld om de luitenant te kwellen, als tijdpassering, en om het raadselachtige dreigement dat als een zweepslag had geklonken langzaam tot de jonge officier te laten doordringen. Nu was hij blijkbaar aan de beurt om kat-en-muis mee te spelen. Of ze nu wilde of niet, mevrouw Helianos vond het wel vermakelijk, en onwillekeurig vatte ze enige sympathie op voor de oude majoor.

Nog zo'n sympathieke Duitser, dacht ze. Nu kende ze er twee: de kleine, pientere, norse dokter die na de arrestatie van Helianos op bezoek was geweest en deze oude grapjas, en dat in nog geen veertien dagen tijd, nu het praktisch gezien te laat was en ze al besloten had voortaan te volharden in boosheid. Nog een goede Duitser; ze had altijd over goede Duitsers gehoord, maar was in de laatste twee jaar uiteraard gaan twijfelen of ze wel bestonden. Dit was er een, onmiskenbaar: arrogant maar innemend, een tikkeltje boosaardig, maar gewetensvol, kat-en-muis spelend met haar en met de luitenant uit een diep gevoel voor rechtvaardigheid en – hij ging er duidelijk van uit dat zij dat zou geloven en zij had niet echt reden om dat niet te doen – met haar belang voor ogen.

Hij leek werkelijk van zins om de rest van de middag te blijven praten. Wat hij met dat gepraat bedoelde was buitengewoon onduidelijk: zijn bedoelingen leken om de haverklap te veranderen. Nu zei hij weer achteloos: 'Haar echtgenoot, Helianos, zit momenteel in de gevangenis, zoals u weet. Het was altijd al een kritisch mens, of in ieder geval een intellectueel, een onbetrouwbaar sujet en in alles het tegendeel van deze volgzame, plichtsgetrouwe mevrouw Helianos!

Slecht volk, die Helianossen, allemaal in het verzet, heb ik gehoord. Hij is nog niet veroordeeld, naar ik aanneem omdat hij waardevolle informatie kan verschaffen. Ik denk dat het raadzaam is om te zijner tijd geen enkel medelijden met hem te tonen.'

Bij die woorden kon mevrouw Helianos zich bijna niet bedwingen als een eenvoudige vrouw op haar knieën te vallen en ze riep vertwijfeld: 'Nee, nee, nee!' Nu de vreselijke kwestie van Helianos' mogelijke veroordeling ter sprake was gebracht – los van wat de majoor voor ogen stond met zijn Duitse rechtvaardigheid – kon ze haar tranen niet langer inhouden. 'Niet mijn Helianos, niet Nikolas Helianos! Hij is onschuldig, onschuldig, onschuldig,' zei ze zacht en koppig, telkens opnieuw.

Het ergste was dat ze niet eens wist of ze nu werkelijk wanhopig was of alleen maar de rol speelde die de majoor van haar verwachtte, of het nu tragedie of komedie was. Maar ach, dacht ze, wat zijn bedoelingen ook waren, het kon geen kwaad om te zeggen dat Helianos onschuldig was. Misschien wist hij dat ook wel, misschien was het negatieve beeld dat hij schetste alleen maar bedoeld om de jonge luitenant in verwarring te brengen en te lijmen, ter wille van haar, ter wille van Helianos, ter wille van het recht. Wie kon het zeggen? Van begin tot eind was ieder woord dat hij zei dubbelzinnig geweest, maar hij had haar op het laatst wel beloofd dat er geen onrechtvaardigheid zou zijn. Verder had ze niets om op te vertrouwen, en dus leek het het verstandigst om er vooralsnog maar min of meer in te geloven. Ze had niemand anders om haar te beschermen en dus moest ze voorlopig voor deze merkwaardige oude man kiezen.

Ze hield haar armen in een smekend gebaar naar hem uitgestrekt, maar zonder verdere ophef. Ze vergoot een paar tranen, maar niet meer dan dat. Ze huilde, maar zo stil mogelijk om wat hij verder te zeggen had niet te onderbreken. Ze luisterde naar wat hij zei alsof het iets ver weg betrof, de onzekere lotgevallen van een ander gezin.

'Ze hebben een zoon,' zei hij. 'Alex, in alles een echte Helianos, een slecht joch, maar hij is nog ongevaarlijk. Hij is nog heel klein en verkeert in slechte gezondheid. We moesten hem af en toe met de zweep geven, omdat hij het voedsel voor de hond stal. Zo is het toch, mevrouw Helianos?'

Hij glimlachte naar haar, klaarblijkelijk uit vriendelijkheid.

'Nee, nee, Alex heeft het niet gestolen,' protesteerde ze zonder veel overtuigingskracht.

Haar zachte, verwarde stem werd overstemd door de majoor, die de zijne enigszins verhief, zodat de luitenant hem goed kon verstaan. 'Welnu, luitenant, ik denk dat ik u nu wel alles heb verteld wat ik over dit gezin weet. U gaat nu natuurlijk doen wat uw plicht is: u maakt uw eigen rapport op zoals u goeddunkt. Ik weet dat dit, strikt genomen, ons kwartiermeesters helemaal niet aangaat, maar het is een privé-aangelegenheid. Ik zal u persoonlijk dankbaar zijn als u zorgt dat luitenant-kolonel Sertz de zaak niet al te hoog opneemt.'

Hij liet tot slot nog enkele zweepslagzinnen volgen. 'Als hij, ondanks onze goede diensten, de zaak toch hoog wenst op te nemen – als hij werkelijk meent dat het zijn plicht is om die onfortuinlijke mevrouw Helianos hier te betrekken in de kwestie van de dood van majoor Kalter – tja, luitenant, dan zal ik daar niet eens zo rouwig om zijn! Dat zou me de kans geven iets aan het opperbevel te rapporteren wat al enige tijd op mijn geweten drukt.

Er is hier in Athene sprake geweest van verduistering, luitenant, van het aannemen van steekpenningen en van het verkwanselen van militaire goederen. Niet zo mooi! Voor een deel vallen die zaken binnen onze bevoegdheden. Onder bepaalde omstandigheden zal ik het niet meer dan mijn plicht achten om een onderzoek in te stellen. Wilt u dit alstublieft allemaal aan luitenant-kolonel Sertz duidelijk maken? En zegt u hem dat ik het buitengewoon vervelend zou vinden als ik hem in verlegenheid zou moeten brengen?

Weet u, Frieher, er bestaat een zekere rivaliteit tussen de onderdelen van ons leger, maar dat is alleen maar natuurlijk en heel gezond, en meestal ook wel amusant.'

Luitenant Frieher keek ongelukkig, maar leek behoorlijk geïmponeerd.

'De kwestie-Helianos moet op een normale manier worden afgewikkeld. Laat het recht zegevieren, zonder de ballast van een moordmysterie. Laat het lichaam van mijn vriend erbuiten. Ik neem aan dat uw bureau een geschreven rapport van mij wil, naast wat ik heb gezegd? Ik zal dat eerst naar u toe sturen, zodat u het in alle details kunt staven, als u dat op prijs stelt.'

De luitenant sloeg zijn hakken tegen elkaar, boog en mompelde: 'O, jazeker majoor, zoals u wenst.'

Majoor von Roesch slaakte hoorbaar een zucht, alsof er een grote angst of verantwoordelijkheid was weggenomen. 'Zelfs in geval van oorlog kun je het spel beter volgens de bekende regels spelen, luitenant. Neemt u dat maar van mij aan, op mijn woord als ervaren officier, een officier die weliswaar zijn beste tijd gehad heeft, maar wel een van het soort dat altijd zal blijven.

Weet u, Kalter was dan wel intelligenter dan ik, maar ik ben mijn tegenslagen te boven gekomen en heb het overleefd. In de vorige oorlog was ik kapitein en ik verwacht het tot luitenant-kolonel of misschien tot kolonel te brengen in de volgende! Weet wel, Frieher, dat de Nationaal-Socialistische Arbeiderspartij Duitsland niet uit het niets heeft gecreëerd.

Ik dank u zeer. U hoeft niet met me mee te lopen. Uw manschappen zullen wel staan te wachten beneden. Ik zal een van hen naar boven sturen om uw orders te vernemen.'

Ze salueerden voor elkaar en de majoor liep met verende, krachtige tred naar de deur. Toen hij mevrouw Helianos passeerde, hield hij even zijn pas in, maakte een lichte buiging en gaf haar met zijn dikke handschoen een klopje op haar schouder.

De laatste paar minuten van zijn kleinerende optreden tegenover de jonge luitenant had hij weliswaar haar belang voor ogen gehad, maar was het ook duidelijk dat hij haar aanwezigheid in de kamer was vergeten. Terwijl ze daar verwonderd zat te luisteren, moest ze terugdenken aan de avonden dat ze in de kleerkast had geluisterd naar die andere majoor aan de andere kant van de scheidingswand, toen die de arme Helianos had geprobeerd te indoctrineren met zijn geloof in de bovenmenselijke Duitser. Wat deze beter gehumeurde majoor tegen haar zei, klonk heel wat minder geëxalteerd. Misschien dacht hij werkelijk dat ze geen Duits verstond, of misschien maakte ze op hem zo'n hulpeloze en hopeloze indruk en leek ze zo volledig van hem afhankelijk te zijn dat het niets uitmaakte of ze iets opving of niet, alsof ze een schoothondje was dat rusteloos rond zijn voeten dartelde terwijl hij druk aan het woord was.

Toen ze met haar betraande, vermoeide ogen naar hem opkeek, zag ze dat de zijne nog steeds (of weer opnieuw) vriendelijk stonden, maar de rest van zijn gezicht vertoonde een vreemde uitdrukking: betrokken, somber, afgunstig ook. Ze bleef huilen, maar was ervan overtuigd dat zijn goede wil met betrekking tot haar oprecht was en dat te zijner tijd in het geval van Helianos het recht misschien toch zou zegevieren.

'Maakt u zich niet ongerust,' zei hij. 'Ik geloof dat u van nature een goed mens bent, mevrouw Helianos. Zorg dat u dat blijft, hier in uw huis met uw kinderen, en doe uw plicht. We zullen elkaar vast en zeker nog tegenkomen.'

'Dank u, majoor, dank u,' zei ze.

'En zeg die bliksemse zoon van u dat we u netjes behandeld hebben,' riep hij vanuit de gang.

Zodra hij vertrokken was, kwam ze tot bedaren en hield op met huilen. Na alles wat ze gehoord had, voelde ze een aangename onverschilligheid tegenover luitenant Frieher. Ze vroeg zijn toestemming om naar buiten te gaan en haar kinderen te zoeken en mee naar huis te nemen; ze hadden die middag immers nog niets te eten gehad.

Ze was namelijk bang dat de kinderen, uit wanhoop omdat ze ondanks haar belofte maar niet kwam, in hun eentje zouden terugkeren, misschien wel net op het moment dat de manschappen van de luitenant het schommelende en doorgebogen lijk via de trap naar buiten droegen, en het kon goed dat Alex dan vergat om Leda's ogen te bedekken.

De luitenant liet haar niet graag gaan – hij schudde langdurig het knappe hoofd: het was niet volgens de regels en misschien ook wel riskant – maar omdat ze bevriend was met majoor von Roesch gaf hij toch zijn toestemming.

De kinderen zaten ieder op een steen op de hoek van de straat vlak bij hun speelplek te wachten. Met Leda was alles goed; Alex had haar uitstekend weten af te leiden. Hand in hand liepen ze achter haar aan terug naar huis. De ziekenwagen of lijkkoets, of wat voor voertuig ook in gevallen van zelfmoord werd ingeschakeld, was nog niet gearriveerd. Toen ze verscheidene stemmen in de woonkamer hoorden, haastten ze zich door de gang naar de keuken. Mevrouw Helianos zette de kinderen een bord soep voor van de vorige dag, maar ze wilden niet eten.

'Leda trekt zich niks aan van wat er met Kalter gebeurd is,' gaf Alex te kennen. 'Ik heb het haar gevraagd en ze zei van niet.'

'Ssst, Alex, we moeten stil zijn zolang de Duitsers in huis zijn. Kom naast me op bed zitten, we gaan hier met z'n drieën netjes naast elkaar zitten wachten.'

Toen ze zo nog eenmaal op het bed op de Duitsers zat te wachten – ditmaal niet totdat ze zouden komen, maar totdat ze zouden vertrekken, en tenminste één van hen voorgoed – gaf ze zich over aan gedagdroom over hoe het zou zijn als de oorlog gewonnen was (als de Duitsers niet gewonnen hadden). Dagen, weken, maanden zouden voorbijgaan zonder dat er een Duitser te zien was, zonder dat er zelfs maar iets van hen vernomen werd; misschien zouden ze zelfs kunnen vergeten dat ze bestonden. Maar dat bleek zoiets onvoorstelbaars dat de tranen haar opnieuw in de ogen sprongen. Ze had de tegenwoordigheid van geest om haar hoofd af te wenden voordat de kinderen haar zo zagen. Ze besloot in ieder geval om na de oorlog nooit meer Duits te lezen of te spreken.

Het was overigens wel een zegening gebleken dat ze redelijk Duits sprak en in staat was geweest om het lange, ingewikkelde gesprek dat de officieren over haar hadden gevoerd te volgen en om de afscheidsbrief van Kalter te lezen! Toen ze op dat moment onwillekeurig haar ogen sloot, ontdekte ze tot haar verbazing dat ze zich de brief heel precies en volledig voor de geest kon halen: de indeling van de alinea's op het papier, de krachtige, hoekige halen van het neerwaarts lopende Duitse schrift en zelfs een paar vlekken, alsof hij tranen op de nog natte inkt had laten vallen. Op die manier herlas ze de brief woord voor woord, alsof hij op haar netvlies gebrand of fotografisch vastgelegd was, te beginnen met die merkwaardige vormelijke aanhef: *Zeer geachte vriend en medeofficier*, inclusief de fatale passage die ze dom genoeg aanvankelijk had overgeslagen, en eindigend met dat Franse woord *Adieu*.

Ze deed haar ogen weer open en schudde vol afkeer haar hoofd; de brief bleef haar echter voor de geest staan, niet als een dagdroom of zinsbegoocheling, maar als iets wat onuitwisbaar in haar geheugen stond gegrift, een nieuwe verworvenheid die die vreselijke dag in haar had wakker geroepen. Het hele voorjaar lang, maar vooral sinds Helianos weg was, had ze verbaasd gestaan over de mate waarin ze herinneringen kon vasthouden, iets wat nu door dat kleine, onzinnige wonder nog was versterkt.

Wat had ze een afkeer van die brief! Zelfs haar dertienjarige Alex had zich niet zo aangesteld als die dramatische majoor in zijn brief. Ze zag het helemaal voor zich hoe hij die pompeuze, gekunstelde zinnen zat te schrijven, vervolgens de pen neerlegde, het pistool pakte en met zijn eigen bloed in plaats van de inktpot zijn eeuwige verdoemenis in nog veel ondubbelzinniger bewoordingen neerschreef. Als de Almachtige God spreekt hij daar zijn oordeel uit over zichzelf, vanuit de oude leunstoel van Helianos' vader als rechterstoel Gods, en hij laat zijn levensbloed over het bureau van Helianos vloeien als in een orgie, dronken van doodsdrift, zichzelf achterlatend als iets smerigs wat door andere mensen mag worden opgeruimd... Een eer die haar te beurt viel, realiseerde ze zich toen. Ze besloot het tot morgen uit te stellen, en dan moest ze ook iemand vinden die haar kon helpen.

Daarna vormde zich in haar verbeelding onwillekeurig een dodenmars voor dat arrogante wezen, terwijl ze juist alle reden had om zijn dood toe te juichen. De mars trok een ogenblik lang omfloerst en schimmig aan haar geest voorbij. Toen drong tot haar door wat het was: het was het geluid van haar eigen zware polsslag, haar uitgeputte ademhalen, haar bonzende hoofdpijn. Maar omdat de dood het enige is wat mensen absoluut gelijkmaakt, verdient ieder sterven, hoe onwaardig de dode zelf ook is en hoe welkom zijn dood ook, een moment van plechtig overpeinzen. Ze was bereid hem in die zin te herdenken, als mens in het algemeen; maar zeker niet als individu, want hij had grootheid noch goedheid in zich gehad.

Toen klonk vanuit de gang het lawaai van stommelende en schuifelende voeten van een aantal mannen; ze spraken op die eigenaardige zachte en rustige toon waartoe de levenloosheid van de doden iedereen lijkt te inspireren, zelfs Duitsers. En er klonk een plechtig bonzen, bonken en stoten toen ze het lijk de woonkamer uit manoeuvreerden, de gang op en naar beneden, voorgoed uit hun ogen.

Het lawaai was nog niet begonnen of Alex sprong op en snelde naar de keukendeur om te gaan kijken, en ook Leda kwam verrassend oplettend meteen overeind en liep hem achterna. Mevrouw Helianos kon hem nog net bij zijn arm pakken en tegenhouden – hoe vaak was dat niet haar taak als moeder geweest! Maar dit keer was ze uitgeput, en nu Leda zich ook al misdroeg, net als haar broer, ging het haar inspanningen te boven. En toen bedacht ze dat ze dit keer niet alleen op puur lichamelijke kracht hoefde te vertrouwen.

'Nee, Alex, nee,' zei ze. 'Er valt nu niets te zien. Ze hebben een laken over hem heen gedaan en hem op een brancard gelegd. Ze hebben er vast een van mijn goede lakens voor gebruikt.'

'Moeder, wat is een brancard? Ik wil weten hoe zoiets eruitziet.'

'Dat is een soort klein en licht draagbaar bed, met handgrepen aan de uiteinden,' antwoordde ze. 'Maar Alex, als ze ons de gang op zien kijken, worden ze vast weer boos en komen ze hierheen, en dan word ik weer heel erg ongerust. Je bent al groot, Alex, en je moet dat soort dingen van tevoren bedenken, als een volwassen mens.'

Ze besloot dat ze hem net zo goed alles kon vertellen. 'Alex, ze hebben me ervan beschuldigd dat ik Kalter gedood heb.

198

Ik dacht dat ze me zouden arresteren en naar de gevangenis zouden brengen. Wat zou er dan van je terechtgekomen zijn, helemaal alleen en ook nog Leda om voor te zorgen? Ik durf er niet aan te denken! Lieve jongen, kun je je nog die oude majoor herinneren die bij het Macedonische echtpaar inwoont en die jou ervan beschuldigde dat je het eten voor de hond had gestolen?'

Hij maakte een geluid dat half lachen, half grommen was. 'Natuurlijk, moeder. Ik zal u wreken als hij u arresteert.'

'Nee, nee, het is juist andersom: hij heeft weten te voorkomen dat de andere officier me zou arresteren. Hij heeft me het voordeel van de twijfel gegeven en daarom sta ik hier, snap je, zo vrij als een vogeltje.

Het is een grappige man, die oude majoor: je zou vast om hem hebben moeten lachen. Hij vertelde hoe netjes we het eten in kleine pakketjes hadden verpakt en die elke avond kwamen bezorgen; hij leek ons echt dankbaar te zijn. Hij heeft beloofd dat hij ons zal beschermen, en misschien helpt hij ook wel om je vader uit de gevangenis te krijgen.'

'Moeder, gelooft u hem?'

'Ik weet het niet, ik weet het niet. Duitsers zijn meestal moeilijk te begrijpen. We moeten maar afwachten. Elke dag heeft genoeg aan zijn eigen last, zoals je vader ons altijd voorhield.'

Na een moment stilte zei Alex: 'Maar ik ben toch heel blij dat u het tegen me gezegd hebt, moeder. Ik wil me goed gedragen, zoals u me vraagt, en dat kan ik beter als ik weet wat er is.'

Ze zaten een tijdlang zonder iets te zeggen, alledrie doodmoe. Op de gang was het gedaan met het gestommel van Duitsers en het vervoeren van doden. Er was er niet één naar de keuken teruggegaan om haar gedag te zeggen. Al met al, dacht mevrouw Helianos, hadden ze haar redelijk goed behandeld. Ze had geen idee hoe goed of hoe slecht. Ze kon niet anders dan afwachten hoe de zaken zich de komende maanden van haar beroerde leven zouden laten aanzien.

De kinderen naast haar op het opklapbed zaten te fluisteren – dat wil zeggen, Alex fluisterde heel zachtjes iets in Leda's oor, iets wat duidelijk niet voor zijn moeders oren bestemd was. Maar ze boog zich een beetje voorover in hun richting, hield haar adem in en luisterde. 'Misschien is vader wel uit de gevangenis ontsnapt en is hij van beneden naar het balkon voor het raam van de majoor geklommen en heeft ie hem door het raam doodgeschoten,' fluisterde hij.

Mevrouw Helianos ging wat achteruitzitten om zijn gezicht te kunnen zien. De fantasie gaf zijn ogen een onwerkelijke gloed; de schijnbare overtuiging in de theatraal gefluisterde zin was onweerstaanbaar. O, hij was helemaal bezeten, die dierbare zoon van haar, helemaal bezeten. En Leda, die achterlijke dochter van haar, met haar simpele lachje als een onbekommerd bloempje dat het zonlicht tegemoet lacht, geloofde ieder woord en vroeg hem fluisterend het nog eens helemaal te vertellen. En hij deed het nog ook.

En toen, een opwindend, onnadenkend moment lang, geloofde mevrouw Helianos het zelf ook; ze wilde het geloven. Ze stond op en maakte aanstalten de keuken uit te lopen naar het balkonnetje, om te zien of uit iets kon worden opgemaakt dat Helianos daar geweest was.

Maar natuurlijk kwam ze na een paar passen de gang in weer bij zinnen en keerde terug, opnieuw teleurgesteld in zichzelf en geschrokken: misschien was ze wel bezig gek te worden. Als deze krankzinnige oorlog met zijn aaneenschakeling van toevalligheden en raadselachtigheden maar lang genoeg zou duren, zou ze écht nog gek worden.

En dus nam ze opnieuw een ogenblik de tijd – maar hoe moedeloos ditmaal, met hangend hoofd, bijna beschaamd om weer de keuken in te gaan en naast haar kinderen te gaan zitten – om zichzelf in ogenschouw te nemen. Doodmoe was ze, en ze was op van de zenuwen. Ze had een zwak hart, een gebroken hart, letterlijk en figuurlijk gebroken, letterlijk en figuurlijk zwak. Al die zelfbespiegelingen sinds ze Helianos hadden meegenomen, waren slecht voor haar geweest. Ze was sowieso door zijn afwezigheid maar half zichzelf, niet meer dan een half mens.

Ze had zich haar zorgen kunnen besparen: van echte zwakheid was in haar geval geen sprake. Jaren van oorlogswaanzin en de harde tegenslagen van de laatste tijd hadden hun uiterste tol van haar geëist, zodat het zinloos was geworden om zich zorgen te maken of ze ziek was of gezond, gek of niet gek; het deed er nauwelijks nog toe. Noch de afwezige Helianos, noch de Duitsers – de dode, maar nog altijd dodelijke Kalter en de andere, nog levende majoor, die op zijn manier misschien zelfs nog gevaarlijker was en die haar in ieder geval nog meer voor raadsels stelde –, geen van hen had kunnen verhinderen dat ze nog altijd in staat was om te doen wat er gedaan moest worden, zoals nu bijvoorbeeld nog wat geredder in huis en verzorging van de kinderen totdat de dag ten einde was.

Toen ze weer in de keuken was, begon ze een geïmproviseerde maaltijd te bereiden en ze haalde Alex en Leda over om haar te helpen; ze praatte voortdurend met hen om hen te kalmeren en hun gedachten af te leiden van wat er was gebeurd. Ze vroeg hun wat ze allemaal hadden gezien onder het spelen op straat, terwijl ze op haar wachtten; wat ze de volgende dag van plan waren te gaan doen; welk spelletje ze op het moment het liefst speelden, en met welke kinderen uit de buurt ze graag speelden. Maar het verbaasde haar niet dat ze nauwelijks op enige vraag antwoord gaven: ze waren zo moe dat ze zich niet konden concentreren.

En daarom deed ze iets wat ze nog nooit eerder had gedaan: ze vertelde hun een stuk of drie van de meer begrijpelijke klassieke mythen. Ze kon geen ander soort verhalen bedenken om hen te boeien, en ze had het gevoel dat het Helianos met zijn liefde voor de klassieke oudheid een plezier zou hebben gedaan.

Ze vertelde hun over het bed van Procrustes, de struikrover van Eleusis; hoe hij te lange reizigers die op zijn bed lagen de benen afhakte en te kleine reizigers oprekte, zodat iedereen die bij hem kwam precies in het bed paste, of hij nu wilde of niet. Ze zei dat ze door haar eigen opklapbed daar in de keuken aan het verhaal had moeten denken. Hun vader en zij lagen er samen zo beroerd op dat ze bang was op een morgen wakker te worden en te merken dat ze voor altijd misvormd waren.

Dat vond Alex buitengewoon amusant en bij wijze van grap glipte hij achter haar langs, sloeg met een snel gebaar haar rok op en deed net alsof hij had gezien dat ze een misvormd been had. Zij deed net alsof ze hem een draai om zijn oren gaf en lachte naar hem.

Daarna vertelde ze over de dagmerrie of het middagmonster, de aloude personificatie van de zonnesteek. Ze bekende dat ze er zelf op een dag het slachtoffer van was geworden: ze had te lang voor het keukenraam in de brandende zon gestaan en had plotseling voor korte tijd haar verstand verloren, zodat ze plotseling allemaal onzin stond te schreeuwen, om niets moest huilen en zomaar stond te schelden. Ze waarschuwde hen ervoor: als de zon op zijn hoogst stond moesten ze geen spelletjes doen midden op straat, maar op de stoep blijven in de schaduw van de gebouwen, en ze moesten vooral nooit in de zon gaan liggen slapen.

Uit alles bleek dat Alex nauwelijks kon geloven dat zij zo verward kon raken als ze had beschreven: hij keek haar sceptisch aan. Wat de waarschuwing en moraal van haar verhaal betrof: die hadden ze hun hele leven lang, de hele zomer lang, dagelijks of bijna dagelijks moeten aanhoren, en hij verzekerde haar dat ze het echt nooit zouden vergeten. Hij vertelde haar van hun favoriete plekje in de schaduw, bij wat er over was van een trappenhuis in een vervallen woning vlak naast hun speelterrein.

Toen wilde hij weten of een middagmonster hetzelfde was

als een Furie en of het misschien een Furie was geweest die ervoor had gezorgd dat die Duitser van hen zichzelf had gedood.

Nee, zei ze, de Furiën achtervolgden mensen vanwege de misdaden die ze tegen anderen hadden begaan, vooral als dat iemand in hun naaste omgeving was geweest, zoals een vader, moeder, broer of zuster. De kwaadheid op jezelf, de afkeer van jezelf, die de oorzaak zijn van zelfmoord, zijn een veel groter kwaad, legde ze uit. En wat betreft de straf die de Duitsers moesten ondergaan voor de ellende die ze anderen bezorgd hebben: die moest nog komen.

Plotseling merkte ze dat Leda haar ogen had gesloten en haar vuisten had gebald en rilde alsof ze koorts had, en het drong tot haar door dat dit soort gepraat veel erger was dan wat Alex haar vertelde en ze voelde zich beschaamd. En dus nam ze het kleintje mee en legde haar in bed, ging naast haar liggen en streelde haar totdat ze in slaap viel, en viel daarna zelf in slaap. Die nacht sliep Alex op het bed van Procrustes.

15

Het kostte een hele dag om samen met een buurvrouw de woonkamer zodanig schoon te maken dat mevrouw Helianos tevreden was. Alex wilde per se met hen mee, toen ze met twee versleten schrobbers – de buurvrouw had haar eigen exemplaar meegebracht –, een bonte verzameling poetsdoeken, een kapotte bezem en een emmer water de kamer des onheils binnengingen. Hij beloofde zijn nieuwsgierigheid goed te maken door flink te helpen. Mevrouw Helianos zag met genoegen dat de jonge romanticus teleurgesteld was: de kamer was niet bepaald in bloed gedrenkt, er hing geen lijklucht en ook was er niets te vinden wat hij als souvenir zou willen hebben.

Het was duidelijk dat luitenant Friehers mannen grondig en professioneel te werk waren gegaan. Zo waren ze er bijvoorbeeld in geslaagd het grote lichaam uit de leunstoel te tillen en het op een brancard te leggen zonder een druppel bloed op de vloer te morsen. De buurvrouw maakte daar een opmerking over. Alex wilde weten hoe ze dat voor elkaar hadden gekregen: hadden ze het hoofd met doeken omwikkeld of was het bloeden toen al gestopt? Uiteraard werd hij door zijn moeder voor zijn ziekelijke belangstelling berispt.

Een van de soldaten had met Duitse grondigheid het bureaublad schoongewreven. Toch was er iets van het Duitse levensbloed achtergebleven in de nerven van het hout en er moest langdurig geschuurd worden. Er zat een vlek op een oud en versleten, met imitatieleer bekleed vloeiblok dat Helianos heel dierbaar was geweest. Mevrouw Helianos wilde het ding weggooien, maar de minder kieskeurige buurvrouw vroeg of ze het mocht hebben en was Alex daarmee een paar tellen voor. Onder het bureau lag een kleine, vieze en nog plakkerige plas bloed.

Ze hadden het weinige dat de overleden majoor aan militaire bezittingen had uit het bureau, de ladekast en de hoge kast weggehaald. Hoe meer weggehaalde dingen de vrouw des huizes opmerkte, hoe tevredener ze was. Ze hadden een zekere correctheid in acht genomen en niets meegenomen wat niet aan hem had toebehoord, met uitzondering van een oude tas die toevallig op het hoogste schap van de kast was blijven staan. Haar naam had erop gestaan, maar ze hadden hem ongetwijfeld nodig gehad om allerlei losse spullen in te doen die niet in Kalters tassen pasten. Ze betreurde het allerminst: ze was blij dat ze van zo'n waardeloos ding af was, zoals ze het tegenover de buurvrouw uitdrukte. Ze kon niets ontdekken wat ze over het hoofd hadden gezien, behalve de telefoon en de leeslamp. Ze besloot de telefoon met de grootste spoed weg te laten halen en koos een tussenoplossing voor de leeslamp, wat inhield dat ze die wel wilde hebben en ook behield. Per slot van rekening, zei ze met iets van Helianos' gevoel voor humor, was lezen op zichzelf een goede zaak.

Mevrouw Helianos bedacht dat Leda zich in de andere kamer ondertussen waarschijnlijk behoorlijk zat te vervelen. Alex had geen plezier meer in het werk en hij deed nog maar zo weinig dat ze hem liet gaan. Toen konden de twee vrouwen ongehinderd met elkaar praten. Dankbaar voor een goede buur en erop gebrand om niet weer ten prooi te vallen aan haar door de omstandigheden ingegeven hersenspinsels, drukte de trotse koopmansdochter en vrouw van een uitgever zich in aanzienlijk gewonere taal uit dan voor haar doen gebruikelijk was. Ook wist ze haar fantasie heel aardig in toom te houden. Ze gaf geen krimp, maakte het allemaal niet erger of groter, ook niet toen ze op haar knieën onder het gewraakte bureau zat met haar handen in het lichtelijk rood gekleurde schrobwater, behalve die ene keer dat haar iets te binnen schoot wat Helianos haar verteld had: die vreselijke Grieken uit vroeger tijden geloofden dat ze, als ze iemand gedood hadden, een beetje van zijn bloed moesten oplikken en weer uitspuwen om te voorkomen dat zijn ziel hen later zou achtervolgen. Ze bedacht nuchter dat iemand zich onmogelijk echt gerustgesteld kon voelen na een dergelijke extreme maatregel; er was in elk geval geen gemakkelijke manier om te zorgen dat de Duitsers iemand met rust lieten.

De buurvrouw was degene wier dochtertje samen met Leda in de buurt van de markt was verdwaald en in de zijstraat was beland waar de slachtpartij had plaatsgevonden; dat was lang geleden, toen Leda haar eerste zware aanval van apathie had gehad. Inmiddels was zowel haar dochtertje als haar echtgenoot overleden en was het eenzame mens straatarm, maar ondanks haar zware tegenslagen had ze een opgeruimd karakter, zorgeloos en vol levenslust. Ze was klein en mager van postuur, en had sterke handen en absurd grote voeten.

Ze stelde talloze vragen over het verscheiden van Kalter, vragen die bijna net zo choquerend waren als de vragen van Alex, en mevrouw Helianos was niet erg genegen ze te beantwoorden: ze wilde vergeten, vergeten! Maar omdat ze zo vriendelijk en doeltreffend geholpen werd, moest ze wel antwoord geven. Vervolgens kwam ze tot de ontdekking dat het haar goeddeed om met deze nuchtere en relatief onbekende vrouw te praten. Dus zette ze door en vertelde wat er het afgelopen jaar allemaal gebeurd was, in een versoberde versie die van alle drama was ontdaan om een zuiverend en ontnuchterend effect op haar herinneringen uit te oefenen. Op een bepaald punt in het verhaal wierp de buurvrouw haar hoofd achterover en lachte, de heldere, galmende lach van een eenvoudige en onbevreesde vrouw. Het deed de vertelster, Kalters slachtoffer, huiveren, maar het deed haar ook plezier.

Toen de aangrenzende slaapkamer aan de beurt was, zag mevrouw Helianos tot haar genoegen dat er niets van haar beddengoed was gebruikt om het lijk in te wikkelen. Alleen had iemand zich op het bed laten neervallen en het overtrek met zijn laarzen besmeurd; het kon Frieher zijn geweest, terwijl hij op de brancardiers zat te wachten, of Kalter zelf ergens gedurende de martelende strijd voorafgaand aan zijn zelfmoord. Iemand had een sigaar gerookt: her en der lag as.

Ze merkte op dat alleen het wegpoetsen van het bloed haar geen voldoening schonk. Ze wilde alles wat met Kalter – de levende en de dode Kalter – te maken had, het minste spoor of aandenken uit een heel jaar, radicaal uitwissen. Ze stortte zich met haar versleten bezem op iedere stofvlok alsof er een geest in huisde en ze rilde als ze zijn vingerafdruk of voetstap (je zou kunnen zeggen: zijn spoor) zag. En zo zetten de buurvrouw en zij zich stap voor stap aan een grote schoonmaak van het hele appartement, meer uit wrok en als ritueel dan dat er een echte noodzaak voor was. Ze had de woning in april nog samen met Helianos grondig schoongemaakt, toen Kalter weg was – wat leek dat lang geleden!

De volgende dag kwam de vrouw met de sterke handen en de grote voeten terug met nog een buurvrouw en hielp mevrouw Helianos met iets buitengewoon plezierigs: het terugzetten van alle bedden in huis. Het tweepersoonsbed ging terug naar zijn oorspronkelijke plaats in de slaapkamer van Kalter en het bed van Kalter en het opklapbed uit de keuken kwamen naast elkaar te staan in de slaapkamer van de kinderen. Alex zei dat het opklapbed heerlijk lag. Zijn moeder vermoedde dat hij dat misschien alleen maar had bedacht vanwege het verhaal van Procrustes. Ondanks zijn groeiachterstand was hij voorlijk: op zijn bovenlip was al duidelijk de schaduw van haargroei te zien. Wellicht was hij dus blij met wat voor bed ook, als het maar van hem alleen was; misschien voelde hij zich ongemakkelijk in bed naast Leda, ook al was ze zo vertrouwd en onaantrekkelijk.

Het tweepersoonsbed was een van de oudste en meest dierbare meubelstukken in huis, en was uit Psyhiko meeverhuisd. Cimon was erin geboren. Mevrouw Helianos was tot tranen toe geroerd dat ze er weer in kon slapen, ofschoon ze vreemd genoeg in dat brede bed vol herinneringen Helianos minder erg miste dan in het doorgezakte opklapbed, waarin hij haar het hele jaar lang keer op keer een ongemakkelijke nacht had bezorgd. De eerste nacht dat ze weer op haar oude stek lag, droomde ze dat ze weduwe was, maar het was een min of meer abstracte en absurde droom; de details zeiden haar niets en er waren geen voorwerpen die aan de dagelijkse realiteit deden denken. Er was nauwelijks enige gelijkenis met haar leven, behalve dan dat ze als echtgenote de kans liep om weduwe te worden. Het absurde was dat haar gedroomde echtgenoot iemand was die ze nog nooit had gezien, en daarom was er ook niets treurigs of waarschuwends aan haar gevoelens van rouw in de droom.

Op een middag kwam tot haar verrassing een van Helianos' neven bij haar langs, niet een van de helden, maar hun tegenhanger: Demos, het zwarte schaap van de familie, een kleine oude kerel met een onverzorgd, uitgemergeld en grauw uiterlijk. Hij had zijn hele erfdeel aan vrouwen van laag allooi opgemaakt en jarenlang van iedereen geld geleend. Een paar mannelijke familieleden hadden zich altijd toegeeflijk tegenover hem opgesteld, omdat hij zulke vermakelijke verhalen wist te vertellen. Maar sinds de bezetting van Athene was hij in ongenade geraakt. Hij had zonder dralen vriendschap gesloten met Duitse officieren van alle rangen en ging in een sfeer van onverhulde vriendschappelijkheid met hen naar openbare gelegenheden. Zijn belangstelling voor vrouwen was, gezien zijn gevorderde leeftijd en afnemende gezondheid, ongetwijfeld verminderd maar nog lang niet verdwenen, en hij had veel vrouwelijke kennissen en gemakkelijk toegang tot hun kringen. Men nam daarom aan dat hij zijn nieuwe vrienden ten dienste stond als souteneur.

Hij was al jaren een doorn in het oog van de eerzame vrouwelijke familieleden. Het was bijna een godsgeschenk dat hij zich nu schuldig leek te maken aan iets ergers dan zijn eeuwig onverzorgde uiterlijk, zijn schunnige praatjes en zijn obscure losbandige gedrag: nu konden ze eindelijk precies zeggen wat ze van hem vonden, zonder dat ze door hun echtgenoten voor preuts werden uitgemaakt. Van de echtgenoten vroeg hij niemand meer om financiële steun. Dat kwam weliswaar in zekere zin goed uit, omdat ze niet langer meer welgesteld waren, maar ze moesten ook toegeven dat het de ergste vermoedens bij hen wekte.

Toch was mevrouw Helianos blij om hem te zien. Geen enkele vaderlandslievende Helianos had haar opgezocht sinds haar man gevangen was gezet. Als familie leefden ze erg teruggetrokken, wat ook moest nu er een prijs stond op het hoofd van velen van hen. Misschien waren ze van mening dat een uiting van medeleven met hun arme neef Nikolas, nu het lot hem zo zwaar had getroffen, een ongunstige indruk op de Duitsers zou maken en de situatie nog verder zou bemoeilijken voor zijn ongeruste vrouw. Maar haar trots en vrouwelijke inconsistentie maakten dat ze een beetje gepikeerd was over hun discretie. Ze wist zich te herinneren hoe Helianos en zij in 1941 waren bekritiseerd waar het hun patriottisme betrof en ze heette Demos des te warmer welkom. Tot zijn verrassing, en ook die van haarzelf, kuste ze hem op beide akelige oude en bleke wangen.

Hij wilde niet binnenkomen en gaan zitten. Hij bleef op de drempel staan, draaide zijn versleten hoed in het rond, haalde vanonder de vettige hoedband een bundeltje papier te voorschijn en zei: 'Lieve nicht, dit is een brief van je man.'

Ze slaakte een kreet, griste de papieren uit zijn handen en begon hem uit te horen.

'Nee, ik vertel niet hoe ik eraan gekomen ben,' zei hij. 'En je mag ook aan niemand zeggen dat je hem ontvangen hebt. Het ga je goed!'

En hij draaide zich om, opende de deur en wilde weggaan.

Maar overweldigd door emotie greep ze hem bij zijn oude hand, trok hem naar binnen en ging verder met haar ondervraging, totdat hij plotseling met een mengeling van absurde waardigheid en felheid uitriep: 'Beste nicht, hou op! Ik moet gaan, nu meteen. Laat mijn hand los en stel geen vragen meer.'

'Demos, je bent al net zo erg als de eerste de beste Duitse soldaat, met je "laat dit, laat dat". Ik wil dat je me nieuws over Helianos vertelt. Eerder laat ik je niet gaan.'

'Ik ben zo Duits en militair als ik zelf wil. Laat me met rust, zeg ik je. Ik heb al risico genoeg gelopen voor jullie twee.'

Met zijn scheefstaande, door kraaienpootjes omgeven traanogen keek hij haar langdurig aan met een strakke blik, waar hij al zijn wilskracht in leek te hebben gebundeld. 'En geen woord tegen wie dan ook!' zei hij, en hij legde zijn wijsvinger tegen zijn lippen om geheimhouding en zwijgen uit te beelden.

'Snap je dan niet dat de rol die ik in deze rotoorlog op me heb genomen ermee staat of valt dat ik niets van doen heb met al jullie goede vaderlanders? Ik ben de hele tijd omringd door Duitsers,' voegde hij eraan toe met een cynisch oudemannenlachje. 'Duitsers, Duitsers, de godganse dag!

Begrijp me goed. Jouw man is een goede kerel en zo: toen hij nog klein was, waren we dikke vrienden. Maar nu hij in de problemen is geraakt en is aangehouden en in de gevangenis is gezet, bekijk ik de zaak van de Duitse kant. Ik kan je nog wel zeggen dat je man dat zelf uitstekend begrijpt. Het ga je goed.'

In een ouderwets gebaar nam hij haar hand, bracht die naar zijn vrijwel tandeloze mond en maakte opnieuw aanstalten om weg te gaan, maar riep toen: 'Ach gottegot!' en kwam weer op haar af.

'Wat ben ik toch een sufferd! Ik vergeet helemaal waar ik voor kwam. Die fijne brief was maar bijzaak. Ik kwam om je te waarschuwen. Zeg eens: is er nog iemand anders in huis? Waar kunnen we even rustig zitten?'

En zo kon ze hem uiteindelijk toch naar de woonkamer meenemen. Maar het bleek dat hij iets anders dan nieuws over Helianos te melden had.

'Een Duitser, Roesch genaamd, een oude majoor – je weet wie ik bedoel?' vroeg hij.

'Jazeker ken ik die. Hij was hier afgelopen zaterdag.'

'O ja? Nou, ik ken hem ook en ik had gisteren een gesprek met hem over onze Nikolas. Ik heb hem verzekerd dat hij net zo onschuldig is en de Duitsers net zo welgezind als ik, wat niet echt gelogen is, alleen maar misleidend!

De Helianossen hebben natuurlijk een flinke reputatie en geen al te beste. Het verbaast de Duitsers blijkbaar niet dat er één pro-Duitser in de familie zit, te weten mij: mijn welbekende kwalijke levensstijl heeft me daartoe gedwongen. Maar dat er nu twee zijn en dat die Nikolas van jou in mijn voetsporen volgt, is voor de Duitsers misschien wel wat moeilijk te geloven. Die oude Roesch keek me behoorlijk wantrouwig aan, kan ik je zeggen! Volgens mij duurt het niet lang of ze hebben me door.'

En zo kwam mevrouw Helianos erachter dat ook Demos een held was. De wonderen zijn de wereld nog niet uit, zei ze zacht bij zichzelf.

'Hij vertelde hoe beroerd zijn vriend Kalter aan zijn eind was gekomen. Ik heb Kalter niet gekend; volgens mij was hij een beetje te rechtlijnig voor mijn vrienden. Vertel eens: wanneer heeft hij er een eind aan gemaakt – was dat vrijdag?'

'Zaterdag, zaterdagmiddag,' antwoordde mevrouw Helianos.

'O, zaterdag. Zaterdag was het de twaalfde... Nou, het zal

wel niet meegevallen zijn om een heel jaar met zo'n figuur op te trekken! Het is een hele troost te weten dat hij er niet meer is, levend en wel – ofschoon ik moet zeggen dat hij blijkbaar vastbesloten was om ook na zijn dood nog een hoop last te veroorzaken.'

Mevrouw Helianos had geen zin om dat gepraat over Kalter aan te horen. Ze begon spijt te krijgen dat ze Demos had aangespoord te blijven en met haar te praten. Ze wilde alleen zijn met de brief van Helianos, die vreemde brief. Ze had hem een stukje opengevouwen terwijl Demos zat te praten: snippers en velletjes, helemaal overdekt met het geliefde handschrift van Helianos, maar wel een stuk kleiner dan ze ooit had gezien, het handschrift van een gevangene. Ze hield ze in de palm van haar hand die in haar schoot rustte, zodat ze er steelse blikken op kon werpen. Ze wilde niet onbeleefd zijn tegenover Demos, die de goedheid had gehad om haar de brief te bezorgen, mogelijk met alle gevaar van dien.

'Weet je, beste nicht, je mag wel heel erg van geluk spreken dat jij niet bij die kwestie van Kalters dood betrokken bent,' ging hij verder. 'Hij wees min of meer met een beschuldigende vinger in jouw richting, zo vertelde Roesch, een beschuldigende dode vinger!'

Ter illustratie wees hij met bevende vinger naar haar.

'Ja, dat heeft Von Roesch mij ook duidelijk gemaakt. Kalter heeft een brief achtergelaten, daar op Helianos' bureau.' Ze wees over haar schouder naar het bureau achter haar. 'Daarin staat precies waarom hij zelfmoord heeft gepleegd, maar hij schreef ook dat een Duitse hoge piet moest worden ingelicht, ene Sertz, zodat het zou lijken alsof wij hem gedood hadden.'

'Precies, dat was de bedoeling!' zei Demos. 'Sertz is buitengewoon gevaarlijk, moet je weten. Roesch is naar hem toe gegaan en heeft gedreigd in jouw voordeel te getuigen.'

'Dat heeft hij me ook beloofd. En weet je, Demos, ik hoorde hoe hij er met een jonge luitenant van Sertz over sprak; hij dacht dat ik geen Duits verstond. Het was eigenlijk chantage: Roesch had bewijzen van hun bedrog, steekpenningen en zo.'

'Juist ja, dus dat zat erachter,' riep Demos triomfantelijk. 'Bedankt dat je me dat verteld hebt, beste nicht. Wat slim van je dat je daarachter bent gekomen! Ik wist wel dat ze elkaar een loer wilden draaien. Rivalen en tegengestelde karakters: de oude Junker versus de jonge veelbelovende nazi.'

Ze wilde helemaal niet weten van dit gepraat over Kalter en Roesch en Sertz, al die beroerlingen. Ze was bereid alles te verdragen wat ze voor haar in petto hadden, maar ze had absoluut geen zin om van tevoren te bedenken wat dat kon zijn. Ze hield Helianos' brief tegen zich aan gedrukt en stond op.

Maar toen zei Demos op een zachte, angstaanjagende toon waarin medelijden doorklonk: 'Nu heb je Roesch achter je aan, beste nicht. Daar kwam ik je voor waarschuwen.'

Dus ging ze weer zitten en vroeg hem zijn raadsels en grappen achterwege te laten en haar direct en onverbloemd te vertellen hoe slecht het ervoor stond: ze was immers een vrouw en niet bijzonder moedig of intelligent.

'Welnu, je moet weten dat Roesch er vast van overtuigd is dat je geest gebroken is, m'n beste. Is dat ook het geval?'

'Nee, dat is niet zo,' antwoordde ze eenvoudig.

'Mooi,' zei hij. 'Maar hoe dan ook, je zult Roesch nog wel vaker te zien krijgen, misschien zelfs heel erg vaak. Overigens niet meteen: hij is vanmorgen voor een bepaalde opdracht naar Constantinopel vertrokken. Hij zal ongeveer twee weken wegblijven. Daarna zal hij je komen opzoeken en zijn deelneming betuigen vanwege Helianos die nog steeds gevangenzit enzovoort. Vervolgens zal hij je vragen om hem inlichtingen te geven over de rest van de familie Helianos. Begrijp je waar ik op doel, beste nicht?' vroeg hij ernstig.

'God sta me bij. Ja, ik begrijp het,' antwoordde ze.

'Tja, je staat er beroerd voor, en je houdt het lot van sommigen van ons in handen. Het leek me het beste het je allemaal uit te leggen en het verder aan jou over te laten. Beste nicht, probeer alsjeblieft Roesch geen enkele informatie te geven. Vertel hem maar wat onzin. Verzin maar iets, houd hem voor de gek.'

Hij sprak razendsnel, zijn verwilderde ogen schoten met nog altijd scherpe blik heen en weer en met zijn oude vingers draaide hij zijn hoed voortdurend in het rond.

'Onderschat hem niet. Hij is fel gekant tegen ons Grieken. Niet op een wrede manier, zoals Sertz, maar meer doordacht. Hij zou het hier waarschijnlijk voor het zeggen hebben gehad, als zijn politieke inzichten niet te veel afweken.'

'Hij is ook indiscreet,' onderbrak mevrouw Helianos hem. 'Het was dom om alles wat hij tegen die luitenant van Sertz zei in mijn bijzijn te zeggen.'

'Misschien mocht hij je wel. Misschien probeerde hij indruk op je te maken,' zei Demos met een lachje.

Mevrouw Helianos bloosde.

'Hoe dan ook, het was zijn bedoeling dat je zou denken dat hij je mocht. Zie je, Sertz en hij hanteren heel verschillende methoden. Sertz is echt een ijdele bruut. Hij denkt alleen maar aan de kwantiteit van zijn slachtoffers en niet aan de kwaliteit. Daarom is het in zijn belang om iedereen op te pakken, zelfs iemand als jij, m'n beste, neem me niet kwalijk dat ik het zeg... Roesch is veel verstandiger. Hij ziet er niets in om vrouwen en kinderen te slachtofferen. Waar het hem om gaat is dat hij ze als pionnen en als lokaas kan inzetten. Misschien was hij met opzet indiscreet, om te laten zien hoe ver hij wilde gaan voor jou, hoe hij zijn medeofficieren wilde trotseren voor jou. Hij wil met opzet gevoelens van dankbaarheid in je opwekken, zodat je hem de familiegeheimen toevertrouwt. Het lijkt me dat je hem maar beter kunt laten denken dat je hem dankbaar bent.'

'Goed dan,' zei mevrouw Helianos mat. In zo'n kort bestek kon ze dit nieuwe probleem onmogelijk overzien of aanvoelen, nu haar gedachten voor een groot deel bij Helianos' brief waren.

'Goed dan,' zei hij haar na. 'Ik moet nu gaan. Ik hoop dat je sterk genoeg bent. Ten slotte ben ik niet sterk genoeg en toch red ik het ook. Ik heb nóg iets in me, iets anders, iets wat jij misschien ook hebt. Je ziet hoe het ervoor staat: we kunnen het ons niet veroorloven geen vertrouwen in je te hebben. We zijn van je afhankelijk of we moeten je doden; en weet je, dat laatste zie ik ons niet doen.'

De oude stond op om te gaan. 'Wil je alsjeblieft aan mijn reputatie denken? Als er iemand van je afhankelijk is, ben ik het wel. Per slot van rekening kunnen Petros en Giorgos en de anderen de bergen in vluchten. Ik niet, mijn bescheiden taak ligt hier. Maar ik ben een goede neef voor je geweest, nietwaar? Ik heb je die verdomde brief bezorgd. Ik heb hem niet eens gelezen, ook al ben ik onverbeterlijk nieuwsgierig...

Nu moet ik er als een haas vandoor. Ik klets te veel. Daarom wilde ik ook eerst niet binnenkomen. Ze pakken me nog eens op als ik zo zit te kletsen met een aantrekkelijke vrouw.'

Ze liep tot op de overloop achter hem aan en keek hem over de trapleuning na; ze zag hoe hij wankel naar beneden liep en hoorde hoe zijn lichte voetstappen in de verte verdwenen, als van een schim. Ze voelde respect in zich opwellen, maar ook een klein lachje.

16

Helianos' brief was een lang en merkwaardig document, geschreven op vier of vijf verschillende soorten papier, op vijftien tot achttien meest kleine velletjes, verpakt in een tamelijk groot stuk dun pakpapier. Ze liep ermee naar de slaapkamer, ging op de grond zitten, spreidde alles om zich heen uit en las totdat de kinderen thuiskwamen. Toen deed ze rustig de deur achter zich op slot, haastte zich naar hen toe en zette ze een karige maaltijd voor, zonder over de brief te reppen. Zodra ze de kinderen naar bed had gekregen, ging ze verder met lezen. Ze had nog altijd de leeslamp van Kalter en een klein beetje lampolie. Ze zette de lamp op de grond en hield het lastig leesbare handschrift vlak bij het licht.

Het eerste wat ze toevallig las – het stond op het stuk pakpapier – joeg haar angst aan. Het was alsof Helianos in de gevangenis zijn verstand of zijn persoonlijkheid was kwijtgeraakt, of dat de Duitsers hem hadden weten te dwingen om te denken zoals zij. Het leek schaamteloze pro-Duitse propaganda te zijn in de vorm van losse notities met hier en daar een verbijsterende zin tussen aanhalingstekens. Plotseling drong tot haar door wat het was: een samenvatting van Kalters politieke betoog gedurende de laatste tien dagen van mei. Ze had daar zelf het meeste al van gehoord, toen ze op haar knieën tussen de oude schoenen en onder de neerhangende muffe kleding zat. Nu ergerde en verveelde het haar zozeer – te bedenken dat Helianos nog altijd op een of andere manier onder de bekoring was van die hoogdravende onzin! – dat ze het terzijde legde en een ander stuk brief oppakte. Ze hoopte dat Helianos zou uitleggen waarom hij de moeite had genomen om het voor haar op te schrijven, terwijl hij wist hoe ze ertegen aankeek en hoe het haar verveelde.

Het tweede gedeelte – om precies te zijn bestond het uit verschillende stukken papier – zag er gemakkelijker leesbaar uit en tot haar verbazing zag ze dat het niet meer was dan een verslag van zijn laatste gesprek met Kalter, waarvan ze alleen het verhitte slot had meegekregen, toen het slaan en trappen was begonnen.

Uit alles bleek dat hij niet wist van de dood van de in rouw gedompelde en overspannen Kalter. Maar hij gaf de volgende mening te kennen: *Hoewel ik destijds dacht dat zijn dreige-ment van zelfmoord niet meer was dan Duitse romantiek en re-toriek, ben ik er inmiddels na rijp beraad van overtuigd dat hij ooit een poging zal wagen, of hij wordt gek. Er klonk een krank-zinnige oprechtheid door in alles wat hij die middag zei. Het is een bekend feit dat de Duitse volksaard een sterk suïcidale trek ver-toont. Helaas zullen ze altijd proberen om zoveel mogelijk van ons anderen mee de dood in te voeren.*

Het was dus toch niet zo'n gemakkelijk leesbaar stuk. Ze werd er zo kwaad van dat de letters voor haar ogen dansten. Wat wenste ze vurig dat ze een paar minuten eerder op haar luisterpost was gaan zitten, zodat ze Kalter had kunnen horen dreigen met de belofte zelfmoord te plegen! Zij zou hem hebben geloofd, hebben willen geloven, en ze zou hebben begrepen dat Helianos gevaar liep. Die arme Helianos was nooit in staat geweest om zin en onzin te onderscheiden in wat die beroerde majoor tegen hem zei, dacht ze. Maar toen werd ze rood, omdat haar te binnenschoot hoe zijzelf de an-dere majoor, de goede majoor, half had geloofd.

Toen vond ze een bladzijde die meer op een gebruikelijke brief leek, dat wil zeggen, het was geen propaganda en geen vertelling: *Liefste, de liefde van een vrouw is van nature nooit bijzonder respectvol: ze ziet maar al te goed wat de zwakheden, het onvermogen en de onkunde van haar man zijn en hoe het leven hem heeft afgemat. Alsjeblieft, vergeef me dat allemaal nu ik weg ben en vergeet het zoveel mogelijk. Ik heb op dit moment je respect hard nodig. Ik moet mezelf voorhouden dat ik je respect heb, met een soort zelfgenoegzaamheid waar ik niet zonder kan. Het is een noodzakelijk medicijn.*

Ik heb altijd geprobeerd om geen intellectuele pretenties te tonen. Het is niet goed als iemand in de besloten kring van zijn gezin te koop loopt met zijn wereldwijsheid en culturele bagage. Maar dat ik over enige wereldwijsheid beschik, neem dat van me aan! Ik heb in mijn jongere jaren heel wat gelezen en heel wat grote geesten gekend. Zelfs nu, nu ik niet meer de jongste ben, is de recente ervaring van een Kalter die avonden achtereen frank en vrij met me gesproken heeft over de Duitse aard en de Duitse droom buitengewoon stimulerend geweest.

Misschien hebben de schok van de arrestatie, de eenzaamheid en de zware omstandigheden hier mijn geest overprikkeld. Hoe dan ook, ik heb de afgelopen dagen heel veel nagedacht en ik zou graag willen dat je er niet van uitgaat dat het allemaal maar onzin is omdat je me nu eenmaal kent. Ik vraag je dringend om me serieus te nemen.

Deze verontschuldigende inleiding deed mevrouw Helianos hartverscheurend huilen. Vervolgens koos ze een klein stukje papier waarop iets stond dat de aanvang had kunnen zijn van deze merkwaardige brief, die als geheel geen formeel begin of duidelijke afsluiting leek te hebben. Er stond te lezen: *Ach, er gaat zoveel door mijn hoofd en door mijn hart wat ik je moet vertellen! Soms laten ze ons geen moment met rust hier, met ondervragingen enzovoort. Ik voel me niet altijd goed en natuurlijk kan ik alleen maar schrijven als niemand het ziet. Maar gelukkig is er een klein raampje en op de gevangenplaats is een* sterk booglicht, dat de bewakers in staat moet stellen te zien of we allemaal nog op onze plaats zitten, en daar heb ik 's nachts een beetje licht van.

Mijn neef Demos, die oude boef, is hier geweest en hij zei dat hij terug zou komen. Hij heeft me deze velletjes papier gegeven. Ik vraag me af waar hij ze vandaan heeft. Hij heeft hier een vriend. Volgens mij kan hij goed van pas komen om mijn berichten aan jou over te brengen.

Op een paar stukjes grijs papier, als toiletpapier zo dun, stond te lezen: *Ik zou heel erg blij zijn als je het volgende voor me zou willen doen: zoek mijn oude neven Giorgos en Petros op, als zich de gelegenheid voordoet. Vooral Petros – tenminste, als het veilig voor hem is om naar Athene te komen.*

Ik weet dat je mijn neven niet mag, dat je bang voor ze bent. Maar je moet geduldig zijn en ze hun gewelddadigheid niet te veel kwalijk nemen; het zijn droeve tijden. Als die voorbij zijn, zullen het weer prima kerels zijn, ik zweer het je, als ze het tenminste overleven.

Ik zou graag willen dat je hun ons hele verhaal vertelt: het leven dat ons door de Duitser het afgelopen jaar is opgelegd, de grote verandering in mei en hoe het allemaal is afgelopen. Een van de dingen die me mijn eenzaamheid laten voelen hier is het feit dat ik niet zeker weet of jijzelf wel weet hoe het is afgelopen en dat ik geen kans heb gehad om daarover met je te praten. Ik kan me alleen herinneren dat jij je niet goed voelde en moest gaan liggen – heb ik dat goed? Dan weet je dus misschien niet dat hij de greep op zichzelf verloor en huilde en hoe ik daarop uit medelijden bepaalde dingen heb gezegd. Toen jij in de deuropening stond, voordat hij je buitensloot, heb ik daar achter zijn rug mijn lippen nog getuit in de hoop dat je het zag; het was bedoeld als een afscheidskus, maar je was volgens mij zo bang dat je het niet hebt opgemerkt. Morgenavond of de avond daarop zal ik proberen die laatste episode voor je op papier te zetten.

Waarop mevrouw Helianos het korte verslag nogmaals las, als het ware tegen haar wil, en weer voelde ze zich kwaad worden. En ze voelde hoe Helianos in zijn cel tegen zijn wil de herinnering aan zijn verhouding tot Kalter telkens opnieuw door zijn hoofd liet gaan, als in een tredmolen ronddraaiend, en ze huiverde bij de angstige gedachte dat hij in gevangenschap gek zou worden.

Toen greep ze opnieuw naar het dunne grijze papier: *Het maakt me blij als ik nu bedenk dat je bij alle andere gelegenheden in de kast zat mee te luisteren – Alex heeft mij je geheim verklapt, weet je, maar je moet het hem vergeven, hij maakte zich zorgen om je. Ik ben blij dat je een goed geheugen hebt. Ik wil dat je mijn neven alles vertelt wat je Kalter hebt horen zeggen, alles wat je je kunt herinneren. Ik zal een paar aantekeningen op papier zetten om je te helpen herinneren, en daarna wil ik wat gedachten noteren die hier in de gevangenis bij me zijn opgekomen, dingen die ik met hen zou hebben besproken als ik daartoe de vrijheid had gehad.*

Ze hield even op met lezen en pakte het stuk pakpapier dat was volgeschreven met die verachtelijke propagandistische aantekeningen, maakte er een prop van en smeet die tot onder het bureau. Ze zocht, vond en sorteerde Helianos' eigen politieke gedachten, maar stelde het lezen ervan uit tot de volgende dag omdat ze bang was dat ze ze niet zou kunnen begrijpen.

Daarna las ze een ander stukje van het dunne papier: *Laat mijn neven maar niets van deze zielige papiertjes zien. Ze zijn zo moeilijk te lezen – een man van de daad als Petros zou vast zijn geduld verliezen – en bovendien slecht geschreven in die van nature gezwollen stijl van mij. Alleen een liefhebbende echtgenote kan de moed opbrengen om dit kriebelschrift te ontcijferen. Maar ik moet wel klein schrijven, anders is het papier zo op. Het potlood is Duits en schrijft allerberoerdst. Demos had het op zak. Ik gebruik mijn tanden om de punt te scherpen. Ik vraag je dringend zoveel mogelijk te proberen te begrijpen van wat ik hier neerkrabbel, dan kun je daarna mijn neven alles in je eigen woorden vertellen.*

Natuurlijk slaagde ze er niet in iets van dat alles te begrijpen, maar ze had uiteraard wel de moed om het allemaal te ontcijferen. Af en toe verloor ze de moed en kwam ze in de verleiding om alles in een doos of een lade weg te stoppen als een louter tastbare, maar onleesbare herinnering. Maar dan kwam ze bij een passage waaruit zijn oude, vertrouwde welsprekendheid klonk. Ze raakte weer in de ban, of ze nu begreep wat ze las of niet, en liet zich door zijn gedachten in alle richtingen meevoeren, ook al betrof het een onbewogen overdenken van de dood.

Ik zal je vertellen wat het is als je overdenkt hoe het is om te sterven, stond er te lezen. *Ik heb het niet over mijn eigen dood, liefste; dit is nu eenmaal een plek waar je onwillekeurig aan de dood in het algemeen wordt herinnerd. Een deel van je geest raakt hier onthecht, raakt los van het aardse, en maakt dat je gedachten hun eigen weg gaan. Wat je het allerliefst zou willen is dat je vrienden en familie weten wat er met je gebeurd is. De gedachte dat je dit aards bestaan moet opgeven maakt dat onvermijdelijk: je gaat je afvragen hoe je zonder lichaam nog in hun gedachten zult kunnen voortbestaan, alsof je een geest bent die plannen maakt om iemand te beheksen.*

Dat is, denk ik, een van de redenen waarom ik wil dat je met mijn neven praat. Ik zal me een stuk beter voelen en het zal me helpen mijn lot met waardigheid en geduld te dragen als ik weet dat zij hebben ervaren wat mijn bescheiden belevenissen zijn geweest, hoe het allemaal heeft kunnen gebeuren en wat mijn mening erover is. Je hoeft niet te proberen om er een mooi verhaal van te maken: de feiten zijn genoeg. Het geeft niet als ze maar weinig bewondering hebben voor de manier waarop we ons gedragen hebben; het geeft niet als ze er geen inspiratie of een duidelijke moraal uit kunnen putten – als we maar niet vergeten worden! Zolang die herinnering er is, is er hoop.

Op drie onregelmatige stukken papier van ongeveer dezelfde kwaliteit, die duidelijk bij elkaar hoorden, stonden enkele overpeinzingen die geïnspireerd waren op zijn ervaringen met Kalter. Op het eerste papier stond: *Het zit in de aard van de Duitsers om op gezette tijden te veranderen, of schijnbaar te veranderen. Tegen het eind van de oorlog – of, zoals in het geval van onze Kalter, eventueel nog voor het eind – worden ze de oorlog opeens moe, omarmen ze het idee van beschaving en hebben ze medelijden met degenen die ze in het ongeluk hebben gestort. Dat is oprecht bedoeld en dat is ook wat ze zo gevaarlijk voor ons maakt. Ons is geleerd om oprechtheid hoger te waarderen dan goed voor ons is.*

In vredestijd zijn ze zo sympathiek, met hun warme gevoelens en gecultiveerde geesten; ze zijn zo gemakkelijk in de vriendschappelijke omgang, ze scheppen zo'n genoegen in kleine attenties en ze zijn zo diep doordrongen van alle vormen van idealisme, dat je ze maar al te graag leert kennen.

Zelfs in oorlogstijd; zelfs Kalter was bij tijden sympathiek. Ik weet het, liefste: jij hebt dat nooit zo gevoeld, omdat hij het jou persoonlijk zo moeilijk maakte. En je voelde het instinctief goed aan, zoals keer op keer het geval was, ons hele leven lang.

Maar ik voelde het wel zo: ik had nu en dan momenten, afgelopen mei, dat ik hem mocht. Vooringenomen, onredelijke vrouw van me: ja, je hebt me gewaarschuwd. Maar nee: ik was de optimistische, de redelijke en de verstandige van ons twee, ik wilde niet luisteren. Ik vergaf hem, met name een keer rond middernacht. Ik had medelijden met hem, met name op die laatste middag. En daarom zit ik nu in deze gehate gevangenis jou een lange, onleesbare, onmachtige brief te schrijven. Dat is mijn verhaal. Ik denk dat er over de hele wereld miljoenen rondlopen die net zo dom zijn als ik. En ik wil dat zij te weten komen wat ik nu weet.

Het is iets om op je hoede voor te zijn: Duitsers die goedgemutst zijn, die plotseling anders zijn en attent doen, al die aangeboren gemoedswisselingen. Dat is de moraal van mijn verhaal.

In feite blijken de sympathieke en rechtschapen Duitsers in de praktijk veel gevaarlijker te zijn dan de andere, omdat ze ons op het verkeerde been zetten. Zij zetten de val waar de anderen van profiteren.

'Roesch, Roesch, Roesch,' fluisterde mevrouw Helianos

voor zich uit, en ze liet het papiertje uit haar vingers op de grond glijden. Die sympathieke Roesch die haar arrestatie verhinderd had en haar een eerlijke loop van het Duitse recht had beloofd, die haar regelrecht in zijn val liet lopen; Demos Helianos die haar daarvoor had gewaarschuwd, toen ze al in de val zat; een veranderlijke Roesch die over een week terug zou komen om de val dicht te slaan... Het was alsof Helianos precies wist wat er met haar gebeurd was. Niet dat hij het wist, hij kon het niet weten, hij had het zitten schrijven in zijn cel. Toch was ze eigenlijk niet meer bang voor de val; ze was inmiddels nergens meer bang voor, alleen voor de afwezigheid van Helianos: ze voelde zich zo eenzaam. En dus zat ze daar een tijdlang, overmand door een eenzaamheid die kon doorgaan voor luiheid: de vrouw van Helianos, op de grond met diens brief om zich heen verspreid, als een doodgewone, arme huisvrouw te midden van de inhoud van een prullenmand en te lui om het op te ruimen.

Na een poosje ontcijferde ze op een ander stukje verkreukeld papier, de afgescheurde flap van een kleine envelop, het volgende: *Natuurlijk zal er na de oorlog sprake zijn van vergeving, dat is niet meer dan natuurlijk. Men zal opnieuw sympathie voor ze opvatten, in ieder geval van Angelsaksische zijde, waar dat op een of andere manier in het bloed zit. Maar ik moet zeggen: sympathie of niet, het doet er niet toe, het doet er niet toe! Wat belangrijk is, is dat we ze nooit moeten vertrouwen. Als je een volwassen geest bezit, is het mogelijk om mensen sympathiek te vinden of zelfs lief te hebben, zonder een blind vertrouwen in hen te stellen – zo is het toch?*

Maar soms denk ik, naïef als ik mijn hele leven geweest ben, dat alle goedwillende mannen en vrouwen ter wereld kinderen zijn en alleen de kwaadwillenden over een volwassen geest beschikken, en dan slaat de wanhoop toe.

Nu had ze nog twee verschillende groepjes kleine blaadjes over en ze begon aan het groepje dat minder klein geschreven leek te zijn, omdat het al laat was en haar ogen brandden. *Wat Griekenland zelf aangaat en de rampspoed waar-in we ons bevinden en de vooruitzichten op korte termijn,* begon de brief, *deel ik in feite niet de wanhoop die ik bij anderen waar-neem. Ik denk wel dat het verlies aan levens, het leed dat kinde-ren is aangedaan en de schade door hongersnood en ziekte hier gro-ter zijn geweest dan waar ook. Maar een volk kan daar, denk ik, van herstellen: een kwestie van tijd, als die gegeven is. Maar het zijn juist de factor tijd en de toekomst van de wereld die me zor-gen baren. Geen enkel volk zal stand kunnen houden onder de ge-volgen van een oorlog met Duitsland die zich elke twintig of elke tien jaar herhaalt. De Duitsers zullen de aanval steeds sneller kun-nen inzetten, terwijl de andere volkeren uitgeput raken door alle schijnoverwinningen, waarmee ze hun in feite op bestelling elke keer een periode van rust gunnen, waarin ze op adem kunnen ko-men. En in toekomstige oorlogen zullen er uiteraard steeds meer volkeren zijn die ons lijden zullen evenaren...*

Onze goede dokter Vlakos heeft in het geval van Griekenland gekozen voor de wanhoopsvisie. Ik heb destijds niet herhaald wat hij tegen me zei, omdat ik absoluut niet wilde dat je je zorgen maakte. Nu ben ik daar niet langer bang voor. Het is beter om al-le opties onder ogen te zien en ons vertrouwd te maken met de vol-ledige waarheid. Het is gevaarlijk om onze ogen te sluiten, omdat we plotseling gedwongen kunnen worden toch te kijken en dan gek worden. Ik zal je bekennen, liefste, dat toen ik hier pas was er een tijd is geweest dat ik bang was gek te worden.

Wat dokter Vlakos me vertelde was dat het geboortecijfer in Griekenland was gedaald tot bijna nul. De Griekse man is impo-tent geworden, de Griekse vrouw raakt niet langer in verwach-ting. Maar volgens mij is het geboortecijfer een heel wonderlijk en mysterieus iets. Je zou denken dat een dokter dat wel zou begrij-pen, maar ze zijn zo sterk gericht op de nuchtere feiten. En soms leidt hun gebrek aan fantasie ertoe dat ze zich al te zeer laten ont-moedigen.

Ik wil niet geloven dat de kinderen van Griekenland ongenees-lijk ziek zijn – niet allemaal. Ze zijn als Leda. Ik heb hier in de

gevangenis heel veel nagedacht over ons kleine meisje en ik ben tot
de slotsom gekomen dat ze niet echt gestoord is. Ze is alleen maar
verlamd door angst en schrik, wat ook niet verwonderlijk is. Ik ge-
loof dat als de oorlog niet veel langer duurt, ze ervan zal herstel-
len. Ze zal door een wonder genezen worden en misschien zal al-
leen de vredesverklaring al voldoende zijn. Ze zal het wonder van
de vrede in de lucht voelen hangen en opsnuiven. Ze zal de ver-
andering in ons allemaal voelen en ontwaken. Denk aan wat ik
hier schrijf, lieve vrouw, als je wanhoopt aan haar toekomst.

Zo zal het ook zijn voor een fortuinlijk deel van het hele Griek-
se volk. Ik geloof niet dat de viriliteit en het moederschap van ons
volk werkelijk zo'n dieptepunt hebben bereikt. Men is te uitgeput
en ontmoedigd om de gebruikelijke hartstocht te voelen en – of dat
nu een bewuste gedachte is of niet – men is eenvoudigweg niet be-
reid om onder de huidige omstandigheden kinderen op de wereld
te zetten. Maar dat verandert allemaal als het weer vrede zal zijn.
Wat ons is overkomen, is deels niet meer dan een zware kwelling,
een verminking en verwoesting, en dat is iets anders dan verval
of ziekte; het heeft op de lange termijn een ander effect. Alles wat
sterk genoeg is om zware ontberingen te doorstaan, alles wat na de
verminkingen overblijft, alles wat aan de verwoesting weet te ont-
komen, is gezond genoeg. Ik heb dat tegen de dokter gezegd en er
toen lang met hem over gediscussieerd.

Liefste, herinner je je nog mijn oude Macedonische grootmoeder
en haar geweldige kudden schapen en geiten? Ik heb het daar, denk
ik, niet vaak over gehad omdat ze zo bot tegen je deed toen we pas
getrouwd waren. Heb ik je ooit verteld over de herfst die ik daar
boven in die diepe vallei bij haar doorbracht toen ik nog klein was?
Ik raakte bevriend met een van haar schaapherders. Op een nacht
– het was een schitterende koude nacht, de vorst begon over de wei-
den te trekken, de maan kwam helder op en de woeste heuvels ver-
loren hun scherpte als in een wolk – hielp ik hem de kudden te ver-
delen en op te drijven naar waar hij ze wilde hebben, en vervolgens
zette hij de rammen bij de ooien. Hij legde uit dat zijn schapen
zich pas wilden voortplanten als de vorstperiode aanbrak; dan wa-

ren ze niet meer te houden in hun opwinding en voortplantings-drang. Hij zei dat zijn beste rammen in één enkele nacht wel tien tot twaalf lammeren verwekten. Ik heb dat mijn leven lang ont-houden als een gelijkenis voor een onbegrijpelijke, fascinerende na-tuurwet, in mijn visie bijna iets religieus.

Zo zal het heel Griekenland vergaan als het weer vrede wordt. Toen ik dokter Vlakos dat zei, raakte hij mateloos geërgerd. Hij zei dat het onfatsoenlijk en onjuist was om mensen met dieren te vergelijken in deze sombere tijd waarin het land in doodsstrijd ge-wikkeld is. Geen wonder dat het geboortecijfer daalt, antwoordde ik, nu zelfs doktoren te somber worden voor dat soort dingen. Hij zei dat ik hem deed denken aan van die moderne dichters die ik had uitgegeven, een dwaas zonder verantwoordelijkheidsgevoel.

Maar ik zweer je dat er niets dwaas aan is. Als de Duitsers ver-trokken zijn, zal er een hevige hartstocht over Griekenland ko-men, waar wonderbaarlijke kinderen uit zullen voortkomen: kin-deren, o liefste, als de Cimon uit onze jonge jaren, volmaakt en vol beloften! In één nacht zal er een kleine nieuwe generatie verwekt worden, de voortbrengselen van dapperheid en pijn en honger.

Maar het treurige in dat opzicht is dat het tevergeefs zal zijn, tenzij volkeren, en in het bijzonder grote volkeren, zich veel in-telligenter en voorzichtiger tonen dan totnogtoe – zeg dat tegen Petros! Want de Duitsers zullen om de zoveel jaar terugkeren om opnieuw op onze nieuwe generatie in te beuken tot er een punt van een verlammende geestelijke ontwrichting is bereikt, om opnieuw een slachting aan te richten, om ons opnieuw uit te buiten. Dok-ter Vlakos houdt dat niet tegen; ook Grieken die tot de laatste man vechten houden dat niet tegen; alleen als alle volkeren zich ver-enigen, kan het worden voorkomen. Zeg dat tegen Petros. Een sei-zoen lang krijgen we de gelegenheid om te groeien, en dan, als zij de tijd rijp achten, maaien ze opnieuw onze levens onder ons van-daan in eenzelfde zinloos, misselijkmakend oogsten als nu.

O, deze geschreven woorden, zo dacht mevrouw Helianos, waren erger dan alles wat hij 's nachts op het bed in de keu-ken had gezegd terwijl zij haar vingers in haar oren had gestopt om het niet te horen. Ze was nu niet meer zo gevoelig en schrikachtig, maar zelfs nu kon ze het niet verdragen. Ze stond op, liet de stukken papier op de grond liggen en ging naar bed.

Ze sliep slecht die nacht. Ze lag de halve tijd wakker en als ze in slaap viel werd het alleen maar erger: dan droomde ze dat ze nog steeds zat te lezen, nog steeds zonder het te begrijpen en zonder zich erbij te kunnen neerleggen. Vervolgens droomde ze dat ze niet langer zat te lezen, maar luisterde: zijn geliefde stem ging maar door en maakte dat ze onrustig sliep. Vreselijke dingen hoorde ze over Leda, die opnieuw geboren werd, en over Cimon, die opnieuw gedood werd in een tweede slag bij de Olympos, en onbegrijpelijk gepraat over rammen en slachtingen. Toen droomde ze dat ze wakker werd omdat ze zo graag wilde weten of hij het tegen haar had of dat hij in zijn slaap praatte. En toen werd ze echt wakker, om slechts te ervaren dat hij er helemaal niet was en ook de droomstem verdwenen was. Diep ongelukkig sloeg ze haar armen om de lege plek en drukte haar gezicht in het onbeslapen kussen.

Haar tederheid sloeg om in verbittering. Ze lag klaarwakker en liet toen tot zich doordringen hoe hopeloos onvoorzichtig het van hem was om in een Duitse gevangenis bladzijde na bladzijde vol te schrijven tegen de Duitsers en ze toe te vertrouwen aan die oude dwaas Demos. Het leek wel of het hem niets uitmaakte of hij ooit nog uit de gevangenis zou komen of niet.

Ach, waar ter wereld was er een sterveling te vinden die nog dwazer was dan deze Helianos aan wie ze al haar liefde had geschonken? Waar was er een nuttelozer, hulpelozer geest te vinden dan deze bijzondere man aan wie ze haar leven had toevertrouwd? Zijn ondergang was in de eerste plaats te danken aan dat intellect van hem. Uit moeheid had ze haar post in de kleerkast voor een uurtje verlaten en meteen was hij met zijn fatale mening over de Führer komen aanzetten!

De arrestatie en de opsluiting: het was zijn eigen schuld, zijn verdiende loon, maar niet het hare! Het was een vorm van ontrouw dat hij niet beter had opgepast, zijn mond voorbij had gepraat, in de Duitse val was getrapt. Hij was niet meer dan een kind. Zelfs hun eigen kinderen, de wildebras Alex en de achterlijke Leda, hadden meer notie van zelfbehoud dan hij. En de vrouw van Helianos voelde iets van moederlijke ergernis opkomen; ze wilde hem vastpakken, dooreenschudden en in zijn gezicht slaan.

Eén keer, toen ze nog jong waren en toen ze echt kwaad was geworden, had ze hem midden in de nacht als een kat gekrabd, met haar vuisten op zijn gezicht en zijn borst geslagen om uiteindelijk in huilen uit te barsten. Hij had zachtjes de draak met haar gestoken, haar tranen gedroogd met een punt van het laken en haar lijf, zacht en hulpeloos nu haar woede gekoeld was, dicht tegen zich aan getrokken, en terwijl hij haar armen en toen haar benen met zijn stevige, jonge handen in een bepaalde houding dwong, bedreef hij in alle rust de liefde met haar. En zo kwam het dat ze zich nu in een droom die zo weinig bij haar leeftijd paste, ontspande en opnieuw in slaap viel.

De volgende dag stuurde ze de kinderen al vroeg naar buiten om te spelen, zodat ze het karwei van het lezen van de brief kon afmaken. Er waren nog vijf stukken te gaan, slecht leesbaar geschreven op het allerslechtste papier in het allerkleinste handschrift: *Ik wil dat Petros het volgende doet: ik wil dat hij nadenkt over dit alles en dan wil ik dat hij naar Amerika gaat om met mensen daar te praten. Hij is de enige van ons die goed kan praten, simpel en op een ongecompliceerde manier, overtuigend door zijn innemende mannelijke persoonlijkheid.*

Ik wil dat je hem ervan overtuigt dat hij dat moet doen. Je moet niets zeggen over zijn eigen veiligheid; dat maakt hem alleen maar kwaad. Ofschoon hij wel degelijk een beetje te beroemd is geworden door onze bescheiden strijd onder de neus van de Duitsers: zijn daden zijn iets te veel het onderwerp van gesprek. Op een keer hoorde ik op de markt een hele reeks geruchten: hij was die dag in Athene geweest en iedereen wist ervan. Het zal niet lang meer duren of hij wordt een gevaar voor de mannen onder hem en belemmert hun optreden. Hij kan dus met een gerust geweten vertrekken.

Het is vreemd: ik weet in feite niets meer over Amerikanen dan wat Kalter aan hatelijkheden over hen heeft gespuid. Maar ik ben er zeker van dat ze opnieuw van groot belang zullen zijn als de oorlog voorbij is. De Russen zijn waarschijnlijk te meedogenloos, terwijl de Engelsen te veel hechten aan eer en te gevoelig zijn om de klus te klaren, maar de Amerikanen kunnen de Engelsen op andere gedachten brengen.

Het is belangrijk dat ze verteld wordt wat wij hebben geleerd van de Duitse overheersing. Ik wil dat Petros hun dat vertelt. Want als we allemaal in wereldpolitiek opzicht naar het pijpen van de Duitsers blijven dansen, zoals tot nu toe is gebeurd – vol kritiekloze bewondering als ze zich van hun goede kant tonen, alleen strijdend als zij de strijd aanbinden en vol medelijden met hen als ze om medelijden vragen –, dan zullen ze vroeg of laat hun zin krijgen en ligt de wereld aan hun voeten.

Zeg Petros dat dit is wat ik voorzie, ook al vind jij het onverdraaglijk of dwaas. Hij is een jonger iemand en een man van de daad; laat hij maar bepalen hoe dwaas het is. Ik ben bang dat mannen als hij, die het beste zijn wat we hebben, allemaal zo opgaan in hun heldendom van het moment dat ze te weinig aandacht hebben voor de toekomstige oorlogen die de Duitsers in voorbereiding hebben en voor hoe goed die voorbereidingen zijn. Dat is geen kwestie van al te lange tijd. Petros en de oude Giorgos zullen nog tijdens hun leven gedwongen worden opnieuw de strijd aan te gaan. Ook jou en mij zou het kunnen overkomen dat we de lijdensweg nogmaals moeten gaan, ofschoon ik nog liever zou zien dat we allebei dood zouden gaan.

Zeg Petros dat hij die mensen aan de andere kant van de oceaan moet waarschuwen dat het ook hun kan overkomen, nog voordat de eeuw voorbij is. Niets is ondoenlijk voor dat grote Duitse

volk, vervuld van mystiek en wetenschap, hardwerkend en zelf-
verloochenend, van de duivel bezeten en vol verachting voor ieder
ander.

Ik kan me niet voorstellen dat de Amerikanen onverschillig zijn
voor het gevaar dat ze tegemoet gaan. Ik denk dat hun grootste
vergissing schuilt in de hoop dat ze een vrede kunnen sluiten die
voor eeuwig is, die als een natuurwet geen verder toezicht behoeft,
zodat ze zich weer kunnen ontspannen, vrolijk verder kunnen le-
ven en er niet meer aan hoeven denken. Als ze merken dat dat
niet gaat, verliezen ze alle hoop. Ze geven de hele affaire op als
een hopeloos geval en vervallen tot cynisme en fatalisme. Dat is
wat er na die andere oorlog is gebeurd. Ik wil dat Petros dat heel
sterk benadrukt, want het is een onvergeeflijke dwaasheid.

Wat bedoelen ze in godsnaam als ze het hebben over een vrede
voor altijd? Het kan nu eenmaal niet anders dan voor korte tijd
zijn, als je geluk hebt en als je je ervoor inspant en voortdurend
waakzaam bent en het juiste beleid voert, dag in dag uit, jaar in
jaar uit. Zo is het met alles in het leven hier op aarde: zijn de
Amerikanen en de Engelsen dat vergeten? Je moet tegen Petros
zeggen dat als hij zo'n leeghoofd van een politicus hoort praten over
eeuwige vrede, hij hem moet vragen: hoe zit het dan met een eeu-
wig leven? Gelooft hij daar ook in? En eeuwige liefde, eeuwige ge-
zondheid en eeuwig talent?

Als we ziek zijn en naar de dokter gaan, verwachten we toch
ook niet dat hij ons onsterfelijkheid belooft? Als hij een geneesmid-
del voorschrijft, hoeven we er toch niet van overtuigd te worden
dat het een wondermiddel is, een elixer, voordat we het innemen?
Lieve vrouw, ik weet het: je hebt nooit veel op gehad met mijn be-
scheiden geestigheden. Maar deze is raak en zal nuttig blijken en
tot nadenken aanzetten. Doe er alsjeblieft niet smalend over: Pe-
tros zal de betekenis ervan inzien.

Zo eindigde de brief, zonder een duidelijk einde. Misschien was het toen net middernacht geworden en was hij
door slaap overmand, of was het overdag en was Demos zojuist de gevangeniscel binnengekomen, of hadden de Duit-

sers hem meegenomen voor een akelige klus of een juridische formaliteit.

De brief als geheel overtuigde mevrouw Helianos er weliswaar meer dan ooit van dat haar echtgenoot een groot mens was, maar was toch een teleurstelling voor haar, en toen ze klaar was met lezen, moest ze nogmaals huilen. Ze nam het hem niet kwalijk dat hij hier en daar wat al te zelfverzekerd en snoevend klonk; als iemand het zwaar heeft, is het immers goed dat hij voor zichzelf opkomt. Ook hechtte ze wel geloof aan zijn toekomstvisioenen. Ze voelde alleen een zekere bittere jaloezie waar het de grote angstwekkende schaduw betrof die de wereld, de volkeren, het land, de mensheid, de neven over ieder bladzijde van de brief wierpen – geen mededeling voor haar alleen, geen advies met betrekking tot de kinderen, geen troost voor haar voortdurende lotswisselingen. Het was al erg genoeg dat hij niet wist wat die inhielden, maar in de brief leek hij niet eens een poging te doen om zich voor te stellen hoe het voor haar was. Zijn fantasie had hem meegevoerd naar hogere belangen en tragedies van groter omvang.

Er was nog een andere, geheel onzelfzuchtige reden tot bitterheid en hoe meer ze daarover nadacht, hoe erger het werd: dit was pas het begin van wat hij had willen schrijven. Hij had iets willen schrijven wat grootser, ongekunstelder was en de arme wereld meer tot steun zou zijn geweest, als ze hem niet hadden onderbroken met al dat zinloos gedoe van ze, wat dat ook mocht zijn.

De volgende dag, toen ze nog bitter gestemd was door haar teleurstelling en ze plotseling bang was geworden om zo'n compromitterend bewijs van anti-Duitse sentimenten in huis te hebben en haar ook nog een ander, niet nader te duiden gevoel bekropen had, besloot ze de brief te vernietigen. Ze deed een poging om alle politiek getinte passages te selecteren en begon die in steeds kleinere stukjes te scheuren tot niemand behalve zijzelf (en misschien ook zij niet) ze weer aaneen zou weten te voegen. Maar na een paar minuten treurigmakend en onzinnig scheuren voelde ze schaamte opkomen, alsof ze iets onfatsoenlijks of misdadigs had gedaan. Ze vond een klein beschilderd doosje dat ze jaren geleden van Evridiki cadeau had gekregen om zakdoeken in op te bergen, stopte de verscheurde brief erin en verborg het op het hoogste schap van de kast in de kamer van de kinderen.

Waar ze echter geen rekening mee had gehouden was haar geestesoog, dat nu als een lens werkte, haar nieuwe verworvenheid niets meer te kunnen vergeten. De verschillende papiersoorten en afwijkende formaten van het briefpapier uit de gevangenis – geen twee velletjes waren hetzelfde – maakten deze onvoorziene mentale wending uiteraard nog gemakkelijker. Wanneer ze maar wilde – en vaak zonder dat ze het wilde – hoefde ze haar ogen maar te sluiten en kon ze in het duister achter haar oogleden een willekeurige passage of een reeks passages moeiteloos reproduceren, inclusief de onvolmaaktheden in het potloodschrift, kleine vlekken veroorzaakt door vuil van de gevangeniscel en verkeerd gespelde of weggelaten woorden. Zonder de brief uit het bewaardoosje te hoeven halen, kon ze zich het hoofd breken over de veranderingen die Helianos' handschrift van fragment tot fragment onderging. Ze maakte zich zorgen als ze zag dat zijn hand hier en daar onvast werd; ze zag aan de druk van het Duitse potlood op het oppervlak van het slechte papier waar zijn overtuigingen het krachtigst waren geweest en trachtte voor zichzelf een idee te krijgen van zijn dagelijkse bezigheden en zijn stemmingen in zijn cel, zijn hel. Ze sloot de brief langzaamaan in haar hart, niet alleen omdat hij een herinnering vormde aan de man van wie ze hield, niet alleen omdat de brief op zich een kleine, goedbedoelde bijdrage wilde zijn aan de kwestie die de wereld in zijn greep hield, maar omdat het als het ware een vreemde en onmelodieuze muziek was die ze kon neuriën.

17

Drie dagen na zijn eerste bezoek kwam Demos opnieuw langs. Door de afstotelijkheid van zijn gezicht, afstotelijker dan ooit, zijn aanvankelijke stilzwijgen en zijn verlegenheid, zijn bezorgd informeren of de kinderen thuis waren en de zichtbare opluchting toen ze had geantwoord dat ze weg waren, wist ze dat hij slecht nieuws kwam brengen. Ook nu weer weigerde hij verder te komen dan de gang en ditmaal klonk zijn weigering zo serieus dat ze er niet tegen inging. Hij liet zijn hoofd hangen als een beschroomd jongetje. Hij stond op één been en wreef met zijn andere voet tegen zijn enkel en de rand van zijn hoed had het meer dan ooit zwaar te verduren.

'Ik heb haast,' begon hij. 'Ik moet je iets vertellen over de problemen waar je in verkeert.'

'Zeg het maar,' zei ze dapper.

'Zeg me eerst nog eens,' zei hij, 'wat je de vorige keer zei: welke datum was het toen de majoor zelfmoord pleegde?'

'Zaterdag de twaalfde.'

'Welnu, de dag daarvoor, vrijdag de elfde, is hij naar het kantoor van Sertz gegaan en heeft een regeling met hem getroffen om Helianos van alles en nog wat te beschuldigen.'

Mevrouw Helianos bracht haar handen omhoog en zocht

steun tegen de muren links en rechts van de nauwe gang.

'Hij heeft Sertz uitgelegd dat hij binnenkort het bevel zou krijgen om naar Duitsland terug te keren om ingezet te worden aan het Russische front en dat hij daarom niet aanwezig kon zijn om te helpen met de kwestie-Helianos. Daarom hebben ze samen zoiets als een beëdigde verklaring tegen Helianos opgesteld: een getuigenis van Kalter, onder ede getekend en verzegeld, en gedateerd 11 juni.

Roesch heeft de verklaring gezien op de dag dat Sertz en hij onenigheid hadden over jou. Ik wist hiervan, lieve nicht, toen ik je laatst kwam opzoeken. Ik heb er niets over gezegd, omdat ik de hoop had dat het allemaal over zou waaien.'

Helianos' vrouw hield haar adem in en trok zo'n diepe frons dat die haar blik verduisterde.

'Wat een ongelooflijke schurk,' riep Demos op wanhopige toon. 'Hij heeft zijn haat voor die arme Nikolas zo gezaaid dat de gevolgen pas na zijn dood zichtbaar zouden worden, zoals wij explosieven met een tijdontsteking aanbrengen onder bruggen en dergelijke, om kilometers uit de buurt te zijn voordat ze ontploffen.'

De vrouw zuchtte wanhopig.

'Je neemt het goed op, lieve nicht. Je bent sterker dan ik dacht. Zal ik je de rest nu ook vertellen? Wil je het slechte nieuws helemaal in één keer horen, hier zo alleen met mij?'

'Ja,' antwoordde ze.

Het was tenslotte nieuws dat ze zichzelf ieder moment had kunnen vertellen, al dagenlang, als ze dat had kunnen verdragen van zichzelf. Ze had het kunnen weten, ware het niet dat haar geest zich in alle bochten had gewrongen om het niet te weten; ware het niet dat haar denken en haar diepste verlangens samen voor net genoeg verwarring hadden gezorgd om de klap iedere dag weer te kunnen uitstellen; en ware het niet dat ze haar redeloze liefde had, een liefde die het werk van de verbeelding is en vaak andere vormen van verbeelding met zich meebrengt en maakt dat we buiten de realiteit leven en blind voor de feiten zijn.

Dit was het nieuws, het feit, de klap: 'Ze hebben Helianos gisteren geëxecuteerd,' zei Demos.

Helianos' weduwe zei niets. Ze zocht niet eens steun tegen de muur. Haar hoofd hield ze stil, ze vertrok geen spier van haar gezicht.

'Ik neem aan dat dat het compromis was,' zei Demos. 'Roesch wilde jou sparen, en dus leverde hij Nikolas aan Sertz uit. Als hij uit Constantinopel terugkomt, zal hij je vertellen dat hij, als hij niet noodgedwongen afwezig was geweest, Nikolas had kunnen redden. En dan zal hij zeggen hoe vreselijk het hem spijt.'

Demos praatte met een eentonige dreun door over allerlei bijzonderheden en details; het leek alsof hij niet kon stoppen.

'Kalter had getuigenis afgelegd dat Nikolas schuldig was aan het uiten van een belediging jegens het Duitse staatshoofd, aan verzet tegen een Duits officier van de bezettingsmacht, aan anti-Duitse sentimenten en aan een over de gehele linie weerspannige houding. Daarmee was zijn lot direct bezegeld. Ze hebben de executie twee of drie keer uitgesteld, om hem ertoe te bewegen de naam en toenaam, signalementen en huidige verblijfplaatsen van de rest van ons te geven.'

Het viel mevrouw Helianos zwaar om Demos aan te horen, maar ze had ook niet de energie om hem te laten ophouden. Bovendien bedoelde hij het niet slecht en zou ze uiteindelijk toch alles hebben willen weten, dus kon ze maar beter naar hem luisteren.

'Toen volgden er dagen van wachten op het verhoor en toen de dagen van verhoor zelf. En 's nachts bleef hij op, zo stel ik me voor, om die brief aan jou te schrijven. Het verliep helemaal volgens het Duitse boekje: het enige wat van de routine afweek, was dat een onbekwame soldaat zijn naam van de ene lijst van veroordeelden had weggelaten en op de volgende had gezet, en op het allerlaatste moment was er nog een keer voor vierentwintig uur uitstel, omdat de officier die het bevel had over het vuurpeloton onverwacht ziek was geworden. Uiteindelijk hebben ze hem gisteren de dood in gejaagd – en zichzelf van hem bevrijd –, samen met vier of vijf mannen en een vrouw die van andere dingen waren beschuldigd.'

Demos Helianos was een vreemde vogel, dacht mevrouw Helianos. Ze dacht eraan terug hoe goed Helianos – juist Helianos – en zij zich gehouden hadden toen ze het nieuws hoorden dat Cimon tijdens de slag om de Olympos was omgekomen. Ze was vastbesloten om zich nu net zo goed te houden. Ze zei: 'Ik moet nu even gaan liggen. Ga nu maar, Demos. Dank je wel.'

Maar Demos, gedreven door de extreem stoïcijnse mentaliteit van iemand die lange tijd als vogelvrije in de nabijheid van de dood geleefd heeft, voegde daar toen, in de veronderstelling haar te troosten, in zijn dwaasheid aan toe: 'Je moet het je niet zo aantrekken. Het moet een verlossing voor hem zijn geweest. Het is een ware verschrikking door die lui ondervraagd te worden; ze zijn volstrekt genadeloos en uiterst bedreven, of het nu de geest of het lichaam betreft. Hij is vast en zeker opgelucht geweest dat het voorbij was. Ik geloof trouwens niet dat hij ook maar één van hun vragen heeft beantwoord.'

Daarop viel ze voor zijn voeten flauw. Het was de gedachte aan de jonge psychiater, het grote genie, auteur van belangrijke verhandelingen, degene die Leda's redding had moeten betekenen – lang leve de wetenschap! – die haar op het laatste ogenblik door het hoofd was geschoten en haar als door de bliksem getroffen velde.

Demos raakte behoorlijk van streek door haar flauwte. Het was veel te gevaarlijk voor hem om een dokter te gaan zoeken. Toen dacht hij aan een telefoon en liep gehaast de hele woning door om er een te zoeken, maar mevrouw Helianos had hem laten weghalen. Als vrouwen iets overkwam, raakte hij altijd in de war en hij had geen idee wat hij moest doen als ze flauwvielen. Maar hij was een goed mens. Hij schoof een kussen onder haar hoofd, zette een kopje water naast haar op de grond en ging toen weg. De deur liet hij open. Zoekend ging hij door de buurt, vond de speelplek en uiteindelijk ook Alex en Leda. Hij nam de jongen terzijde, vertelde op fluistertoon wat er gebeurd was en liet de verantwoordelijkheid aan hem over, als hoofd van het gezin van nu af aan.

De jongen en het meisje renden zo snel ze konden naar huis. Naderhand had Alex geprobeerd zich te herinneren of hij de dramatische boodschap van neef Demos onder het rennen tegen Leda had herhaald of niet; hij kon het zich niet herinneren, maar het moest wel, of het was het bewijs van haar abnormale helderziendheid: ze wist het.

Ze vonden mevrouw Helianos op de vloer van de gang, terwijl ze weer bijkwam en het kopje water trachtte te pakken dat haar neef daar met zo'n vooruitziende blik had neergezet. Alex probeerde haar te helpen bij het drinken, maar morste al het water over haar gezicht. Het feit dat ze daar helemaal niets op zei en niet eens haar gezicht vertrok, was voor hem een teken hoe slecht het er met haar voor stond en hij verspilde geen tijd aan een verontschuldiging.

Met gebaren maakte ze duidelijk dat ze wilde opstaan. Toen ze daarin geslaagd was en tegen de muur geleund stond, ontdekte ze Leda en hief met buitengewone tederheid haar hand op om haar een schouderklopje te geven, maar net op dat moment voelde ze zich weer duizelig worden en leunde ongewild met een deel van haar gewicht op het kleine kind. Het kind, met haar troebele, maar goede instinct, hield zich dapper, ging dicht naast haar staan en trachtte meer steun te geven.

Alex kwam van de andere kant naast haar staan en zo begonnen ze de kleine tocht door de gang, door de woonkamer, naar de slaapkamer, de goede slaapkamer. Het was een moeizame tocht. Om te beginnen was de gang smal, nu de moeder met haar armen wijd op haar kinderen steunde: het drietal, allemaal even zwak, sleepte zich noodgedwongen moeizaam voort. Verder miste mevrouw Helianos iedere kracht en moest ze zo nu en dan een paar stappen lang haar kinderen letterlijk als krukken gebruiken.

Toen ze eindelijk haar bed bereikte en erop neerviel, was het haar een ogenblik lang allemaal om het even, behalve het feit dat ze niet alleen was. Ze wist niet wat het was of waarom. Het was niet dat ze niet of minder van de kinderen hield; integendeel, achteraf zou ze zich het moment altijd herinneren als een moment dat ze zielsveel van hen hield. Maar desondanks kon ze het niet hebben dat ze zo naast haar bed bleven staan, als het toonbeeld van ontzetting en medelijden.

Ze had moeite met spreken. Ze moest lucht verzamelen en die heel bewust uit haar mond laten glijden met een paar woorden per keer, alsof ze ze uitblies: 'Ga nu maar, kinderen. Ga maar even weg. Ga maar.'

Alex antwoordde meteen: 'Ja moeder, ik ga al. Ik zal rennen en dokter Vlakos gaan halen.'

Maar ze hield hem nog even tegen. 'Nee, niet meteen gaan. Wacht eerst even, in je kamer. Wacht een paar minuten. En kom even langs voordat je gaat,' zei ze met die vreemde, aangeblazen fluistering.

Dit was immers de pijn der pijnen, een pijn die zijn aankondiging had gehad in al die andere pijnscheuten, een pijn die als een grote vishaak in, achter, om en rond haar hart zat vastgehaakt, een pijn die als een zware vislijn stevig vastzat en waar met onstuitbaar gelijkmatige halen aan getrokken werd, zonder nonsens, geen naaisteken, geen doorboren, geen wringen: alleen maar een volmaakte wreedheid die haar hele hart omvatte en een gelijkmatig trekken dat door haar hele lichaam voelbaar was. En dus dook haar geest neerwaarts, diep weg, als een vis die instinctief de planten in de vage diepten opzoekt om zich in te verschuilen en grote stenen om zich tegen schrap te zetten, en zich zo verzet tegen het trekken, op de enige manier die mogelijk is: door het inzetten van gewicht, diepte en onbeweeglijkheid. Toen was het voorbij. Ze was niet dood, dus nam ze aan dat het eerder dodelijke smart was dan een dodelijke aandoening. Ze was erdoor. Alleen had ze het koud; de kou omgaf haar van top tot teen en zuiverde haar vanbinnen en vanbuiten.

Toen kwam Alex langs, zoals ze gevraagd had, voordat hij de dokter ging halen. Ze hoorde hem even naar adem snakken, misschien omdat hij dacht dat ze dood was. Langzaam en met moeite opende ze haar ogen om hem gerust te stellen. Hij kon nauwelijks verstaan wat ze zei, met haar tanden opeengeklemd van de pijn, en met haar lippen die bijna onmerkbaar trilden van de spanning: 'Neem Leda mee, neem haar mee hiervandaan. Als ik weer slechter word, wordt ze bang, krijgt ze een aanval. Wij allebei, dat kun je niet aan, neem haar met je mee.'

Daaruit begreep Alex dat ze half en half verwachtte dood te gaan. En dus was het des te belangrijker om zo snel mogelijk de dokter te halen. Als hij Leda mee moest nemen, zou hij onmogelijk snel vooruit kunnen komen. Wat moest hij, wat kon hij met haar doen? Het was een vertrouwd probleem, maar nu dringender dan ooit.

Hij nam haar hand, trok en duwde haar voorzichtig met zich mee en sloot haar op in het toilet. Hij had geen tijd om haar te paaien of het uit te leggen. Hij deed het zo snel dat ze geen tijd had om te gaan huilen. Omdat hij goed begreep dat hij haar bang maakte en haar kwetste, boog hij vlak voordat hij de deur dichtdeed naar haar toe en gaf haar een kus, iets wat hij nog nooit eerder had gedaan.

Hij nam de sleutel uit de binnenkant van de deur, deed de deur van buitenaf op slot en vergat hem in het sleutelgat te laten zitten. Met de sleutel in zijn hand rende hij het appartement uit, de trap af, de zonovergoten straten door. Eén keer struikelde hij en viel, haalde zijn knokkels open en liet zich geërgerd een paar vloeken ontvallen die hij al langere tijd kende maar nog niet eerder gebruikt had. Hij had trouwens niet genoeg lucht om ze goed uit te spreken. Toen bereikte hij het huis van dokter Vlakos, die gelukkig in zijn praktijk aanwezig was. Hij was echter druk bezig om een gebroken pols te zetten. Alex wachtte niet op hem, maar rende terug naar huis in afwachting van zijn komst.

Thuis had een van die kleine, armzalige wonderen plaatsgevonden die het gezin Helianos overkwamen: de deur van het toilet stond open en Leda was verdwenen. Omdat hij dacht dat zijn moeder misschien van haar bed was opgestaan en de deur van het slot had gedaan, of dat zijn moeder dood was en iemand anders mogelijk in huis was geweest, snelde hij naar de slaapkamer. Ze was niet dood; haar gezicht had zelfs meer kleur, was minder vertekend en leek meer op het gezicht van zijn moeder. 'Moeder, moeder, waar is Leda?'

Ze wist het niet en schudde haar hoofd. Hij ging terug naar het toilet. Hij zocht naar de sleutel en kwam erachter dat hij die ongemerkt in zijn broekzak had gestoken. 'Leda, Leda!' riep hij.

Geen antwoord. Hij holde naar hun eigen slaapkamer en naar de keuken, en in de veronderstelling dat ze zich ergens uit angst of boosheid verstopt had, keek hij onder de bedden, in de kasten en in de voorraadkist. Daarna ging hij weer terug naar het toilet en zag toen dat het slot niet gewoon was geopend, maar was geforceerd. Het sleutelplaatje was uit het hout van de deurstijl gebroken en lag op de grond. Hoe Leda dat met die kleine, krachteloze handen had kunnen doen was hem een raadsel.

In zijn haast had hij bij het binnenkomen de voordeur open laten staan. Door de opening hoorde hij nu op de trap Leda's stem naderbij komen, kortaf en schril als een vogeltje in nood, en voetstappen, maar niet alleen haar voetstappen. Hij rende naar het trappenhuis en keek naar beneden. Daar kwam ze aan, en ziedaar het wonder: ze had de buurvrouw geroepen om voor hun moeder te zorgen. Ze trok het kleine, hijgende mensje gehaast voort, maar liep haar daarbij ook in de weg, greep haar nu en dan stevig bij de plooien van haar rok om haar sneller mee te krijgen, op iedere traptree van de ene naar de andere kant springend, helemaal over haar toeren en met een geëxalteerde blik in haar ogen.

Bij de laatste treden pakte de buurvrouw Leda uiteindelijk op en droeg haar, ook al was ze zwaar en schopte ze bovendien. Ondanks de droevige en dringende omstandigheden moest Alex daarom lachen. Hij nam haar over – uit de armen van nabuurschap in de armen van nauwe verwantschap – en al snel werd ze rustiger, draaide zich toen om en glimlachte vol mysterieuze tevredenheid. Ze wist klaarblijkelijk dat ze iets had verricht wat uitzonderlijk was en dat ze er goed aan had gedaan.

Naderhand beschreef de buurvrouw de opzienbarende entree van het meisje dat naar haar op zoek was. Blijkbaar hadden geheugen en intuïtie haar kleine voetjes regelrecht naar de juiste straat gevoerd, naar precies de goede huurkazerne. Maar toen wist ze nog niet welke woning ze moest hebben, welke ingang, welke trap. En dus riep ze vanaf de straat: 'Moeder van Maria! Moeder van Maria!'

Maria was de naam van het meisje dat bij haar was toen ze de slachting had gezien. Het kind was meer dan een jaar geleden gestorven. Een van de buren kwam naar buiten, en begreep al snel wat het arme kind van mevrouw Helianos wilde en bracht haar tot bij de deur van de moeder van Maria. Daar had Leda heel duidelijk weten te zeggen wat er zo dringend was, ook al haperde ze af en toe doordat ze moest huilen en buiten adem was: 'Mijn moeder is flauwgevallen, mijn vader is dood, mijn moeder gaat dood!'

18

Maar mevrouw Helianos zweefde drie dagen op de rand van de dood. Dokter Vlakos kwam iedere morgen en avond. De buurvrouw bleef in huis en bleek een bekwame verpleegster, een energieke huishoudster en een vriendelijke oppas te zijn. Ze sliep in het eenpersoonsbed met Leda en was in haar eenzaamheid ongetwijfeld verrukt over het feit dat ze het zwakbegaafde vriendinnetje van haar overleden dochter had om te vertroetelen. Leda was door haar wonderbaarlijke prestatie duidelijk moe geworden, maar meer ook niet; ze verviel niet tot apathie of huilerigheid.

Alex vond het maar niets dat de buurvrouw bij hen in huis was. Hij vond haar aanwezigheid veel te alledaags en te opgewekt voor dit keerpunt in hun leven. Maar hij bleef beleefd. Hij wist maar al te goed dat hij het kleine huishouden onmogelijk in zijn eentje aankon. Hij deed haar een plezier door te helpen zijn bed terug te plaatsen in de keuken en vroeg haar merkwaardig genoeg om te beloven daarover niets tegen zijn moeder te zeggen.

Op de vierde dag deelde dokter Vlakos mevrouw Helianos mee dat ze buiten gevaar was. Wat haar hartkwaal en gezondheid in het algemeen betrof: als ze zo'n veertien dagen in bed bleef en goed rustte, zou de tragische schok van de dood van haar echtgenoot geen bijzonder kwalijke gevolgen hebben. Na niet al te lange tijd zou ze haar oude leven weer kunnen oppakken, het huishouden doen, naar de markt gaan, koken en voor de kinderen zorgen.

Toen hij het goede nieuws had meegedeeld en vertrokken was, hield ze zichzelf voor dat het leven in tijden van oorlog voor haar (en voor iedereen) in de afgelopen twee jaar weliswaar een hel was geweest, maar dat er toch ook nog wel iets goeds te bespeuren was geweest. In de dagen daarna op bed leek het alsof ze alleen maar rustte, maar ondertussen telde ze een aantal van haar zegeningen.

Bijvoorbeeld hoe gunstig het voor haar was dat ze door de reeks bedreigende gebeurtenissen in de maanden mei en juni enige ervaring had kunnen opdoen met heftige gevoelens! Zelfs de voorlopige afwezigheid van Helianos, in de tijd dat hij nog leefde en zij hoop kon koesteren, was, zo moest ze toegeven nu zijn afwezigheid definitief was, een zegening geweest. Zonder het te weten, zonder toe te geven dat ze het wist, had ze in gedachten kunnen wennen aan het idee dat hij misschien nooit zou weerkeren en zich daar een beetje op kunnen instellen, zodat ze er niet door verrast werd en eraan te gronde ging.

Vlakos had liever niet dat ze sprak. Tegen die beste buurvrouw had ze sowieso niets te zeggen. Ze begon volgens oude gewoonte weer in zichzelf te praten. Ze had gedacht dat ze zichzelf niet meer zou kunnen verrassen, maar toen hoorde ze haar eigen gefluister: 'Ik ken mezelf goed genoeg, mijn sterke en zwakke punten, mijn goede en slechte eigenschappen. Ik leef nog; ik lig hier ziek op bed; ik maak me geen illusies meer; ik heb mijzelf vergeven. Maar zonder Helianos die me met zijn liefde een gevoel van eigenwaarde geeft, heb ik alle belangstelling voor mezelf verloren, wat onder de omstandigheden een zegening is.'

Wat een geluk was het geweest dat het nieuws van Helianos' dood een klap was die dubbel was opgevangen: de helft van de hevige pijn had ze zich slechts verbeeld, wat haar het leven gered had. Haar lichaam had de grootste klap van het leed opgevangen, waardoor ze haar verstand had behouden.

Omdat het haar allemaal niet meer interesseerde, hield ze ook op in zichzelf te fluisteren; in plaats daarvan sprak ze met Helianos.

'Helianos,' fluisterde ze, 'zorg dat ik niet te zeker van mezelf ben, vooral niet waar het mijn verstand betreft. Nu ik jou niet heb om me te waarschuwen of te troosten, zonder je kalmerende invloed, moet ik voorzichtig zijn. En ik zal voorzichtig zijn. Jarenlang heb je je in dat opzicht zorgen om me gemaakt, ook toen ik nog tamelijk jong was en ons leven nog min of meer goed was; nu ben ik ouder en mijn leven gaat een stuk slechter. Vergeef me, Helianos, dat ik je je zo voor niets zorgen heb laten maken. Je moet me vergeven, als ik nu gek zou worden; ik heb er alle reden voor.'

Toen viel ze in een oogwenk in slaap. De schrijnende gedachte aan Helianos bezorgde haar vaak dromen waarin zich de kans voordeed om te vergeten dat ze hem verloren had.

Toen ze wakker werd, zei ze: 'Helianos was een trots man. Hij zou zich voor me geschaamd hebben als ik mijn verstand verloren had. Nu geeft dat niet; hij zal het nooit weten.

Maar ik moet me schamen dat ik zeg dat het niet geeft!' ging ze bijna hardop verder. 'Ook al dreigt de dood, een mens heeft zijn trots; en zo lang als ik voel dat ik moet leven, moet en zal ik verantwoordelijkheid dragen. De weduwe van Helianos mag ondanks haar verdriet niet tot dwaasheid vervallen. De moeder van de kinderen van Helianos moet terwille van hen het hoofd koel houden.'

Het leek een goede zaak dat ze zo tegen zichzelf sprak. Ze dacht dat ze daardoor de moed zou weten te vinden om binnen afzienbare tijd op te staan en haar leven te hervatten, dat halve leven van haar. Ze kon toch onmogelijk nog langer blijven liggen. Er was nog zoveel te doen in de komende paar dagen en de volgende twee weken. Ze begon plannen te ma-

ken met het gevoel dat ze daar voor de tijd die haar nog restte mee bezig zou zijn. Het kon best zijn dat er na wat ze zo
duidelijk voor ogen had geen sprake meer was van een leven.

Bij al die plannenmakerij en dat vooruitblikken was het
niet meer dan natuurlijk dat ze zich tot Helianos richtte. Dat
had ze immers altijd zo gedaan. 'Helianos,' fluisterde ze, 'ik
bevind me in een lastig parket met die majoor die jij niet kent,
de majoor van de hond, een majoor met goudbruine ogen en
een mond als een geknakte zweep, een sympathiek mens. Hij
zal me een dezer dagen komen opzoeken en ik ben bang.

Hij zal me komen vragen om inlichtingen over je neven
Petros en Giorgos, en zelfs over die ouwe schurk Demos.
Demos heeft gezegd dat je in de gevangenis hebt geweigerd
om hun vragen te beantwoorden. Ook ik zal weigeren, dat
beloof ik je. Ik weet niet wat ze me zullen aandoen als ik weiger. Ik ben niet bang.

Mocht het zover komen, mocht ik ook een martelaar moeten worden om de geheimen van ons Grieken te behoeden,
dan wil ik dat je hele familie weet wat er gebeurd is. Als ze
zich mijn lot aantrekken, dan zal dat me helpen om mijn kruis
te dragen. Ik wil dat ze me dankbaar zijn als ik mijn kruis
weet te dragen. Misschien krijgen ze wel medelijden met me
als het te veel voor me blijkt te zijn.

Ja, Helianos, ik weet het: je hebt me gezegd dat na je dood
Petros het hoofd van de familie is. Ik zal Petros vertellen wat
er aan de hand is.'

Vervolgens vergat ze een tijdlang de hele kwestie met Von
Roesch, en toen ze weer de energie vond om te fluisteren,
ging het over een minder wanhopig aspect van de zaken die
ze met Petros wilde afhandelen.

'Liefste, je moet me vergeven dat ik een deel van de brief
heb verscheurd. Ik was zo alleen. Ik was jaloers dat je de brief
aan Petros had gericht. Er stond niet eens een afscheidsgroet
aan mij in. Wat ik haatte was het politieke deel. Mijn leven
lang heb ik alles gehaat wat ik niet kon begrijpen.

Maar maak je geen zorgen, lieve man, het is niet erg. Ik ken de brief vanbuiten. Als ik mijn ogen dichtdoe, kan ik de snippers lezen en als ik ze weer open, schrijf ik de woorden op voor Petros. Ik zal hem de hele brief geven, ook al is het het enige ding op de hele wereld waar ik van hou. Ik zal hem uitleg geven, als hij er minder van begrijpt dan je denkt. Ik begrijp nu wat er staat.

Ik zal hem vertellen wat ons is overkomen. Misschien dat het hem interesseert. Hij is een strijder en volgens mij kent hij alleen de levens van degenen die met hem strijden. Terwijl ons leven, armzalig als het is, datgene is waar hij voor strijdt.

Als hij belangstelling toont en de tijd heeft om naar me te luisteren, zal ik hem alles vertellen. Ik zal niet vergeten om details toe te voegen die het interessant maken: het bed dat we moesten lenen, de oude hond waar ons avondeten aan opging, het kind dat zijn eigen bloed dronk, het raam dat zo gevaarlijk was, de sleutel die kwijt was, de zomergloed die in het oog van de dode majoor zichtbaar was, het kopje water dat ik over mijn gezicht kreeg toen ik in de gang op de grond lag, de vishaak die zich in mijn borst had vastgezet en de kinderen die ik nodig had als krukken om mee te lopen.

Dat zijn van die details die jij ook gebruikte, Helianos, om je verhalen interessanter te maken. Nu je dood bent, weet ik soms ook dat soort dingen te bedenken. Altijd als je thuiskwam had je wel iets te vertellen, en dat is een mooi trekje in een echtgenoot. Ik hou van jou.'

Een enkele keer hoorde de buurvrouw haar gefluister en moest dan goedmoedig om haar lachen. Het was maar goed dat ze een beetje doof was, anders zou ze vast alles verkeerd hebben begrepen. Nu ze toevallig de woorden 'ik hou van jou' opving, moest ze huilen, waar mevrouw Helianos ongemakkelijk van werd.

Vlakos had de buurvrouw gevraagd om de kinderen uit de kamer van de zieke weg te houden, wat voor een deel Alex' hekel aan haar verklaarde: ze zorgde dat het voorschrift van de dokter werd nagekomen op een manier die hij veel te streng en aanmatigend vond. Op een middag glipte hij desondanks naar binnen. Nog geen halve minuut later kwam ze hem achterna gestoven, een en al verontwaardiging.

Hij deed toen een beroep op de zieke zelf: 'Moeder, ze zegt dat het nog te vroeg is om u te zien. Zeg haar dat het niet waar is. Ik zal heel lief zijn en me heel netjes gedragen.'

Ze had die middag juist veel pijn. Vlakos en de buurvrouw hadden gelijk: het was veel te vroeg. Bleekjes begon ze een poging om hem dat te zeggen. Het zou hem diep gekwetst hebben, als het haar gelukt was, maar ze was niet tot spreken in staat: haar lippen openden zich en trilden, maar haar stem begaf het.

Alex staarde haar aan. Hij hoorde haar woordeloos gemompel en zag hoe ze erbij lag: haar ivoorwitte huid had nu de vuilwitte bleekheid van champignons; onder haar wenkbrauwen tekenden zich de kassen af, waarin haar ogen brandden en draaiden, omgeven door kleine rimpels; haar mondhoeken waren als door een paar gemene vingers neergetrokken en haar haar lag in donkere wrongen over haar slapen, zonder ook maar een draadje grijs.

Toen draaide Alex zich om en vroeg de buurvrouw of hij mocht gaan en verliet met een beklagenswaardig vertoon van gezond verstand de kamer. Ondanks haar ziekte en de emoties viel het zijn moeder op hoe volwassen hij was geworden in de afgelopen paar dagen, alsof het weken of maanden waren geweest.

Toen ze wat later op de middag wakker werd, merkte ze dat ze hem lag toe te fluisteren: 'Het spijt me, Alex, vergeef het me. Ik was Cimon vergeten, ik heb je opgezadeld met Leda, ik kon het niet aan om je haat te zien of te horen, door schade en schande ben ik wijs geworden.

Alex, je moet van nu af aan niet te veel meer van me verwachten. Je vader was de boom en ik de klimplant. De boom is nu omgehakt en weggehaald. Daardoor mis ik nu mijn vorm, wind mij om een leegte, strek me uit naar het niets en lig half ineengezakt.'

Tegen het eind van de week kwam Demos haar weer op- zoeken. Alex liet hem binnen, maar dokter Vlakos was er toe- vallig ook en die weigerde hem aanvankelijk tot de zieke toe te laten. In principe wilde hij niet dat zijn patiënt in dit sta- dium van haar ziekte met iemand sprak, en bovendien had hij vooral een hekel aan Demos als pro-Duitser. De buur- vrouw kwam toen net de woonkamer in, gewapend met haar bezem, en voegde aan de opmerkingen van de dokter in ze- kere zin een zichtbaar verzet toe, zoals ze zich daar met de bezem en al voor de slaapkamerdeur had geposteerd.

Op het laatst slaakte mevrouw Helianos wat zwakke kre- ten vanuit haar bed en door te doen alsof ze zich kwaad maak- te, wat heel slecht voor haar zou zijn, kreeg ze van Vlakos toestemming om met haar neef te praten over een belang- rijke familiekwestie die met de dood van Helianos te maken had: vijf minuten, meer had ze niet nodig.

Demos vond het heel erg haar zo ziek aan te treffen en wist er niet goed raad mee, maar ze hadden geen tijd om het daarover te hebben. Hij wilde weten of ze Roesch gezien had. Het gerucht ging dat hij naar Athene was teruggekeerd en vervolgens in het niets was verdwenen. Demos vertrouwde hem in elk geval niet.

Daarop zei mevrouw Helianos dat ze Petros absoluut wil- de spreken.

Hij antwoordde dat hij een dezer dagen in de stad werd verwacht en in ieder geval binnen een week.

Ze wees op de lade in het nachtkastje, waar ze de sleutels van de benedendeur en die van het appartement zelf in be- waarde, en zag erop toe dat hij die bij zich stak voor Petros. Die kon dan komen wanneer het hem uitkwam, al was het midden in de nacht. Ze sliep licht en zou niet van hem schrik- ken.

'Waarom wil je Petros spreken? Is het niet voldoende dat je mij kunt spreken? Dat is veel minder gevaarlijk.'

'Arme Demos,' fluisterde ze terug. 'Je hebt niet genoeg inzicht om me raad te geven. En je bent ook niet mans genoeg om een moedig mens van me te maken. Maar dat weet je immers wel.'

'Ach, nicht van me, wat heb je toch een scherpe tong. Wil je ons allemaal de stuipen op het lijf jagen, met Roesch achter de hand? Wat wil je toch met Petros, zeg het alsjeblieft.'

Ze zei uiteraard niets over het verhaal van hun leven, over de brief van Helianos of over iets van nog romantischer aard wat door haar hoofd speelde. Ze zei dat ze van Petros wilde horen wat ze tegen Roesch moest zeggen. Misschien was het mogelijk om op een of andere manier de rollen om te draaien waar het Roesch betrof. Ze kon hem informatie geven die foutief was, waar hij niets aan zou hebben, die hem schade zou berokkenen of die hem zelfs fataal zou kunnen worden als ze geluk hadden. Als hij haar wilde gebruiken om iemand van de anderen in de val te lokken, welnu, dan kon hij maar beter oppassen! Want het was haar bedoeling om van de kat een muis te maken en hem zelf in de val te laten lopen. Wellicht dat Petros of een andere belangrijke Griek ermee akkoord ging dat zij een ontmoeting met Roesch op touw zou zetten, om zich zogenaamd door Roesch en consorten gevangen te laten nemen; er kon dan met voldoende Grieken een valstrik worden opgezet om de Duitsers op hun beurt gevangen te nemen. 'Ik denk dat het een goed plan is,' zei ze fluisterend, 'maar ik weet er niet genoeg van om het tot in de details uit te werken. Petros weet hoe dat moet. Het heeft een Helianos nog nooit aan ideeën ontbroken, ook jou niet, Demos.'

Hij zei: 'Je bent niet wijs, nicht! Je bent al net zo dwaas als die kleine Alex van je, net zo dwaas als Leda. Wat zijn jullie een verschrikkelijk stel. Jouw Nikolas had al helemaal geen gevoel voor zelfbehoud, maar nu blijkt dat jij dat ook niet hebt. Ik word bang van je.'

Maar ze zag de pientere blik en de bewondering in de ogen van de oude rokkenjager en beschouwde dat als een goed voorteken. Toen verscheen dokter Vlakos in de deuropening en was onverbiddelijk. Demos moest vertrekken, maar hij had de sleutels op zak.

Opeens bedacht ze dat als Petros het met haar plan eens zou zijn, ze net moest doen alsof ze pro-Duits was. Dan zou ze zich in hetzelfde kamp bevinden als Demos, onbegrepen en veroordeeld door de hele familie: de gebroken weduwe en de oude libertijn. Helianos was een trots mens en ze was blij dat hij hier nooit weet van zou hebben. Maar gezien de huidige moeilijke tijden van het Griekse volk, hield ze zichzelf voor, moest ze haar trots opzijzetten.

Daarna begon ze op fluistertoon te repeteren wat ze tegen Petros zou gaan zeggen. Wat zijzelf vooral van hem wilde, was het volgende: 'Petros, ik wil dat je mijn zoon Alex meeneemt om hem voor jullie verzetsbeweging te laten werken. Hij is nog jong en hij is klein voor zijn leeftijd omdat hij ondervoed is, maar hij is slim en dapper en heeft de vindingrijkheid van een echte Helianos.

Petros, mijn man heeft me, net als Demos, gezegd dat jullie onder andere explosieven plaatsen in gebouwen die door de Duitsers bezet zijn en soms ook onder bruggen of in treinen. Ik kan me niet alles meer herinneren wat ze hebben gezegd.

Welnu, dat is het soort werk dat mijn Alex heel goed kan. Het is een aantrekkelijke jongen met zijn zonnige glimlach, en hij is nog klein; ze zullen niets kwaads vermoeden als ze hem zo hier en daar zien rondlopen. We kunnen de explosieven netjes verpakken, zodat hij eruitziet als een doodgewoon jongetje dat een pakje moet bezorgen. Als ik meer van jullie manier van vechten af zou weten, kon ik misschien wel andere kleine taken bedenken. Hij zou ook een goede koerier zijn.

Je moet goed begrijpen dat ik dit aanbod niet gedachteloos doe, Petros, zeker niet gedachteloos. Ik onderschat de Duitsers niet langer. Ik zie heel goed in welke risico's mijn zoon loopt als hij voor jullie gaat werken. Ik heb ook goed nagedacht over wat ik zelf riskeer, mocht het slecht aflopen.'

De hele middag en de volgende ochtend fluisterde ze met onderbrekingen over hetzelfde thema door, om het voor zichzelf helder voor ogen te krijgen: 'Je moet me niets verwijten, Petros. Ik ken mezelf en ik ken mijn zoon. Hij heeft eigenlijk nooit van iemand anders gehouden dan van mijn andere zoon, die in de slag bij de Olympos is omgekomen. Sindsdien wordt hij verteerd door een onbeschrijflijke haat. Nu ze ook zijn vader hebben omgebracht, moet hij iets ondernemen. Twee jaar lang heeft hij niets anders te doen gehad dan te zorgen voor zijn zwakbegaafde zusje Leda. Nu wil ik hem niet langer hier in huis hebben rondlopen, waar hij zijn leven verdoet aan ons tweeën. Dat zijn die levens van ons zoals het er momenteel voor staat niet waard.

Het zou een hele troost zijn voor Leda en mij als hij nog hier zou kunnen wonen, al is het maar voor een deel van de tijd. Ik kan hem waarschuwen voor zijn ergste fout: onvoorzichtigheid. Ik zou er ook voor kunnen zorgen dat hij jullie opdrachten goed begrijpt. Maar als je denkt dat hij van meer nut is als hij zich op straat probeert te redden samen met andere jongens, dan is dat goed. Als je hem liever meeneemt de bergen in, ook goed. Ik doe het voorstel zonder voorwaarden te stellen.

Laat me hem naar jullie toe brengen. Je kunt hem dan uithoren en zelf zien hoe hij over van alles denkt en wat voor jongen het is. Bedenk alsjeblieft een manier waarop hij jullie van dienst kan zijn. Hij wil niets liever dan zijn leven geven in de strijd tegen de Duitsers. Dat is het enige wat hem interesseert. Mijn man heeft me daar lang geleden al voor gewaarschuwd. Maar destijds wilde ik niets liever dan dat verhinderen. Ik was bang en naïef. Onder de huidige ongelukkige omstandigheden, nu ik alleen, hulpeloos en ziek ben, geloof ik dat ik het zou kunnen verhinderen. Want ondanks zijn haat is hij heel attent. Maar ik voel dat ik nu het recht niet heb om hem ervan te weerhouden. Ik wil het niet langer verhinderen. Bovendien is hij voor niets anders geschikt.

Alsjeblieft, Petros, neem hem onder je hoede. Ik ben een arme weduwe, een vrouw die zich niet langer verdienstelijk kan maken, maar mijn hart is schrikwekkend sterk. Iets anders heb ik niet te geven en als ik niet iets geef, verlies ik nog mijn verstand.'

Dat was allemaal oprecht gemeend. Ze was vastbesloten en zou dat ook zo meedelen aan de held van de familie als hij kwam. En als hij haar niet wilde helpen, dan zou ze wel een andere manier vinden. Alex kon misschien ook zelf wel iets vinden. Zo kon ze Demos de kop gek zeuren over Roesch, totdat hij haar eindelijk serieus nam. Ze kon bijna niet wachten tot ze weer beter was.

Op de negende dag voelde ze zich al bijna sterk genoeg om op te staan, maar ze had nog het geduld om naar dokter Vlakos te luisteren. De eerste keer dat ze opstond was in de daaropvolgende nacht, of beter gezegd: vlak voor het aanbreken van de tiende dag. Helianos was haar in een droom verschenen, wat haar een aangenaam gevoel had bezorgd. Maar toen ze wakker werd, drong het met zo'n schok tot haar door dat ze alleen was dat ze niets meer van de droom kon terughalen, en dat was als het verlies van iets wat ze niet meer had, alsof men de spot dreef met haar rouw.

De meubels in de kamer en zelfs de vier muren waren in een bloedeloos parelachtig, bleekblauw licht gehuld en maakten een onwerkelijke indruk. Ondanks alle vuil, ziekte en doodslag in Athene was de lucht die door het raam naar binnen kwam geurig als de adem van een kind. Toen kwam er een onbestemd gevoel over haar. Met het inzetten van haar herstel was ook haar melancholie toegenomen. Die zou vanaf nu waarschijnlijk bepaald worden door de mate van kracht die ze had: zoveel als ze kon dragen, zoveel zou ze ook voelen. Nu leek die kracht haar met een flinke zet uit bed te duwen en deed haar overeind komen en rechtop staan, ook al was ze nog door ziekte verzwakt.

Instinctief wist ze hoe ze moest gaan, door de woonkamer en de gang, zachtjes langs de openstaande deur van de kamer waar de anderen lagen te slapen, naar de keuken. Op de drempel hield ze verbijsterd halt toen ze ontdekte dat het opklapbed er weer stond met de kleine gestalte van haar zoon erin. Niemand had haar daar iets over gezegd. Heel even voelde ze iets van bijgeloof. Maar nee, het was niet anders dan een extreme uiting van het vaste leefpatroon waaraan ze zichzelf zo had moeten gewennen. Ze liep verder de ongewone slaapkamer binnen die nu door Alex was overgenomen.

Op de tast zocht ze met behoedzame handen haar weg in het halfduister, greep een oude kruk uit de hoek en ging bij de kleine jongen zitten die een heldhaftige toekomst wachtte, de tengere Helianos die ze zou nalaten. Ze wilde graag dicht bij hem zijn nu ze een manier had bedacht om hem te laten zien dat het leven haar had geleerd hem te begrijpen en lief te hebben. Hij lag helemaal opgerold tegen de muur met zijn handen onder zijn kin, zijn knieën opgetrokken, in nagenoeg dezelfde houding als een ongeboren kind in de moederschoot.

O, zuchtte ze, Petros moest haar wel heel sterk de indruk geven een echte held en een goed mens te zijn, anders zou ze hem niet laten gaan; het was nog niet te laat om nog eenmaal van gedachten te veranderen. Maar meer dan een verzuchting was het niet; ze verwachtte niet echt een dergelijk armzalig excuus te vinden of een manier om onder haar voornemen uit te komen. Helianos had tegenover haar ingestaan voor Petros als held en goed mens.

Het werd tijd dat ze Alex zelf vroeg wat hij ervan dacht, ook al wist ze wat het antwoord zou zijn. Hij zou hooguit aarzelen omdat hij zo van Leda hield. Zou dat kind dan altijd een blok aan zijn been zijn? Misschien ook niet; hij had haar zo sterk aan zich weten te binden, ze vond het zo verrukkelijk om hem een plezier te doen, dat hij haar met gemak levensgevaarlijke dingen kon laten doen, of in ieder geval haar mee op sleeptouw kon nemen om hem gezelschap te houden. Er waren vreemdere dingen gebeurd in deze oorlog.

Onderwijl hoorde ze buiten in de gemartelde stad een zacht gefluister: een rusteloosheid die op het punt stond uit zijn slaap te ontwaken. Als ze had gewild, had ze weer een blik kunnen werpen op de Akropolis, met zijn tempel in de ijle ochtendmist, de heuvel in zwart gehuld, haar grote aanmaning, haar ergste aandenken. Heel bewust bleef ze met haar rug naar het raam staan.

Weldra zou ze hier terugkeren en de honger verdrijven, van vodden kleren maken en dood en verderf te lijf gaan. Ze had bedacht dat de buurvrouw best als haar huishoudster zou willen blijven. Maar nee, als Alex en zij voor Petros zouden gaan werken, konden ze die argeloze, praatgrage vrouw er niet bij gebruiken. Als ze het huishouden weer op zich zou hebben genomen, zou ze de gordijnen voortaan dicht houden, de Akropolis buitensluiten en in het halfduister werken.

Alex rekte zich in zijn bed onrustig uit en duwde daarbij per ongeluk het kussen onder zijn hoofd vandaan op de grond. Zijn moeder knielde neer, pakte het en zat een ogenblik lang op de grond met het kussen in haar armen. Ze voelde hoe het op één plaats nog warm was van zijn adem. Ze ging languit liggen, legde haar hoofd een moment lang te rusten op het kussen en terwijl er een paar vage woorden door haar hoofd gingen – het leven waard overwogen te worden, oorlog zonder einde, hart vol liefde – viel ze in slaap.

Toen Alex even later wakker werd en zijn kussen zocht, zag hij haar en slaakte een kreet van schrik, maar daardoor werd ze onmiddellijk wakker, glimlachte en verontschuldigde zich: 'Ik kon niet slapen, ik doe van alles en nog wat als jullie allemaal slapen, ik kwam om uit het raam te kijken, ik wilde helemaal niet in slaap vallen hier.'

Hij zei dat het niet erg verstandig van haar was en stuurde haar met een stem vol genegenheid, maar ook met een licht vertoon van mannelijkheid, terug naar het bed waar ze nog niet uit had mogen komen.